경제가
성장하면
우리는 정말로
행복해질까

경제가
성장하면
우리는 정말로
행복해질까

나와 당신은
과연 성장의 과실을
공정하게 분배받고 있는가

데이비드 C. 코튼 · 김경숙 옮김

사이

차례

끝없는 경제 성장의 추구는
나와 당신의 삶을 과연 부유하게 만들어 주었는가

> 나는 현대가 이미 끝났다고 주장하는 데는 그럴 만한 충분한 이유가 있다
> 고 생각한다. 오늘날 수많은 현상들은 우리가 과도기를 살고 있음을 보여
> 준다. 어떤 것들은 사라져가고 뭔가 다른 것들이 고통스럽게 생겨나고 있
> 는 듯 보인다. 지금 어떤 것들은 흔들리고, 붕괴하고, 소진되어 가는 반면,
> 그 파편 더미에서 아직 분명하진 않지만 무언가가 나타나고 있는 것 같다.
> – 바츨라프 하벨, 전 체코공화국 대통령

지난 몇 해 동안 나는 여행을 통해 필리핀, 헝가리, 뉴질랜드, 방글라
데시, 브라질, 남아프리카공화국, 태국, 미국 등 서로 다른 나라에서
매우 다양한 배경을 지니고 살아가는 사람들을 만날 기회를 가졌다.
어느 곳을 여행하든 나는 거의 세계 공통으로, 평범한 사람들이 기대
어 살아가는 그 사회의 제도가 그들에게 실망을 안겨주고 있다는 인
상을 받았다. 또한 자신과 자녀 세대의 미래에 대한 전망이 갈수록
어두워지는 것에 대해 두려움을 느끼는 사람들도 점점 많아지고 있

는 것 같다. 미국을 포함한 여타 국가에서는 그와 같은 두려움으로 인해 정치적 좌절감과 소외감이 점차 커져가고 있으며, 그것이 현재 점점 낮아지고 있는 투표율과 증가하는 납세자들의 저항, 정치인들에 대한 거부감으로 표현되고 있다. 그러나 진짜 문제는 정부와 정치에 대한 단순한 반감보다 훨씬 깊은 곳에 있다.

정치인들은 정부의 실패에 대한 대중의 좌절을 이해하는 척 그들에게 영합하지만, 그렇게 많은 사람들에게 암울한 미래관을 갖게 하는 상황들, 이를테면 빈곤의 증가와 실업, 불평등, 폭력 범죄, 가정의 해체, 환경 악화 등의 근본 원인이 무엇인지 거의 이해하지 못한다. 정치 지도자들은 그저 자신들의 정적을 비난하고, 그들과 전혀 다를 바 없는 헛되고 진부한 해결책을 내놓는 수준에서 조금도 나아갈 능력이 없어 보인다. 그들이 제시하는 해결책이란 규제 완화를 통한 경제 성장, 세금 감면, 무역 장벽 제거, 기업에 대한 더 많은 혜택과 보조금 지급, 복지 수혜자에 대한 자립 유도, 경찰력 확충, 더 많은 감옥을 짓는 것 정도이다.

지금 어떤 일이 벌어지고 있는지 가장 명확하게 인식하고 있는 사람은 대개 권력의 중심에서 동떨어져 평범한 삶을 살고 있는 사람들이다. 그러나 종종 이들은 자신이 진정 사실이라고 믿는 바를 겉으로 드러내어 밝히기를 꺼린다. 왜냐하면 자신이 생각하는 바가 너무 무섭기 때문이고, 또한 자신보다 훨씬 인상적인 자격증을 갖고 언론에 등장하는 사람들이 떠드는 내용과는 달라도 너무 다르기 때문이다. 이러한 억눌린 통찰력은 이들에게 소외감과 무력감을 갖게 만든다. 그 결과 다음과 같은 의문들이 끊임없이 그들을 괴롭힌다.

"내가 보는 것만큼 정말로 현재 상황이 그렇게 나쁜가? 그렇다면 다른 사람들은 왜 그걸 보지 못하는 걸까? 내가 어리석은 것일까? 아니면, 내가 의도적으로 왜곡된 정보를 접하고 있는 걸까? 그럼 나는 무엇을 해야 할까? 또 다른 누구는 무엇을 할 수 있을까?"

나 역시 여러 해 동안 그와 똑같은 질문을 붙잡고 씨름을 해왔다. 처음에 내가 느낀 감정은 그들과 다를 바 없는 소외감이었지만 시간이 흐르면서 점차 이와 같은 의문을 지닌 사람들이 수백만 명에 달한다는 사실을 깨닫게 되었다. 그렇다 하더라도 새로운 집단을 대상으로 강연 준비를 할 때면 오로지 성장과 대기업, 정부의 적자 재정 문제에만 골몰하고 있는 이 세계에서 내 얘기 따위는 한순간의 고려도 없이 즉각 거부당할 거라는 사실에 항상 신경이 곤두섰다. 그러나 청중들이 보여주는 일반적인 반응은 내게 긍정의 말을 쏟아내는 것이었다. 그들은 공개 포럼 자리에서 자신의 견해가 틀린 것이 아니었음을 확인할 수 있었던 것에 대해 안도감과 기쁨을 표현하곤 했다. 고통스럽고 유쾌하지 못한 진실을 토론의 장에 올리는 일은 행동으로 나아가는 데 꼭 필요한 첫걸음이다. 미지의 것에 대한 공포는 우리를 무기력하게 만들지 모르지만, 진실은 우리에게 행동할 힘을 준다.

내 의문의 뿌리

—

내가 집필한 각각의 책들은 계속되는 나의 지적 여행에서 하나의 새로운 단계를 이룬다. 그 하나하나의 책들은 현재 내가 견지하고 있고 앞으로 이 책에서 여러분과 공유할 입장과 견해들이 어떤 경험을 통해 형성되었는지 파악하는 데 도움을 줄 것이다. 그래서 나는 지금껏 내가 경험해온 것들을 여기서 먼저 여러분께 들려주고자 한다.

나는 1937년에 미국의 보수적인 중상류층 백인 가정에서 태어났고, 인구 2만 5천 명에 목재 산업이 발달한 워싱턴 주의 롱뷰라는 이름의 작은 마을에서 성장했다. 나중에 커서 악기 관련 가업을 물려받게 될 거라고 생각했던 나는 미국이라는 테두리를 벗어나 멀리 도약하는 일에는 별 관심이 없었다. 스탠퍼드 대학에서 심리학을 공부하던 나는 음악적 적성을 테스트하는 방법과 어떻게 심리학을 이용해 소비자의 구매 행위에 영향을 미칠 수 있는지에 관심을 기울였다. 그런데 대학 마지막 학년이던 1959년에 기묘한 일이 발생했다.

당시 젊은 보수주의자였던 나는 공산주의가 퍼져 나가는 것과 그것이 내가 소중히 여기던 미국식 생활방식에 가할 위협에 깊은 두려움을 갖고 있었다. 이 두려움이 정치학과의 로버트 노스 교수가 강의하는 〈현대의 혁명들〉이라는 강의를 수강하도록 이끌었다. 그 강의를 통해 나는 빈곤이 전 세계에 혁명의 불을 댕기고 있음을 깨달았다. 살면서 매우 귀하게 찾아오는, 인생을 송두리째 바꿔버리는 그 순간에 나는 한 가지 결심을 했다. 그것은 바로 현대적 경영이나 기업가 정신으로부터 아직 아무런 이득을 보지 못한 사람들에게 그것에 관한 지식을 전수함으로써 미국식 생활방식에 대한 위협에 맞서는 데 평생을 바치겠다는 결정이었다.

그래서 나는 스탠퍼드 경영대학원에서 국제 경영으로 석사 학위를, 조직 이론으로 박사 학위를 받는 것으로 이론적 채비를 마쳤다.

이후 막 결혼해서 신혼살림을 차린 내 인생의 동반자 프랜시스 코튼의 도움을 받아가며 에티오피아에 경영대학원 과정을 개설하면서 보낸 3년은 나에게 일종의 도제 기간이 되어주었다. 베트남전 기간에 미 공군 대위로 복무하는 동안에는 공군 특수 부대 연수원과 공군 장관실, 국방 장관실에 팀원을 배정하는 업무를 수행했다. 그러고 나서 하버드 경영대학원으로부터 교수직을 제의받았고 이후 그곳에서 5년 반 동안 강의를 했다.

하버드 경영대학원에 재직한 기간 중에서 3년은 니카라과를 중심으로 하는 중앙아메리카 경영연구소의 하버드 대학 고문으로 근무했다. 중앙아메리카 경영연구소는 중앙아메리카와 안데스 지역 국가들의 기업들에게 산학연계의 지원 서비스를 제공해 주는 경영대학원 과정이었다. 이후 보스턴으로 돌아와 하버드 경영대학원에서 2년간 더 교편을 잡은 후 하버드 국제개발연구소Harvard Institute for International Development로, 그리고 다시 공중보건학부로 자리를 옮겼다. 1978년 초, 필리핀에 있는 포드 재단에 합류한 프랜과 나는 그 뒤 14년 동안 동남아시아에 머물렀다. 그 후 아내 프랜은 포드에 계속 재직했고, 나는 미국의 공식적인 대외 원조 프로그램인 미국국제개발처(USAID, United States Agency for International Development)에서 성장 관리를 담당하는 선임 고문으로 8년을 보냈다.

내가 이처럼 세세한 경력을 나열하는 것은 나의 보수적 뿌리를 밝히기 위함이다. 그러나 내 이력 가운데 보다 흥미로운 부분은 대부분의 보수주의자와 심지어 다수의 자유주의자들도 지지하는 전통적인 개발 과정이 전 세계적으로 급속히 가속되고 있는, 어쩌면 치명적일 수 있는 인간의 위기에 해결책이 되어주는 것은 고사하고 오히려 그 주된 원인이라는 결론에 조금씩 눈을 떠가는 과정이다.

그 깨달음을 향한 첫걸음이 로버트 노스 교수가 강의하는 〈현대의 혁명들〉을 수강한 것이었다. 그 후 1961년 여름을 인도네시아에서 보내면서 나는 저개발국의 현실에 몰두했고 절대 빈곤 속에 살아가는 사람들의 영웅적 투쟁과 정신적인 배경, 그리고 관용을 접할 수 있었다. 그것은 내가 이전까지 한 번도 만나보지 못한 인간 경험의 한 면모였다.

그 후 1970년대 초에 중앙아메리카 경영연구소에서 일하는 동안에는 내가 맡고 있던 변화관리 강좌를 위해 하버드 경영대학원 풍의 관리 사례들을 다수 작성해 놓았다. 그 사례들은 라틴 아메리카의 경험을 토대로 한 것이었으며, 그 중 많은 사례들이 도시와 농촌 빈곤층의 상태를 개선하기 위한 정부, 기업, 자원봉사 단체들의 노력을 담고 있었다. 하지만 그 대다수가 전하는 메시지는 혼란스러운 것이었다. 그것은 말하자면 〈외부로부터 가해진 개발〉은 인간관계와 지역 공동체 생활을 심각하게 파괴하며, 그 개발의 수혜자라는 사람들에게 상당한 고통을 야기한다는 사실이었다. 그와 반대로 사람들이 스스로 개발을 위한 자유와 자신감을 발견할 때, 그들은 더 나은 세상을 창조할 수 있는 엄청난 가능성을 보여주었다. 나는 이런 식으로 일반 대중들 스스로가 주도하는 개발을 지원하는 쪽으로 개발 프로그램을 바꾸기 위한 도전에 매료되었다.

또한 중앙아메리카 경영연구소와 하버드에서 보낸 수년 동안 프랜과 나는 가족계획 프로그램의 운영을 개선하기 위한 프로젝트에도 참여하였다. 그 덕분에 우리는 점점 줄어드는 자원에도 불구하고 자신의 삶에 대한 통제력을 잃지 않으려 애쓰는 빈곤층을 포함해 지역 공동체가 주도하는 수많은 계획들을 접할 수 있었다.

프랜과 내가 하버드를 떠나 필리핀 마닐라에 있는 포드 재단에 합류했을 때, 프랜은 포드 재단으로부터 필리핀 국립관개국에 주어지는 소액의 보조금을 포함해서 여러 종류의 보조금을 받았다. 그 보조금은 농민이 소유하고 운영하는 소규모 관개 시스템에 대한 필리핀 국립관개국의 지원 능력을 강화하기 위한 것이었다. 이것은 필리핀 국립관개국과 포드 재단 간의 장기적인 협력으로 이어졌으며, 이로 인해 필리핀 국립관개국은 농민들에게 지시를 내리는 토목 공사와 건설을 중심으로 하는 조직에서, 농민 조직과 상호 협조 하에 일하면서 실질적인 수준의 지역 자치를 장려하는 조직으로 변모했다.

우리는 지역의 주민들이 실제적인 〈개발의 주체〉가 되었을 때 지역 공동체와 사람들이 자기 스스로를 돕기 위해 얼마나 강한 에너지를 내는지를 볼 수 있었다. 우리는 또한 외국에서 자금을 댄 개발 계획이 그러한 자구 노력을 위축시키는 과정도 직접 목격했다. 더불어 신중하고 전략적인 지원 활동이 어떻게 중앙 집중적인 덩치 큰 공공기관의 관료 체제화를 막고 그 지역의 자원에 대한 주민들의 통제력을 강화하는 데 이용될 수 있는지도 배웠다. 미국국제개발처가 내게 요청했던 것은 바로 이와 같은 경험에서 내가 얻은 교훈들이 아시아 지역에 대한 개발 계획 수립에 적용될 수 있도록 도와 달라는 것이었다. 나는 그 임무에 8년간 몰두했지만 결국 다른 개발 단체들의 관료 체제를 약화시키는 기폭제 역할을 효과적으로 수행하기에는 미국국제개발처 자체가 너무 덩치가 크고 관료적이라는 결론을 얻었을 뿐이었다.

이러한 경험들로 나는 진정한 개발은 결코 외국의 원조로 이루어질 수 없다는 깊은 확신을 갖기에 이르렀다. 개발은 자신이 살고 있는 지역 공동체의 실제 자원들, 즉 토지, 물, 노동력, 기술, 그리고 인간이 가진 발명의 재주와 동기 등에 대해 통제력을 갖고 이것을 얼마나 그들 자신의 요구에 맞게 효과적으로 사용하느냐 하는 지역 사람들의 능력에 전적으로 달려 있다. 그럼에도 개발에 대한 대부분의 개입들은 지역 주민들을 전혀 고려하지 않고 그들의 요구에는 전혀 응답하지 않는 채, 보다 중앙 집중적이고 보다 대규모인 정치 및 경제 기관들에게 지역 자원에 대한 통제권을 넘겨주고 있다. 이렇게 되면 주민들은 더욱 의존적이 되고, 자신들의 삶과 지역 자원에 대한 통제력은 점점 약화되며, 지배적 권력을 지닌 자와 지역 공동체 내에서 생계를 꾸려가야 하는 자들 간의 격차는 더욱 급격히 벌어진다.

나는 결국 〈경제 성장〉을 증진시키는 요인들과 사람들에게 〈더 나은 삶〉을 가져다주는 요인들 사이에 어떤 차이가 있는지를 깨닫게 되었다. 이 차이점은 기본적인 의문을 제기했다. 성장과 돈을 개발의 중심에 두는 〈성장 중심적인 방식〉이 아닌 사람이 진정한 중심이 될 때, 즉 사람이 목적인 동시에 주된 수단이 되는 〈인간 중심적인 방식〉을 취한다면 개발이 어떤 모습을 취할 것인가 하는 것이었다.

소위 개발의 수혜자라고 여겨지는 지역 주민들이 개발 단체들의 체계적인 공격과 지역 자원을 식민화하고 있는 프로젝트에 맞서 자신의 존엄성과 삶의 질을 지켜나가기 위해 고군분투하는 모습을 확인하면 할수록, 나는 개발 이론의 주요 흐름으로부터 점점 멀어져 갔다. 1988년 나는 결국 미국국제개발처를 떠났지만 동남아시아에는 계속 남았다.

성장 중심 VS. 소외되지 않은 인간 중심
—

공식적인 개발 단체에 대한 환상이 깨진 나는 비정부 기구NGO의 세계에 발을 들여놓았는데 오래지 않아 자연과 개발 과정에 대해 나와 비슷한 질문을 제기하는 NGO 동료들이 많다는 사실을 깨닫게 되었다. 그래서 나는 NGO 사회 내에서 점차 역동성을 더해가고 있는 대화 속에 나타나는 집단적 통찰을 종합하여 기술하기 시작했다. 그 시기는 개인적으로 강렬한 깨달음을 얻은 시기로, 이것은 나의 저서 『21세기로의 접근: 자발적인 행동과 세계적 의제Getting to 21st Century: Voluntary Action and the Global Agenda』로 이어졌다. 이 책은 빈곤과 환경 파괴, 사회 해체의 심화라는 인류가 맞고 있는 삼중 위기에 초점을 맞추었고, 성장을 목적으로 한 개발과 인간을 단지 도구로 취급하는 개발의 방식에서 그 위기의 근원을 찾았다. 이 책은 현대 사회에서 막강한 영향력을 지닌 국제적인 경제 기관들이야말로 경제 성장을 중심에 놓는 개발론이 만들어낸 창작품이며, 변화를 이끄는 주체는 반드시 자발적인 시민 행동에서 나와야 한다고 결론짓는다.

이 주장을 받아들여 나는 수많은 동료들과 힘을 합해 〈인간중심개발포럼〉(People-Centered Development Forum)을 창립했는데, 이 단체는 미래에 대한 인간 중심적 비전을 명확히 하고 이를 발전시키며 그러한 시각에 맞게 개발 방법을 재정의하는 일에 전념하는 세계적인 시민 네트워크였다. 인간중심개발포럼은 국가적 혹은 국제적 조직과 경제 및 금융 기관들이 개발이라는 이름으로 그 과정에서 어떤 역할을 담당하고 있는지에 대해 특별한 관심을 갖고 살펴보았다. 이를 보고 일부 사람들은 역설적이라고 할 수도 있을 것이다. 즉 지역에 권한을 이양할 필요성에 대해 이야기하면서도 내 관심은 대부분 국제적 경제 및 금융 기관들을 어떻게 변모시킬 것인가에 쏠려 있다는 것이다. 나는 〈지역〉의 힘을 키우기 위하여 〈세계〉를 변화시키길 원하는 사람들 중 한 명인 것이다.

1992년 11월 나는 몇몇 아시아의 NGO 지도자를 만나기 위해 필리핀의 산악 휴양 도시인 바기오에 갔다. 우리는 열흘간에 걸친 회의를 통해 아시아의 개발 경험과 그것이 NGO의 전략에 어떤 영향을 미치는지에 대해 논의했다. 우리 모두는 아시아의 경제 성장이 위험스러울 정도로 피상적이라는 데에 우려를 갖고 있었다. 역동적이고 경쟁적인 경제 밑에는 더욱 심화되는 빈곤과, 사회적 기반과 생태적 기반의 붕괴가 확산되고 있는 현실이 깊숙이 자리 잡고 있었다. 우리의 토론은 아시아가 직면하고 있는 위기의 더욱 심층적 원인들을 설명하고 이를 해결하는 데 지침이 될 만한 이론이 필요하다는 쪽으로 이어졌다. 이론이 없다면 우리는 나침반 없는 조종사나 마찬가지였다. 어느 날 밤이 늦도록 조그만 중국 음식점에서 계속된 우리의 토론은 두 가지 기본적인 통찰로 집약되었다. 첫째는 우리에게 필요한 것은 지침으로 사용할 또 다른 개발 이론이 아니라는 것이다. 그보다 우리에게 필요한 것은 북반구 국가들에나 남반구 국가들에나 똑같이 적용되는 지속 가능한 사회 이론이었다. 둘째, 그 이론은 무익한 경제 공식을 넘어서서 어째서 인간 사회가 삶의 자연적 과정으로부터 그토록 멀어졌는가 하는 문제를 설명할 수 있어야 한다는 것이었다.

며칠간 계속해서 토론이 진행되면서 조각들이 하나씩 제자리를 찾아나가기 시작했다. 기계론적 세계관이라는 서구의 과학적 시각은 우리 자신이 타고난 정신적 본성으로부터 철학적 혹은 개념적인 소외를 초래했다. 그리고 우리의 제도들이 점점 더 시장의 금전적 가치에 맞춰 조정됨으로써 일상 속에서 소외는 더욱 강화되어 왔다. 우리 삶에서 화폐가 지배적인 위치를 차지하면 할수록 공동체의 기반이 되는 정신적 유대감과 자연과의 균형 잡힌 관계 형성은 더욱더 설 자리를 잃어갔다. 정신적인 만족의 추구는 갈수록 자기 파괴적이고 온 마음을 다 빼앗는 돈에 대한 집착, 다시 말해 유용하기는 하지만 본질적으로 아무 가치도 없고 실체도 없는, 인위적 산물인 부의 추구에 대한 집착으로 대체되어 갔다.

우리가 분석하기로는 살아 있는 지구와 지속 가능한 관계를 재정립하기 위해서는 돈이 지배하는 세계에 대한 환상을 떨쳐내고 인생의 정신적인 의미를 회복해야 하며, 우리의 경제 체제가 공동체 내에 제자리를 잡고 뿌리내려서 그것이 인간과 인간의 삶에 완전하게 결합되도록 해야 한다. 마침내 우리는 인간이 중심이 되는 개발의 과제는 모든 면에서 〈삶이 중심이 된 사회〉를 창조하는 것이어야 하며, 그 사회에서 경제는 인간 존재의 목적이 아니라 행복한 삶을 위한 도구 중 하나여야 한다는 결론을 내렸다. 또한 우리 사회의 지도자라는 사람들은 자신들이 이끄는 기관의 신화와 보상 체계라는 덫에 걸려 있기 때문에 제도와 가치를 재창조하는 과정에서 지도자 정신은 시민 사회 속에서 나와야만 한다.

사실 이는 여러 면에서 그다지 특별할 것이 없는 통찰이었다. 우리가 해낸 일이란 고작 우리의 정신적 본성과 경제적 삶 사이에는 깊은 갈등이 존재하며, 사회와 정신의 건강한 기능은 그 둘 사이에 적절한 균형을 유지하는 데 달렸다는 고대의 지혜를 재발견한 것뿐이었다. 지금까지 항상 민주적 국가 경영의 기조를 이루어 왔던 시민 사회의 중요성을 인식한 것 역시 새로울 것은 없었다. 하지만 우리는 이러한 생각들이 현대 사회를 위태롭게 하는 위기와 실제로 어떤 연관성을 갖는지에 대해 좀 더 깊이 들여다보았다고 느꼈다.

다시, 야수의 배꼽으로 돌아오다

—

1992년 여름 필리핀의 바기오에서 철수하기 얼마 전, 프랜과 나는 동남아시아를 떠나 미국으로 돌아왔다. 우리는 동료들과 친구들에게 보내는 크리스마스 편지에 우리의 결정을 알리면서 다음과 같은 설명을 덧붙였다.

우리가 1960년대 초에 고국을 떠나 머나먼 타국으로 오게 된 것은 그 지역들이 우리가 대학 시절부터 헌신하기로 결심했던 개발 문제의 중심지라는 믿음 때문이었습니다. 우리는 미국의 성공 교훈을 전 세계와 나누어 〈그들〉이 좀 더 〈우리〉처럼 되도록 해야 한다는 임무에 고무되어 우리 경력의 첫발을 내딛었습니다.

우리가 30년 전에 이해하고 있던 개발, 그리고 오늘날까지도 세계은행, 국제통화기금, 부시 정부, 그리고 대부분 세계의 영향력 있는 경제 기관들에 의해 적극적으로 추진되어 온 개발은 대다수 인류에게 도움이 되지 못하고 있습니다. 그리고 문제의 뿌리는 미개발 세계의 빈곤층에 있는 것이 아니라 오히려 이 세계를 사회적, 경제적 자멸로 이끄는 국제 정책을 독점하고 소비적 사치 문화에 대한 세계 표준을 만드는 국가들에서 발견되고 있습니다.

이제 그때보다 30년 더 나이 들고, 바라건대 제법 현명해졌을 프랜과 저는 미국의 성공이 얼마나 이 세계의 핵심적인 문제를 만들고 있는지를 깨닫게 되었습니다. 사실 이 주장의 최대 증거는 미국 내에서 찾을 수 있을 것입니다.

아시아에서 얻은 앞선 시각으로, 우리는 미국이 전 세계를 상대로 옹호해온 바로 그 정책들로 인해 스스로 점점 벌어지는 빈부의 격차, 외채 의존, 악화되는 교육 제도, 유아 사망률 증가, 1차 상품(마지막 남은 주요 산림지를 포함하여) 수출에 대한 경제 의존도 증가, 유독성 폐기물의 무차별 폐기, 가정과 공동체의 붕괴를 겪고 있는 모습에서, 미국 국경 안에도 제3세계가 생겨나고 있다는 사실을 두려움을 안고 지켜보았습니다.

우리가 고국을 떠나 있는 동안, 힘을 가진 자들은 국가의 부를 제 손 안에 장악했고 자기보다 운이 덜 좋은 이웃에 대해 자신들은 아무 책임이 없노라고 선언했습니다. 일자리를 지키기에 급급한 미국의 노동자들은, 여전히 미국의 이름을 달고 있을지는 모르나 국가에 대한 충성심 따윈 없는 기업들과 임금 삭감을 협의하는 것으로 상대적으로 더 절박한 멕시코, 방글라데시, 다른 제3세계 국가의 실업자들과의 경쟁을 강요당하면서 노동조합은 날로 위축되고 있습니다.

해외에서 보낸 세월 덕분에 무엇보다 귀한 경험을 쌓게 된 우리는 지금이 책임감을 갖고 문제를 직면하기 위해 고국으로 돌아갈 최적기라고 생각합니다. 거리를 배회하는 홈리스 무리와 돈 많은 유명 인사들의 사치스러운 라이프스타일, 그리고 무기력한 정부와 무차별적 폭력이 공존하면서 현대 제3세계 도시의 모든 특성들을 그대로 보여주는 경제력의 중심지 뉴욕이야말로 우리가 돌아갈 최적의 선택지 같습니다. 그래서 우리는 〈야수의 배꼽〉으로 이사할 것입니다. 이 같은 상황을 야기한 원인에 대해 30년간의 배움으로 얻은 균형감을 갖고 말입니다.

타인들을 우리와 좀 더 비슷하게 만듦으로써 우리가 그들에게 야기한 문제들을 해결하기 위해 우리는 길을 나섰었다. 하지만 이제 우리는 우리 자신을 포함해 전 세계를 자멸적인 길로 이끄는 데에 미국과 부유한 북반구 국가들이 어떤 식으로 기여해 왔는지에 대한 동포들의 이해를 돕기 위해 고국으로 돌아왔다. 우리가 기꺼이 자신을 변화시킬 준비가 되었을 때만이 다른 이들 또한 우리가 그들에게서 빼앗은 사회적 환경적 공간을 완전하게 되찾을 수 있을 것이며, 정당하고 민주적이며 서로 협력하는 지속 가능한 세상에서 자신의 요구를 충족시킬 능력을 회복할 수 있을 것이다.

경제 성장의 이면에 숨겨져 있는 권력의 이동

—

이 책은 빈곤층의 증가, 실업, 불평등, 폭력과 범죄, 가정의 해체, 환경 악화에서 드러나듯, 점점 가속화되고 있는 사회와 환경의 해체를 거의 전 세계 모든 국가가 경험하고 있다는 증거에서 출발한다. 이 문제들은 생태계에 대한 인간의 요구를 지구가 지탱할 수 없는 수준까지 밀어 올렸던 1950년부터 경제적 총생산이 다섯 배로 증가한 데에 부분적으로 기인한다. 그 이후 공공 정책을 수립하는 데 있어 원칙으로 자리 잡은 〈지속적인 경제 성장의 추구〉는 생태계 재생력의 파괴와 인류 공동체를 지탱하는 사회 구조의 붕괴를 가속시킴과 동시에, 빈곤층이 패배할 수밖에 없는 빈부 계층 간의 자원 경쟁을 부채질하고 있다.

그런데도 각국 정부는 그와 같은 문제에 응답할 능력이 전혀 없는 듯 보이고 대중의 좌절감은 분노로 바뀌고 있다. 그러나 이와 같은 상황은 단지 정부 관료 체제의 실패를 의미하는 것만은 아니다. 이것은 곧 경제가 세계화되는 과정의 이면에서 이념적, 정치적, 기술적인 권력의 집중으로 인해 발생한 지배 시스템의 위기를 의미한다. 〈경제 세계화economic globalization*〉 과정은 공공의 이익을 책임지는 정부로부터 단기적인 경제적 이득의 추구라는 단 하나의 명령에 의해 움직

---

* 재화와 용역, 자본과 기술 등이 각국의 국경을 넘어 자유로이 오가면서 세계가 점차 하나의 경제권으로 통합되고 경제의 상호 의존성이 심화되어 가는 현상을 말한다. 국제통화기금, 세계무역기구, 세계은행, 관세 및 무역에 관한 일반 협정 등의 초국가적 세계 기관도 경제 세계화에 큰 역할을 담당하고 있다. 그러나 경제 세계화의 과실은 강대국들이 독식하고 남반구와 북반구의 차이, 제3세계의 빈곤은 오히려 심화되고 있다는 문제가 대두되고 있다.

이는 몇 안 되는 기업과 경제 및 금융 기관들에게 권력을 넘겨 극소수 엘리트들의 손 안에 엄청난 경제력과 정치권력을 집중시켰다. 또한 점차 고갈되어 가는 천연자원 생산량에 대한 극소수 엘리트 집단의 확고부동한 지분은 상당한 속도로 계속 증가하고 있으며, 바로 그렇기 때문에 이들은 시스템이 완벽하게 잘 작용하고 있다고 확신한다.

시스템의 역기능으로 인해 피해를 입는 사람들은 정책 결정력을 빼앗겼을 뿐 아니라, 기업이 장악한 매체들은 권력을 쥔 이들의 인식을 바탕으로 현재의 위기에 대한 해석들을 끝없이 쏟아냄으로써 이들을 혼란에 빠뜨리고 있다. 또한 세계적인 대기업에 의해 조종되는 적극적 선전 조작은 소비주의가 행복에 이르는 길이고, 시장 경쟁에 대한 정부의 규제가 빈곤의 원인이며, 경제 세계화가 역사적으로 필요 불가결한 과정인 동시에 인류에게 이익을 가져다준다고 끊임없이 우리를 설득하고 있다. 사실 이것들은 모두 도를 넘은 탐욕을 정당화하고, 세계적 경제 체제의 변화는 교육을 많이 받고 엄청난 자금력을 갖춘 소수 엘리트들이 의도적으로 개입한 결과라는 사실을 교묘히 감추고 위장하기 위한 신화에 지나지 않는다. 이들 한 줌도 안 되는 엘리트들이 소유한 부는 그들이 나머지 인류와는 상관없이 〈환상의 세계〉에 살 수 있게 해준다.

이러한 힘들은 한때는 유익했던 기업과 금융 기관들을 시장의 횡포를 위한 도구로 변모시켰으며, 시장의 횡포는 마치 암세포처럼 지구를 가로질러 범위를 확장해 나가면서 지구의 생활권을 그 어느 때보다 많이 식민화하고, 생계 수단을 파괴하고, 사람들을 내쫓고, 민주적 제도를 무력화하고, 만족을 모르는 부의 추구에 집착하는 삶으로 키워 나가고 있다. 우리의 경제 체제가 민주적 제도보다 오히려 더 큰 힘을 갖게 되면서, 심지어 세계적으로 가장 강대한 기업들조차 글로벌화된 금융 시스템의 힘에 지배를 받기에 이르렀다. 이 금융 시스템은 생산적인 투자 과정을 거쳐 얻어지는 진정한 부와 보상을 부의 창출로부터 완전히 분리시켜 버렸다. 이 싸움에서 대승을 거둔 자들은 단기 수익을 올리기 위해 탄탄한 회사의 자산을 약탈하는 기업 사냥꾼들과, 시장의 불안정성을 이용해 생산적인 일이나 투자에 종사하는 이들에게서 사적인 세금을 거둬가는 금융 투기자들이다.

단기 수익을 향상시켜야 하는 압박에 직면한 세계적인 대기업들은 인력과 기능을 축소하며 감량 경영에 나서고 있다. 그렇다고 해서 그들의 힘이 약화되고 있는 것은 아니다. 합병, 인수, 전략적 제휴를 통해 시장과 기술에 대한 장악력을 강화하고 있는 기업들 덕분에 하청 업체와 지역 공동체는 세계적인 기업들이 틀어쥐고 있는 일자리를 얻기 위해 서로 기준을 더욱 낮춰가며 벌이는 경쟁 속으로 떠밀려 들어가고 있다. 또한 이와 연계된 시장의 힘은 기업의 이해관계를 위해 사회와 환경을 파괴하는 기술에 대한 우리의 의존을 더욱 심화시키고 있고, 이 파괴적인 기술로 인해 우리의 육체적, 사회적, 환경적, 정신적 건강이 희생되고 있다.

문제는 기업이나 시장 그 자체가 아니라, 인간의 통제권을 이미 한참 넘어서서 제멋대로 소용돌이치는, 심각하게 부패된 〈글로벌 경제 시스템global economic system〉이다. 이 시스템을 움직이는 원동력이 너무 강력하고 괴팍해서 기업 경영자들의 도덕관념과 맹세가 아무리 강하다 할지라도 그들이 공익적인 관점에서 이 시스템을 관리하기는 점점 어려워지고 있다.

돈의 복제라는 명령에 의해 움직이는 경제 시스템은 인간을 비효율성의 원천으로 판단하고 전체 시스템 수준에서 인간을 신속히 몰아내고 있다. 제1차 산업혁명이 인간의 근육에 대한 의존도를 감소시켰다면, 정보혁명은 우리의 눈과 귀, 뇌에 대한 의존도를 감소시켰다. 제1차 산업혁명은 비교적 힘이 약한 자들을 식민지로 이주시키고 잉여 인구를 인구 밀도가 낮은 지역으로 옮겨가게 함으로써 실업 문제를 해결했다. 식민지 국가의 주민들은 살아남기 위해 전통적인 사회 구조 속으로 되돌아갔다. 하지만 천연자원이 거의 한계에 다다르고 마구잡이식 토지 침탈로 사회 경제가 엄청나게 쇠약해지면서 그러한 안전판 역시 거의 남아 있지 않게 되었다. 그 결과 잉여 노동자들은 끝내 기아와 폭력의 희생물로, 집 없는 거지로, 사회 복지 대상자로, 난민 수용소 거주자로 전락했다. 이 상태로 계속 나아가면 우리는 사회적, 환경적 해체를 맞이하게 될 것이 거의 확실하다.

그러나 우리가 금융 기관에 내주었던 힘을 되찾고 문화적, 생물적 다양성을 장려하는 사회를 재창조함으로써 사회적, 지적, 정신적 향상의 새롭고 거대한 기회를 현재의 상상력 저 너머까지 열어젖히는 일은 전적으로 우리 손에 달려 있다. 전 세계에 퍼져 있는 수백만 명의 사람들이 이미 이러한 힘을 되찾기 위해, 그리고 공동체를 재건하고 지구를 치유하기 위해 행동에 나서고 있다.

이 책에서는 기업을 정치로부터 분리하고 세계적인 협동 시스템 안에서 지역 공동체에 힘을 불어넣는 〈지역화한 경제localized economies〉를 창조함으로써 이러한 노력들을 강화하고자 하는 시민적 의제를 특히 강조하고 있다. 코페르니쿠스 혁명이 인도한 과학과 산업의 시대에 걸맞은 물질주의적 시각이 한계에 봉착한 지금, 우리는 개개인이 정치적 힘을 되찾고 정신성을 재발견할 수 있게 해주고 행복한 인생을 맘껏 포용할 수 있도록 우리 능력과 바람을 북돋워주는 사회를 창조할 것을 요구받고 있다.

내가 믿는 가치들을 위하여
—

나는 이 책에서 다루고 있는 문제가 〈가치〉에 대한 기본적인 질문들과 따로 떼어 생각할 수 없는 것이기에 내가 마음속으로 믿는 정치적 가치들을 드러내어 밝히는 것이 적절하다고 믿는다. 우선, 대규모 경제 및 금융 기관들과 상상을 초월하는 권력의 집중에 대해 깊은 불신을 지녔다는 점에서 나는 여전히 전통적인 보수주의자다. 나는 또한 시장 경제와 사유 재산 제도의 중요성을 변함없이 신봉한다. 그렇지만 현대의 많은 보수주의자들과 달리, 나는 큰 정부를 좋아하지 않듯 대기업도 좋아하지 않는다. 나는 또한 부를 소유하는 것이 정치적으로도 특권을 가져야 한다는 의미라고는 절대로 믿지 않는다.

나는 진보주의자들이 권리를 박탈당한 사람들에게 갖는 연민, 평등에 대한 서약, 환경에 대한 염려에 동감하며, 정부가 꼭 해야 하는 역할이 있고, 사유 재산권에도 한계가 있다고 믿는다. 그러나 나는 또한 큰 정부가 거대 기업 못지않게 사회적 가치에 대해 파괴적일 수 있으며 사회에 대해 어떤 책임도 지지 않는 것이 현실이라고 생각한다. 사실 나는 설명되거나 납득할 수 없을 정도로 엄청난 힘을 그러모으고 권력이 집중되는 그 어떤 조직도 불신한다. 그리고 나는 모든 사람들이 삶 전체에 대해 책임이 있으며 그 책임을 공유해야 한다고 믿는다. 간단히 말해, 나는 이념적이기보다는 실용적으로 새로운 방향을 정의하는 사람들과, 그리고 정치적 선택을 할 때 기존의 진부한 보수와 진보의 스펙트럼으로 쉽게 분류될 수 없는 사람들과 함께한다고 말할 수 있다.

내가 대학에서 처음으로 경제학을 접했던 것은 학부에서 경제학을 전공으로 선택하면서부터였다. 그러나 이내 경제학이 기계론적이고 지루하며 현실과 동떨어져 있다고 느끼고 인간 행동과 조직 연구로 전공을 바꾸었다. 그 후에 나는 경제 시스템이 현대 사회의 인간 행위를 조직하는 가장 유력한 시스템이며, 행동주의 체제로서 가장 적절하게 연구가 진행되고 있는 학문이라는 사실을 깨닫게 되었다.

이 책이 기업의 제도에 대해, 그리고 비즈니스가 기능하는 시스템에 대해 가혹할 정도로 비판적인 입장을 취하고 있기는 하지만, 나는 지금까지 한 번도 반反기업주의자였던 적이 없으며 지금도 마찬가지다. 산업과 상업의 효율적인 체제는 인간의 행복을 위해 반드시 필요하다. MBA를 마친 학생으로서 나는 세계적인 다국적 기업들이 빈곤과 인간의 갈등이라는 문제에 어쩌면 해답을 줄지도 모른다고 생각했었다. 그러나 이후에 나는 세계적 기업들의 성장과 지배에 밑거름이 되는 시스템의 힘이야말로 현재 세계가 처한 딜레마의 핵심이라는 결론에 이르게 되었다. 이제 나는 집단적 재앙을 피하기 위해서는 기업의 밑바탕을 이루는 시스템을 근본적으로 바꿔서 작은 것에, 그리고 지역에 힘을 돌려주어야 한다고 믿는다.

　나는 여러분이 이 책을 통해서 마치 소중한 친구와 열띤 토론을 벌일 때처럼 이 책에 다가설 수 있기를 희망한다. 사실 이 책을 읽는 동안 여러분은 이 책이 제시하는 분석과 비전이 틀을 잡아가는 데 중요한 역할을 해준 수많은 친구들과의 의견 교환에 참여하는 셈이다. 여러분이 아직 이런 문제들에 대해 좀 더 규모가 있는 대화에 참여한 적이 없다면, 나는 이 책을 통해 친구들과 동료들과의 대화에 빠져드는 계기가 되기를 희망한다.

　만약 여러분이 대기업에 소속된 사람이라면 이 책을 읽는 동안만이라도 경영과 관련해 자신이 맡은 역할에서 잠시 벗어나서 한 시민으로서, 그리고 아이들의 미래를 염려하는 부모의 시각으로 이 책을 읽어볼 것을 당부하고 싶다. 그 편이 이 책이 전달하는 메시지를 객관적으로 듣고 평가하는 것을 더 쉽고 덜 고통스럽게 해줄 뿐 아니라 체제를 변화시키기 위한 운동에 참여해 달라는 권유를 숙고하는 데에도 도움이 될 것이다.

　이제부터 펼쳐질 내용을 되도록이면 적극적이고 비판적으로 읽고 여러분 자신의 시각과 통찰을 거기에 쏟아붓길 바란다. 그리고 질문하고, 이의를 제기하라. 여러분이 어떤 삶을 살고 싶어 하는지, 또 그것이 의미하는 바가 무엇인지 곰곰이 생각해 보라. 그래서 그 문제에 대해 친구들과 토론해 보길 바란다. 어떤 부분은 동의하고 어떤 점은 동의하지 않는지, 여러분이 새롭게 통찰하게 된 것은 무엇인지, 이 책의 내용에서 어떤 부분이 불완전하다고 느끼는지에 대해서도 이야기해 보길 바란다. 새로운 차원의 대화를 해보라. 그리고 행동하라.

　우리가 가야 할 대체적인 방향은 하루하루가 갈수록 점점 확실해지고 있지만 아직 아무도 그곳에 가본 사람은 없다. 그러나 만약 확실한 표지판 같은 것을 찾는다면 우리는 아무것도 보지 못할 것이다. 우리 시대의 두 위대한 사회 운동가 마일스 호턴과 파울로 프레이어의 좌담을 실은 책의 제목을 빌려 말한다면, 우리는 머나먼 수평선 저 너머 목적지에 시선을 고정시킨 뒤 걸어서 길을 만들어 나가야 하는 것이다.

제1부

강자에게는
경제 성장으로,
약자에게는
빈곤으로

01

장밋빛 희망에서
회색빛 위기로

기술을 환영하는 사람들은 기술이 우리에게 향상된 삶의 기준을 가져다주
었다고 말한다. 그것은 곧 속도가 더 빨라지고, 선택의 폭이 더 넓어지고,
더 멋진 레저 활동과 엄청난 호사를 의미한다. 그러나 이러한 혜택들 중
그 어느 것도 인간의 만족, 행복, 안전, 또는 인간이 지구상에서 생존을 유
지하는 능력에 대한 정보를 제공하지는 않는다. - 제리 맨더

20세기의 후반 50년간은 아마도 인류의 역사상 가장 주목할 만한 시
기였을 것이다. 과학적으로 우리는 물질, 우주, 생명에 관한 수많은
비밀을 풀어냈다. 우리는 또한 숫자, 기술, 복잡 다단한 조직들을 가
지고 지구를 실질적으로 지배했다. 그것도 모자라 달을 여행했고 별
들에도 발을 뻗었다. 우리 세대가 태어난 불과 70년 전까지만 해도
오늘날 행복하고 성공적인 삶에 꼭 필요하다고 여겨지는 물건들 중
상당수가 이용 가능하지 않았거나 존재하지도 않았으며 심지어는 상

상조차 불가능했다. 예를 들자면 최고급의 민간 항공기를 타고 전 세계를 여행하기, 컴퓨터, 인터넷, 전자레인지, 복사기, 텔레비전, 의류 건조기, 에어컨, 고속도로, 쇼핑몰, 팩시밀리, 휴대폰, 피임약, 인공 장기, 교외 주택 단지, 농약 등은 꿈도 꿀 수 없었다.

바로 이 시기에 글로벌 거버넌스global governance*에 따라 여러 경제 및 금융 기관들이 처음 만들어졌다. 즉 유엔UN, 국제통화기금IMF, 세계은행World Bank, 관세 및 무역에 관한 일반 협정GATT이 그것이다. 서유럽은 적대적인 갈등의 대륙에서 평화롭고 성공적인 정치, 경제적 연합체로 변모했다. 동양과 서양의 초강경 대립과 궤멸적 핵전쟁으로 인한 세계 종말의 어두운 그림자는 비즈니스 거래의 쇄도와 경제 원조, 그리고 과학과 문화의 교류에 가려져 이미 먼 과거의 일처럼 느껴졌다. 이전까지 독재 정부의 지배를 받던 국가들에는 민주주의가 극적으로 전파되었다. 또한 우리는 한때 인간의 목숨을 앗아갔던 치명적 질병들, 이를테면 천연두와 소아마비를 정복했고 이로 인해 지난 30년간 개발도상국에서는 평균 수명이 3분의 1 이상 연장되었고, 영아와 5세 이하 유아의 사망률은 반 이상 줄어들었다.

20세기 후반에 인간이 몰두했던 것들 가운데 가장 중요하게 꼽히는 것은 〈경제 성장〉과 〈무역 팽창〉이었고 우리는 이 두 가지를 성공적으로 이루어냈다. 전 세계의 경제 생산량은 1950년의 6조 4천억 달

* 세계 정치에 있어서 공식적 및 비공식적 제도를 의미하며, 어떤 국가가 단독으로 세계 문제를 다룰 수 없으므로 국제기구, NGO 및 다국적 기업들과 함께 참여하는 것을 말하는데, 〈세계적 규모의 협동 관리 또는 공동 통치〉라고도 한다. 1990년대 초부터 냉전의 종결과 세계화의 진전 등 국제 정치의 구조적 변화를 거치면서 기존의 국가 중심적 국제 관계에 대신하는 새로운 국제 질서의 개념으로 등장하였다.

러에서 1995년에는 35조 5천억 달러로 늘어났다(1997년 달러 시세). 거의 5.5배에 달하는 증가다. 이는 어림잡아 말해서 최초의 동굴 거주자가 돌도끼를 만든 순간부터 20세기 중반에 이르기까지 늘어난 생산량보다, 지난 40년 동안 매 10년마다 증가한 생산량이 더 많다는 사실을 의미한다. 이 기간 세계 무역량 또한 엄청나게 증가했다. 전체 수출액은 4천억 달러에서 5조 달러로 약 11.5배 증가했는데, 이는 전체 경제 생산량 증가율의 두 배를 훌쩍 넘는 증가율이다. 현재 10억이 넘는 인구가 넘치는 풍요를 즐기고 있다.

그러나 이는 지난 반세기 동안 인간이 이룬 수많은 비상한 성취 가운데 극히 일부에 지나지 않는다. 마침내 우리는 빈곤, 전쟁, 질병의 퇴치를 포함한 대담한 목적을 달성하는 데 필요한 지식, 기술, 조직력을 진정으로 갖춘 것으로 보이는 역사의 순간에 도달했다. 이 순간은 우리가 기본적인 생존과 안전 문제에서 영원히 해방되어 사회적, 지적, 정신적 향상의 새로운 지평을 열어가는 새 천년을 희망으로 맞이하는 벅찬 순간이어야 한다.

시스템이 전 세계에서 실패하고 있다

—

하지만 황금시대를 약속했던 수많은 지도자들과 경제 기관들은 약속을 이행하지 않고 있다. 그들은 물론 좌석마다 텔레비전 수상기가 달려 있는 비행기라든가, 해변에서 일광욕을 즐기면서 인터넷에 연결될 수 있게 해주는 정보의 고속도로와 같은 새롭고 눈부신 기술 발명품들로 가득 찬 〈환상〉 속으로 우리를 몰아넣긴 했다. 하지만 우리들 대다수가 진정으로 원하는 것, 즉 보장된 생계 수단, 쾌적한 주거 공간, 안정된 일자리, 건강하고 오염되지 않은 음식, 아이들을 위한 훌륭한 교육과 건강관리 시스템, 균등한 기회의 보장, 깨끗하고 생기 넘치는 자연 등은 하루하루 지날 때마다 전 세계 대다수 사람들의 손아귀에서 빠져나가고 있는 듯이 보인다.

자신의 경제적 미래가 안전하다고 믿는 사람들이 점점 줄어들고 있다. 가족과 공동체, 그리고 이들이 한때 제공해 주었던 안전은 이제 해체되고 있다. 게다가 주요 경제 및 금융 기관들에 대한 신뢰는 증발하고, 세계 곳곳의 사려 깊은 사람들 사이에서는 무언가 잘못되어도 한참 잘못되고 있다는 의심이 점차 퍼져가고 있다. 이 상황은 전 세계 거의 모든 지역으로 확대되고 있으며, 이는 시스템의 실패가 세계적인 차원에서 진행되고 있음을 의미한다.

심지어 세계에서 가장 부유한 국가들에서조차 높은 실업률, 기업의 규모 축소, 일상적인 해고, 실질 임금 하락, 아무 혜택도 없는 시간제 일자리와 임시 계약직의 증가, 노동조합의 약화 등이 점차 경제 불안 심리를 확산시키고 중산층을 움츠러들게 하고 있다. 근로자들은 더 오랜 시간 근무하고 이것저것 시간제 부업을 병행하는데도 실질 소득이 감소되었음을 깨닫는다. 대다수의 청년들에겐 경제적 안정은 고사하고 기본적 생필품을 살 수 있게 해주는 제대로 된 일자리를 언젠가는 찾을 수 있을 거라는 희망도 거의 없다. 고학력과 기술을 가지고도 자신의 직업과 수입, 안전모가 사라지는 것을 목격했던 많은 사람들은 단지 교육과 직업 훈련의 기회를 늘리는 것으로 실업이 해소될 거라는 생각에 조소를 보낸다.

부유한 국가든 가난한 국가든 모든 국가에서 천연자원과 토지에 대한 경쟁이 심화됨에 따라 소규모 농업과 어업, 그밖에 자원을 근간으로 생계를 꾸려가는 사람들은 자신들이 스스로 알아서 살아가도록 내버려져 있는 동안 극소수 집단의 이익을 위해 자원이 고갈되고 있음을 깨닫는다. 경제적으로 취약한 이들은 자신들이 사는 동네가 쓰레기를 버리거나 공기를 오염시키는 굴뚝을 건설하기에 딱 알맞은 최적의 장소가 되어가고 있음을 깨닫는다.

한때 빈곤층의 중추 세력이긴 했으나 안정된 지역 공동체를 형성했던 소규모 생산자, 즉 농부와 장인은 이제 뿌리가 뽑혀 가족과 지역 공동체로부터 분리되었으며 땅을 갖지 못한 이주 노동자로 변모하고 있다. 아시아, 아프리카, 라틴 아메리카의 대도시에는 수십만에 달하는, 그 대다수가 가족도 없는 어린 아이들이 길거리에서 구걸이나 도둑질을 하고 쓰레기통까지 뒤진다. 게다가 매춘, 그밖의 온갖 터무니없는 일들까지 하며 살아가고 있다. 태국, 스리랑카, 필리핀에도 많은 어린이 매춘부가 존재하는 것으로 추정된다. 기회와 생계 수단을 찾아 가족과 집을 떠나온 이민자들 또한 수백만 명에 달하며 이 수치는 더욱 증가하고 있다. 합법적 이민자로서 자신들의 고국을 떠나 타국에서 일하고 있는 2천5백만에서 3천만 명에 이르는 사람들을 제외하고도, 서류에 나타나지 않는 이민 노동자들의 수가 2천만에서 4천만 명에 이를 것으로 추정된다. 이들은 〈경제적 난민〉으로, 아무런 법적권리도 지니지 못한 채 기본적인 서비스도 거의 받지 못하며 살아가고 있다.

세계는 점점 풍족한 부를 즐기는 자들과 비인간적인 빈곤, 노동, 경제 불안 속에 살아가는 자들로 나뉘고 있다. 기업의 최고 경영자, 은행의 투자 전문가, 금융 투기꾼, 운동선수, 유명인들이 수백만 달러 연봉의 벽을 무너뜨리는 동안, 약 10억 2천만 명의 사람들은 하루에 채 1달러도 안 되는 돈으로 연명하는 비참함 속에서 몸부림치고 있다. 이 불균형을 경험하기 위해 굳이 머나먼 아프리카 구석까지 갈 필요는 없다. 뉴욕 시 중심에 위치한 내 아파트 근처에서도 다음과 같은 광경을 매일같이 볼 수 있으니 말이다. 집 없는 노숙자들이 추위를 막기 위해 얇은 담요 한 장으로 몸을 둘둘 말고 보도에 웅크리고 앉아 있는 같은 시간, 내부에 바와 텔레비전이 있고 기사가 딸린 번쩍번쩍하고 길쭉한 리무진에서 머리를 말끔하게 단장한 차주가 나와서 요즘 한창 잘나간다는 최고급 레스토랑으로 걸어가는 모습을.

우리를 덮친 세 가지 위기

—

사회적 긴장의 증거는 도처에서 발견된다. 범죄율, 약물 중독, 이혼율, 청년들의 자살률 증가에서 가정 폭력, 정치 · 경제 · 환경 난민들의 수가 날로 늘어나는 것에서, 심지어 조직적인 무장 충돌의 본질이 달라진 것에서도 사회적 긴장을 읽을 수 있다. 또한 폭력 범죄가 전 세계 모든 곳에서 놀라운 속도로 증가하고 있다. 지역을 막론하고 모든 주민들이 자신의 재산과 가족의 안전에 대해 진심으로 안심하고 사는 도시는 거의 없다. 심지어 작은 마을도 사정은 마찬가지다. 이로 인해 시설 안전 요원과 보안 시스템이 전 세계적으로 성장 산업으로 부각되고 있다.

제2차 세계대전의 종식과 함께 1945년에 시작된 평화의 시대에 2천만이 넘는 사람들이 무장 충돌로 사망했다. 그러나 1989년에서 1992년 사이에 발발한 82건의 무장 충돌 중에서 단 3건만이 국가 간에 발생한 것이고 나머지는 같은 국적을 지닌 사람들끼리 서로 죽이고 죽은 전쟁이었다. 20세기 초기의 전쟁 사상자는 90퍼센트가 군인이었지만, 20세기 말에는 90퍼센트가 민간인이다.

내전의 발발이 증가한 것은 무엇보다도 전 세계 난민 수를 엄청난 규모로 불어나게 했다. 1960년에 유엔은 140만 명의 국제 난민을 서류에 등록했는데 1992년에 그 숫자는 무려 1,820만 명으로 늘어났다. 그밖에도 2천4백만 명이 자신들의 국가에서 추방된 것으로 추정되고 있다.

환경적으로는, 대기 오염을 줄이고 오염된 강들을 정화하는 문제에서 일부 선택받은 지역들이 중요한 진전을 이뤄냈지만 생태적 위기는 점차 확산되고 있는 것이 엄연한 현실이다. 늘 한쪽에 도사리고 있던 핵무기에 의한 대학살의 위협은 지구를 보호하는 오존층이 얇아지면서 치명적인 자외선 노출 위협으로 대체되었다. 젊은 세대는 극지대의 만년빙을 녹이고 광대한 해안 지역을 범람케 하는, 그리고 비옥한 농업지대를 사막화할 징조를 보이는 기후 변화로 인해 언젠가는 환경 난민이 될지도 모른다는 두려움을 안고 살아가고 있다.

심지어 현재의 인구 수준에서도 거의 10억에 달하는 인구가 매일 굶주린 배를 움켜쥐고 잠자리에 든다. 하지만 우리가 식량 생산을 의존하고 있는 토양은 자연적인 재생 속도보다 훨씬 빠르게 황폐화되고 있고, 한때 가장 생산적이었던 세계적인 어장들은 무분별한 남획으로 차례차례 사라지고 있다. 물 부족 현상 또한 점차 광범위하게 확산되고 있다. 이는 단지 일시적인 가뭄 때문만이 아니라 물 소비가 재생 능력을 넘어서면서 지하수면과 강이 메말라 버렸기 때문이기도 하다. 우리는 산림 자원과 어장의 고갈로 황폐화된 지역 공동체들의 이야기를 종종 듣는다. 뿐만 아니라 먹는 음식, 마실 물, 사람들이 밟고 살아가는 땅이 화학적으로 또는 방사능으로 오염됨에 따라 자신은 물론 그 자녀들까지 중독되고 있다는, 우리와 다를 바 없는 보통 사람들의 이야기를 쉽게 접할 수 있다.

우리가 계속되는 경제 팽창이 갖는 분명한 한계를 해결해줄 기술적인 기적이 일어나기를 기다리는 동안, 매년 약 8천8백만 명의 인구가 세계 인구에 추가되고 있다. 이 인류의 새로운 구성원 한 명 한 명은 고갈되고 있는 지구의 수확물을 안전하고 풍부하게 배당받기를 열망한다. 내가 고등학교에 입학하던 해인 1950년에 세계 인구는 25억 명이었다. 그때부터 인구는 배 이상 증가하여 55억 명이 되었고, 1999년 10월 12일부로 세계 인구는 공식적으로 60억 명으로 기록되었다. 유엔은 2050년이면 인구가 거의 90억 명에 이를 거라는 전망을 내놓았다. 이 예측은 인구 통계학자가 단지 출산율 추정치에 근거해 산술적으로 계산해낸 것이라는 사실을 명심해야 한다. 이 계산법은 지구가 과연 그 인구를 지탱할 수 있느냐 하는 문제와는 상관이 없다. 현 인구 수준에서 발생하는 환경적, 사회적 긴장을 고려한다면, 만약 우리가 자진해서 인구 증가를 제한하지 않을 경우 인구가 배로 늘기 전에 기아, 질병, 사회 붕괴가 먼저 우리를 찾아올 것이 분명하다.

이 모든 것을 종합해 보면 제도적 시스템이 실패한 징후들은 심화되는 빈곤, 사회 해체, 환경 파괴라는 전 세계 인류의 삼중 위기로 나타난다. 그리고 위기를 구성하는 대다수 요인들을 보면 다음과 같은 중요한 특징을 지닌다. 그 해결책들이 지역에서의 행동을 요구한다는 것, 즉 지역 공동체의 문제는 지역 공동체가 나서서 풀어야 한다는 것이다. 하지만 이 행동은 오직 지역의 자원이 그 지역의 손 안에 쥐어져 있을 때에만 가능하다. 전 세계 사람들의 충족되지 않는 욕구 중에서 현재 가장 시급한 것은 식량과 적절한 주거 공간, 위생과 보건, 그리고 교육에 대한 요구다. 이런 것들이 부족한 것은 진정한 의미의 결핍이다. 아주 드문 예외를 제외하면 거의 모든 국가들은 이런 욕구들을 충족시킬 기본적인 자원과 수용 능력을 이미 갖고 있다. 지역 주민들로서는 이러한 기본적인 욕구의 충족에 우선권을 부여하는 것이 당연하다. 그러나 만약 자원을 관리할 권한이 그 지역 주민들이 아닌 다른 엉뚱한 곳에 있다면 대개는 그 우선순위가 달라진다.

불행하게도 현재 우리가 사는 세계에서는 지역의 자원에 대한 관리권이 거의 그 지역 주민들의 손에 있지 않다. 그보다는 중앙 정부의 관료들, 혹은 지역의 요구를 고려할 능력도 의지도 없고 그들과 아무 상관도 없는 기업들에게 그 권한이 쥐어져 있는 경우가 훨씬 더 많다. 그리고 그것은 주요 경제, 금융 기관들에 대한 신뢰의 위기로 귀결된다.

운 좋은 소수를 위해 일하는 그들

—

여론 조사에 따르면 전 세계 주요 정치 및 경제, 금융 기관들에 대한 개인적 불안감은 갈수록 증가하고 신뢰감도 떨어지고 있다. 그 중에서 특히 인상적인 것은 미국 대중들의 태도다. 미국은 전 세계의 수많은 사람들에게 번영과 민주주의, 첨단기술의 소비에 대한 자신들의 관점을 전파해 왔다. 하지만 여기 미국인의 대다수가 갖고 있는 진정한 꿈이 무엇인지를 말해 주는 여론 조사가 있다. 그것은 지금껏 대중 매체가 떠들어온 것처럼, 그래서 사람들로 하여금 은연중 믿게 만들었던 것처럼 빠른 속도로 달리는 스포츠카도, 멋진 의상도, 캐비아도, 엄청나게 성능 좋은 디지털 기기도, 전원 별장도 아니다. 그것은 미래에 대해 떠벌려온 미국의 주요 기관들이 국민들에게 주지 못하고 있는 것, 즉 일정한 수준을 유지하는 〈안전한 삶〉이다.

오늘날 미국인들이 가장 두려워하는 것은 실업이다. 미국에서 관리자 계층이 아닌 근로자의 51퍼센트만이 자신의 일자리가 안전하다고 느끼고 있다. 이는 10년 전의 75퍼센트에서 대폭 하락한 수치다. 직업 안정성이 떨어진 것은 관리자 계층이라고 해서 별반 다르지 않다. 미국 성인 중 55퍼센트는 성실하게 법을 지키며 열심히 일을 하면 자신이나 가족을 위해 더 나은 삶을 꾸려갈 수 있을 것으로 더 이상 믿지 않는다.

루이 해리스 여론 조사 기관에서 매년 실시하는 12대 미국 주요 기관 지도자들에 대한 신뢰도 조사 결과는 1966년의 100을 기준으로 1994년에는 39까지 하락했다. 그 목록의 바닥을 차지한 것은 미국 의

회였다(응답자 중 8퍼센트만이 그들을 매우 신뢰한다고 대답했다). 행정부는 12퍼센트를 차지했고, 언론은 13퍼센트, 주요 기업들은 19퍼센트를 차지했다. 반면 같은 기간에 경제적 불평등의 느낌과 권력자들에 대한 혐오, 무력감에 대해 조사한 루이 해리스의 소외 지수alienation index는 1969년의 최저 29에서 1993년에는 65까지 상승했다. 케터링 재단에서 실시한 다음과 같은 조사의 보고는 미국 유권자들의 분위기를 느끼게 해준다. "미국인들은 현 정치 체제가 선거에 의해서가 아니라 직업 정치인들에 의해 움직이고 돈이 좌우하는, 대중의 방향에 영향받지 않는 체제라고 표현한다." 국제적인 여론 조사는 다른 산업 국가들에서도 대체로 이와 유사한 결과가 나타나고 있다고 보고한다.

  주요 기관과 지도자들에 대한 신뢰도가 그렇게 낮아진 것은 당연한 결과지만 거기에 덧붙여 그들의 정당성까지 위기에 몰아넣고 있다. 황금시대의 문턱에서 이 기관들은 단지 운이 좋은 소수를 위해서만 일하고 있다. 반면, 대다수를 위해서는 한때 우리가 닿을 수 있을 것처럼 보였던 약속을 이행함에 있어 그들은 비참할 정도로 실패하고 있다.

02

카우보이의 삶,
우주 비행사의 삶

만약 인구 증가에 관한 현재의 예측이 정확한 것이고 지구상에서 이루어
지는 인간의 행동 패턴이 달라지지 않는다면 과학과 기술은 환경이 악화
하는 것도, 세계의 많은 이들이 겪고 있는 빈곤이 계속되는 것도 막을 수
없을지 모른다. – 영국 왕립학회와 미국 과학한림원

세계 경제가 빈곤과 환경 악화에서 벗어날 가망은 없다. 경제의 하부 구조
가 커지면서 전체 생태계의 훨씬 더 많은 부분이 그 하부 구조 안에 통합
되고 아마도 그 비율은 장차 100퍼센트에까지 이를 것이다. – 허먼 댈리

무엇이 잘못되었는가? 우리가 손에 거머쥐어야 했던 꿈이 어째서 악
몽으로 변하고 있는가? 우리 문제의 근본적인 성격은 1968년에 나온
케네스 볼딩의 뛰어난 에세이 『곧 다가올 우주선 지구의 경제학The
Economics of the Coming Spaceship Earth』에 극적으로 표현된 바 있다. 볼
딩은 이 책을 통해 우리가 당면한 문제는, 사실상 우리는 매우 섬세
하게 균형 잡힌 생명 유지 장치를 달고 우주선 속에서 살고 있는데도
마치 끝없이 펼쳐진 광활한 미개척지에 사는 카우보이처럼 행동하는

것에서 비롯되는 거라고 주장했다.

우주선을 탄 카우보이들
—

그렇다면 카우보이의 삶과 우주 비행사의 삶은 어떻게 다른가? 과거 개척 시대의 카우보이들은 마치 광활한 미국 서부처럼 인구도 거의 없는 드넓은 땅에 절대 고갈될 일이 없을 것처럼 보이는 물적 자원의 축복을 누리며 살았다. 자신과 선조들이 수백 년 동안 터 잡고 살아온 그 땅에 대한 권리는 자신들에게 있다고 생각했던 원주민들의 존재를 제외하면 그들은 무엇이든 마음대로 취하고 사용하고 버릴 수 있었고, 그러면 이내 땅이 모든 것을 흡수하거나 끝없이 부는 바람이 날려버렸다. 일하고자 하는 사람들에겐 일할 기회가 무한정 펼쳐져 있는 듯했고, 하나를 얻으면 반드시 다른 하나는 잃게 마련이라고 생각하는 사람은 근시안적이고 시야가 좁다는 이유로 당장 해고되었다. 개개인의 이득이 결국에는 지역 공동체의 이익이라는 생각으로 사람들은 각자 부를 찾아 경쟁을 해나가면 되었다.

반면, 우주 비행사들은 매우 귀하고 한정된 자원들을 싣고 하늘을 날아가는 좁은 우주선 안에서 산다. 모든 것은 균형 상태를 유지해야만 하고 재활용되어야만 한다. 어떤 것도 낭비해서는 안 된다. 행복의 척도는 한정된 물품을 얼마나 빨리 소비할 수 있는가가 아니라 그들의 육체적·정신적 건강과, 함께 나누어야 할 제한된 자원을, 그리고 그들 모두가 의존하고 있는 생명 유지 장치를 얼마나 효율적으로 유지하느냐에 달려 있다. 한 번 우주선 밖으로 내버린 것은 영원히 다시 찾을 수 없다. 재활용되지 않고 쌓이는 것은 주거 공간을 오염시킨다. 비행사들은 하나의 팀으로서 전체의 이익을 위해 기능한다. 전체의 기본적인 욕구가 모두 충족되고 미래를 위한 풍부한 예비품이 없는 한, 누구도 불필요한 소비는 꿈도 꿀 수 없다.

볼딩의 비유는 우리에게 근본적인 진실을 전해 준다. 즉 현대 사회는 이미 우주선 세계가 되어 버린 공간에서 〈카우보이 경제학〉을 실현하고 있는 것이다. 우리는 아직도 자연의 하사품과 폐기물 처리 서비스가 공짜로 얻어지는 것이라고 생각한다. 우리는 힘 있는 자들을 우러러보고 소비율의 끝없는 증가를 성장과 동일시한다. 우리는 고대 이집트 사람들이 피라미드의 크기로 자신들의 능력의 정도를 판단했을 것으로 추측하듯, 미래의 문명은 우리 시대를 뒤돌아보며 우리는 쓰레기 더미의 크기로 진보의 수준을 측정했다고 결론지을지도 모른다. 우주선 세계 속에서 카우보이처럼 사는 것은 다음과 같은 비극적인 결과를 초래한다.

■ 이는 생명 유지 장치에 부담을 주어 결국 고장으로 이어질 것이고 그것이 지탱해줄 수 있는 인간의 행동은 크게 위축될 것이다.
■ 생명을 유지하는 데 필요한 물자들이 점점 고갈됨으로써 힘이 센 비행사와 그렇지 못한 비행사 사이에 치열한 경쟁이 유발된다. 그 결과 일부 비행사는 기본적인 생명 유지 수단마저도 빼앗기고 사회적 긴장도 증가되어 지배 체제의 정당성이 약화될 것이다. 이것이 사회의 붕괴와 폭력을 불러올 가능성은 충분하고도 남는다.

이 위기를 타개하기 위해 우리는 근본적인 현실에 직면해야 한다. 이제 막 우리는 끝없이 펼쳐진 미개척지에서 우주선의 세계로 역사의 문턱을 넘어섰다. 우리는 자연계의 생명 유지 장치에 의지해서 살아가고 있지만 이제는 세계가 포화 상태에 이르렀다. 우리는 생명을 중심에 놓는 〈우주선 경제학〉에 적응해야 한다. 그러나 현재 진로를 수정하지 않고 그대로 나아간다면 우리는 순식간에 지구의 자원을 바닥내고, 인류 문명의 기초라고 할 수 있는, 돈으로 거래할 없는 사회적 관계를 완전히 해체하고 말 것이다. 이는 자연의 시스템과 인간의 관계에 대한 잘못된 인식이 빚은 직접적인 결과다.

광활한 미개척지 세상에서 포화 상태의 세계로
—

인류 전체 역사를 통해서 볼 때, 인간의 경제 활동에 의한 지구 생태계의 총소비는 생태계의 엄청난 재생 능력과 비교해볼 때 아주 미미한 수준이었다. 그래서 우리는 자원의 한계성에 대해 그리 심각하게 생각할 필요가 없었다. 산업화로 인해 각국의 자원이 한계에 이르게 되었을 때 그들은 그저 국경 너머로 손을 뻗어 非산업국 사람들이 가진 자원을 식민화함으로써 그곳에서 자신들이 필요로 하는 것을 얻었다. 그 결과 식민지 국가의 국민들은 때로 큰 타격을 받았지만 그동안 생태계에 더해지는 충격을 식민지 개척자들은 거의 알아차리지 못했다.

이와 같이 유럽의 산업화는 아프리카와 아시아, 중남미에 있는 자신들의 식민지를 등에 업고 이뤄졌다고 해도 과언이 아니다. 미국의 경우에는 주로 원주민들을 희생시켜 그들이 살고 있던 서부 개척지를 식민화하고 라틴 아메리카와 필리핀 지역까지 자신들의 경제 영토로 흡수하는 것으로 이 같은 요구를 채웠다. 가장 최근까지 식민화를 행한 일본은 원조와 해외 투자, 교역을 교묘하게 섞어가며 동아시아와 동남아시아 이웃들의 자원을 식민화했다. 한국과 대만 또는 태국이나 말레이시아처럼 한창 산업화가 진행되고 있는 아시아의 국가들도 이와 유사한 방식으로 나라 바깥으로 눈을 돌리고 있다. 산업화된 지역이 전 세계를 통틀어 얼마 안 되었을 때에는 아직 아무 손길도 미치지 않은 미개척지들은, 누구라도 가서 정착을 하든 교역을 하든 혹은 전통적인 식민화를 통해서든 제 마음대로 이용할 수 있었다. 또한 이러한 미개척지는 산업 사회의 잉여 인구를 흡수하는 안전판 역할도 담당했다. 예를 들어 1850년에서 1914년 사이에 당시 평균 3천2백만 명에 달했던 영국 인구 중 9백만 명 이상이 악화된 경제 상황에 떠밀려 해외로, 특히 미국으로 이주했다.

그러나 끝없이 펼쳐진 광활한 미개척지를 식민화하는 시기는 이제 마지막 단계에 이르렀다. 이용하기에 가장 손쉬운 미개척지들은 이미 개발되었고, 너무나 멀리 떨어져 있어 개발의 손길이 미치지 않았던 인도차이나, 파푸아뉴기니, 시베리아, 브라질의 아마존과 같은 얼마 남지 않은 지역에서도 개발 경쟁이 날로 치열해지고 있다.

우리가 현재 진행 중인 연구를 이행하기 위해서는 다음의 사실을 주목할 필요가 있다. 그것은 19세기 말에서 20세기 초까지 추진되었던 영국의 해외 이주 정책이 식민지 국가 국민들을 이롭게 했다는 당시의 통념은 잘못된 생각이었다는 사실이다. 당시의 상황은 지금보다 더 애매모호하긴 했지만 그래도 경제 세계화라는, 새로운 기업 식민주의corporate colonialization*와 상당히 많은 공통점을 지니고 있었다. 대부분의 경우 식민화의 이득은 보통 시민들이 아닌 부유한 계층에게 돌아갔다. 미국의 두 역사학자가 수행한 영국의 식민 경험에 대한 최근의 연구 자료에 따르면, 돈 많은 투자가들은 식민지 투자로 상당한 이익을 챙겼지만 중산층은 제국주의를 지탱해 주는 막강한 군대를 유지하는 데 필요한 세금 고지서만을 발부받았을 따름이었다. 그들의 연구는 다음과 같은 결론을 내렸다.

"제국주의는 중산층의 소득을 상위 계층에게 넘겨주기 위한 장치로 보는 것이 가장 타당하다."

경제의 세계화는 거의 모든 면에서 〈제국주의적 현상〉의 현대적 형태라 할 수 있다. 따라서 이는 제국주의가 초래한 것과 똑같은 결과를 야기할 것이다.

핵심은, 1950년 이후의 인구 증가와 다섯 배가 넘는 경제 팽창으로 인해 환경에 대한 우리 경제 시스템의 요구가 이제 이 지구상의 이용 가능한 모든 공간에 미치고 있다는 사실이다. 이것이 우리로 하여금 인간의 진화 과정에서 역사적인 전환점에 서게 만들었다. 다시 말해 우리는 광활한 〈미개척의 세계〉에서 〈포화 상태의 세상〉으로 옮겨 가야 하는 시점에 도달한 것이다. 우리 손에는 이제 이 새로운 현실에 적응할 것이냐, 아니면 우리의 생태적 지위를 파괴하고 그 결과를 감

* 다국적 기업들이 진 세계 여러 나라에, 특히 제3세계 국가들에 침투하여 주권을 침해하고 공공성을 저해하며 환경과 자원을 고갈시키고 문화를 획일화하는 현상을 말한다.

수할 것이냐 하는 선택권이 주어져 있다.

환경적으로 우리가 직면하고 있는 첫 번째 한계는, 어쩌면 이미 사용량이 한계를 초과했을지 모르지만, 재생 가능한 자원의 한계가 아니라 생태학자들이 하수 기능sink functions이라고 부르는, 폐기물을 흡수하는 환경 능력의 한계이다. 우리가 이러한 한계에 부딪혔다는 증거는 어디에나 존재한다. 유럽에서만도 산성비로 손상된 산림 면적은 3천1백억 평방미터에 달한다. 전 세계적으로 과거에는 비옥했던 땅이 매년 60조 평방미터씩 사막화되고 있고, 열대림으로 덮여 있던 지역은 1천1백억 평방미터씩 감소하고, 산화와 침식 작용으로 인한 흙의 손실은 260억 톤에 달한다. 뿐만 아니라 주요 농지 15조 평방미터는 관개 정책에 의한 염분화 현상으로 못 쓰게 되어 버렸다. 1인당 곡식 생산량은 1984년 이래 계속 하락하고 있다. 1980년에서 1990년까지 북미, 아니 거의 전 세계 오존층의 5퍼센트가 파괴되었다. 지난 1백 년간 대기 중 이산화탄소량은 2퍼센트나 증가했다.

우리가 이미 특정한 한도를 지나쳤는지, 아직은 아니지만 몇 년 안에 그 한도를 넘을 것인지에 대해 여러 데이터를 놓고 광범위한 저술과 논쟁이 진행되고 있다. 그러나 수치의 정확성을 추구하는 것보다 우리에게 훨씬 더 중요한 것은 포화 상태의 세계라는 현실에 맞춰 주요 경제 기관들을 재창조하는 일이다. 그것 말고는 다른 어떤 현실적인 선택권도 없다는 기본적인 진실을 이제 우리는 받아들여야만 한다.

부자 나라의 부담을 빈곤 국가에 떠넘기기

—

현재 자국이 가진 환경 자산 이상의 과도한 소비를 하는 국가들이 국제 경제의 규칙을 결정하는 과정을 장악하고 있다. 그들은 자국의 환경적 부족분을 수입을 통해 확보하는 능력을 공고히 하기 위해 국제법을 뜯어고치는 일도 주저하지 않는다. 그것이 자원 수출국에 끼치는 영향 따위는 고려되지 않는다.

엘살바도르와 코스타리카에서 수출용 작물, 이를테면 바나나, 커피, 설탕을 재배하는 경작지는 국가 전체 경작지의 5분의 1 이상을 차지한다. 중남미와 남아프리카에서는 열대림과 야생생물 서식 지역이 수출용 소를 키우는 목장들로 대체되고 있다. 이러한 생산 라인의 최종 소비자로서 일본은 옥수수, 밀가루, 보리의 70퍼센트, 콩의 95퍼센트, 그리고 대부분 급속도로 소멸되어 가고 있는 보루네오의 열대림에서 벌채한 목재의 50퍼센트 이상을 수입한다. 네덜란드에서는 말레이시아의 산림 벌채 지역에서 수확한 팜 열매 덩어리와 태국의 산림 벌채 지역에서 키운 카사바, 브라질 남부 청정 지역에서 재배한 콩을 먹고 살을 찌운 수백만 마리의 소, 돼지들이 유럽 소비자들에게 고지방 식단이 되어줄 고기와 우유를 생산하게 한다.

남반구에 위치한 국가들이 수출용 식량을 생산하기 위해 사용한 토지들은 이제 더 이상 그 나라의 가난한 사람들이 자신들에게 필요한 주요 산물을 재배하는 용도로는 사용할 수 없다. 수출 집약적 농업에 양보를 강요당하고 자신들의 땅에서 추방당한 사람들은 결국 과포화 상태에 이른 도시 인구에 가세하거나, 아니면 그보다 생산성이 떨어지는 좀 더 허술한 땅으로 이주하지만 그곳 역시 빠르게 과부하가 걸리고 있다. 여러 남반구 국가들이 식량 수출을 대가로 북반구 국가들로부터 수입하는 곡식들은 우선적으로 그 나라 고소득 도시 소비자들을 위한 육류 생산용 사료로 사용된다. 결국 빈곤층은 생산과 소비의 양 측면에서 모두 패자이다.

이 메커니즘은 북반구 소비자들의 눈에는 보이지 않는다. 그들은 남반구 국가 빈곤층이 앞서 묘사한 과정을 통해 자신들이 필요로 하는 일자리와 소득을 얻을 수 있고, 그들이 직접 그 땅에 기초 작물을 재배하는 것보다는 오히려 필요한 식량을 수입해 싼 값에 사먹는 게 더 낫다고 확신한다. 이것은 얼핏 그럴듯한 이론처럼 들리지만, 실제로 식량 경제(식량을 인간의 생활에서 가장 필요로 하는 재물의 하나로 보는 관점)에서 무역 의존도로 이동하는 과정에서 확실한 이득을 챙기는 수혜자들은 세계 무역을 장악하고 있는 기업식 농업 회사들뿐이었다.

부자 나라들은 수요가 자원의 한계를 넘어설 때 자원을 수입하듯이, 이번에는 정화 능력을 초과한 잉여 폐기물을 이와 유사한 방식으로 수출한다. 사실 폐기물 처리 과정은 환경 비용의 원가 배분과 권력의 관계를 극명하게 드러낸다. 환경을 오염시키는 공장들과 폐기물 처리 지역이 너무나 일관되게 빈곤층과 소수 민족 거주지 혹은 그 인근에 위치해온 탓에, 정치권력이 지리적으로 어떻게 배분되어 있지를 보여주는 대리 지표로 이것들을 사용할 정도다.

설상가상으로 부유층은, 빈곤층이 어쩔 수 없이 떠밀려와 살게 된 지역의 비참하고 더러운 환경을 들어 빈자들이 부자들보다 환경에 대한 책임감이 더 없다고 주장한다. 이 주장은 두 가지 중요한 현실을 외면하고 있다. 첫째, 대부분의 환경 문제는 인간의 소비와 직접적인 상관관계를 가지며, 부유층의 소비가 빈곤층보다 훨씬 더 많다는 것은 설명이 필요 없는 사실이다. 둘째, 가난한 사람들이 부자들에 비해 폐기물 처리장이나 환경 오염을 유발하는 공장, 혹은 나무를 다 베어 황폐해진 지역에 살 가능성이 훨씬 더 높겠지만 그것이 곧 그 쓰레기장을 가득 메운 쓰레기들이 그들이 버린 쓰레기라는 의미는 아니며, 그 공장에서 만들어지거나 나무를 베어 만든 물건의 주요 소비자가 그들이라는 의미도 아니다. 또한 그들이 환경적으로 보다 깨끗한 지역에서 살고 싶지 않아서 굳이 그런 데를 고른 것도 아니다.

그것이 뜻하는 것은 단지 부유층이 정치적, 경제적 권력을 쥐고 있다는 것이다. 그들이 가진 경제적 힘과 정치적 권력이 오염원과 쓰레기를 확실히 그들의 주거지에서 멀리 떨어진 다른 어딘가로 가게 하고, 환경을 오염시키는 공장들은 다른 곳으로 보내며, 그들의 주거지에는 쾌적한 푸른 숲을 유지하게 만드는 것이다. 가난한 자들에겐 그런 권력이 없다. 우리의 눈앞에 펼쳐진 풍경은 환경에 대한 인식이나 관심의 차이가 아닌, 순전히 〈소득의 불평등〉에서 나온 결과다.

경제의 세계화는 환경 오염을 유발하는 공장들과 쓰레기를 해외로 수출함으로써 부유한 국가의 환경 부담을 빈곤 국가에게 떠넘길 수 있는 기회를 엄청나게 확대시켜 놓았다. 이는 특히 일본 기업들에게 흔한 관행이었는데 인근의 동남아시아 국가들이 그 쓰레기와 공장을 받아 안는 수취인이었다. 수치들을 보면 충격적이기까지 하다. 일본은 국내에서 제련하는 알루미늄의 양을 120만 톤에서 14만 톤으로 줄였고, 현재 자국에서 소비하는 알루미늄의 90퍼센트를 해외에서 수입하고 있다.

이 사실이 의미하는 바는 필리핀연합제련회사의 연구 발표에 잘 나타나 있다. 이 회사는 필리핀의 레이트 지방에 일본에서 자금을 대어 설립한 구리 제련소를 운영하는데 이 공장에서는 일본으로 운송할 고급 음극 구리가 제조된다. 필리핀연합제련회사 공장은 필리핀 정부가 지역 주민들로부터 헐값에 사들인 약 160만 평방미터의 땅을 차지하고 있다. 이 공장에서 방출되는 가스와 폐수에는 붕소, 비소, 중금속이 고농도로 함유되어 있어 지역의 상수도를 오염시키고, 어획량과 쌀 수확량을 감소시켰으며, 산림을 훼손하고, 지역 주민들의 호흡기 질환 발생률을 증가시켰다. 가정과 생계, 건강을 이 회사에 희생당한 지역 주민들은 그나마도 가끔씩만 나오는 임시직이나 계약직 일자리에 의지해 가장 더럽고 가장 위험한 일들을 담당하면서 근근이 살아가고 있다.

반면 기업은 번영을 거듭했다. 지역 경제 또한 매우 성장했다. 일본 사람들은 환경 비용을 치르지 않고 충분한 양의 구리를 공급받고 있다. 그러나 이 프로젝트로 덕을 본 수혜자라고 내세워지는 이 지역의 빈곤층은 생계 수단을 잃었고 건강 악화로 고통받고 있다. 필리핀 정부는 그 공장의 기반시설을 조성하기 위해 일본에서 차관을 들여왔고 지금 그 부채를 갚아 나가고 있다. 그리고 일본인들은 자국의 깨끗한 환경을 오염원으로부터 지키면서 필리핀의 가난한 이들을 위해 후한 지원을 아끼지 않았다는 일거양득에 대해 쌍수를 들어 기뻐하고 있다.

이 경우 기록된 사실 외에 별로 특별한 것은 없다. 전 세계적으로 경제 세계화를 추진하는 기업 식민주의에 관한 이런 종류의 이야기들은 얼마든지 널려 있다. 세계화주의의 열렬한 지지자인 《이코노미스트》는, 유독 물질을 폐기하는 이러한 관행을 비판하는 사람들은 결과적으로 빈곤층에게 필요한 경제적 기회를 박탈하게 된다고 주장한 바 있다.

가끔은 환경적으로 가진 것이 너무 없는 사람들의 부족분을 메우기 위해서 개방 교역 체제가 꼭 필요한 것으로 옹호되기도 하지만, 실제로는 이것이 정확하게 정반대로 작용하는 경우가 더 많다. 즉 전혀 가진 것이 없는 자들의 환경 적자가 더 심화되고 그것이 오히려 필요 이상 많은 환경 자산을 가진 자들에게 보너스로 돌아가는 것이다. 뿐만 아니라 개방 교역 체제는 이러한 전환이 부유층의 시야 바깥에서 이루어지는 것을 훨씬 용이하게 만들어 준다. 결과가 눈에서 멀어지면 멀어질수록 권력을 손에 쥔 자들이 그것을 무시하거나 합리화하기는 더 쉬워진다. 만약 우리가 모두를 위해 작동되는 세계를 갖고자 한다면 경제 성장이 인간의 진보에 토대가 된다는 신화에서 벗어나 과소비와 궁핍, 불평등을 종식시키는 쪽으로 우리의 주의를 돌려야 한다.

03

약자에게는 빈곤으로,
강자에게는 경제 성장으로

빈곤을 해결하기 위해 경제 성장은 선택이 아니라 꼭 필요한 것이다. - 마흐법 울 하크, 전 세계은행 부총재

경제 성장은 환경 보호가 최고로 달성될 수 있는 조건을 제공한다. - 국제 상공회의소

경제 성장이 빈곤의 완화와 환경 보호를 포함해 인간의 가장 중요한 욕구들을 충족시키는 열쇠라는 신념보다 현대의 정치 문화에 더 깊이 박혀 있는 신념은 아마도 없을 것이다. 성장에는 한계가 있다고 감히 말하는 사람은 그가 누구든 간에 즉각 빈곤 철폐에 대한 비관론자로 치부될 위험에 처하게 된다. 그래서 사람들은 그것이 어떤 종류의 성장을 말하는지 의미조차 불분명한 〈또 다른 종류의 성장〉이라는 표현을 사용한다.

노벨상 수상자인 경제학자 잰 틴버겐과 그의 동료 로피 허팅은, 우리가 현재 사용하는 계산법에 따르면 경제 성장에는 기본적으로 두가지 방법이 있다고 지적하고 있다. 하나는 고용인의 수를 늘리는것이고, 다른 하나는 이미 고용된 사람들의 노동 생산성, 즉 근로자1인당 산출량의 가치를 늘리는 것이다. 역사적으로 노동 생산성의향상은 경제 성장의 가장 중요한 원천이 되어 왔다. 그리고 생산성향상의 70퍼센트 정도는 전체 경제 활동의 30퍼센트를 차지하는 석유, 석유화학, 금속 산업, 화학 집약적 농업, 공공시설, 도로 건설과운송업, 광산업 분야에서 나왔다. 이들은 하나같이 국가의 자본을 가장 급격히 소모시키고, 가장 유독한 폐기 물질을 만들어 내며, 재생가능한 에너지 보유량의 상당 부분을 고갈시키는 산업이라는 특징을지닌다.

게다가 일정한 욕구를 충족시키는 방법 가운데 환경적인 부담이좀 더 큰 방법들이 일반적으로 국민 총생산GNP에 더 많은 기여를 한다. 예를 들어 자동차 한 대로 1.6킬로미터를 운전해서 가는 행위가자전거로 1.6킬로미터를 가는 것보다 국민 총생산에 훨씬 많은 기여를 한다. 에어컨을 켜는 행위는 창문을 여는 행위보다 국민 총생산에더 많은 보탬이 된다. 가공 처리 후 포장까지 해서 나오는 식품에 의존하는 행위는 얼마든지 다시 사용할 수 있는 커다란 그릇에 담아놓고 덜어서 파는 자연 식품을 구입하는 행위보다 더 많은 국민 총생산을 만들어 낸다. 그러므로 원칙적으로 돈이 경제를 통해 흐르는 비율을 측정하는 척도인 국민 총생산을 뒤집어 보면, 결국 자원을 쓰레기화하는 비율의 척도라고도 표현할 수 있을 것이다.

우리는 더 많은 쓰레기를 배출하지 않으면서도 국민 총생산을 끝없이 증가시킨다는, 어쩌면 비현실적인 목표를 이루기 위해 더 많은 노력을 기울일 수도 있다. 하지만 국민 총생산을 끌어올리는 것보다 빈곤을 종식시키고 삶의 질을 높이며, 지구와의 균형을 이루는 일에 더욱 집중적인 노력을 기울이는 것은 어떻겠는가? 이것들은 얼마든지 성취 가능한 목표들이다. 경제 성장이야말로 우리가 더 나은 삶에 도달하기 위한 길이라는 〈환상〉에서 벗어날 수만 있다면 말이다.

영국인들의 삶에 전환점이 된 경제 성장 3퍼센트 이론

—

1954년 영국의 재무 장관 R. A. 버틀러는 보수당 회의에서 다음과 같이 말했다.

> 만약 영국이 매년 3퍼센트의 경제 성장을 이룬다면 1980년에 이르면 1인당 국민소득은 2배가 될 것이고, 따라서 모든 국민들이 부모 세대가 그들 연령이었을 때에 비해 2배는 더 부유해질 것이다.

이 연설은 영국 국민의 삶에 일대 전환점이 되었다. 그 전까지 영국의 국가적 목표는 연간 30만 채의 주택 건설이나 국가 의료 제도를 확립하는 등의 구체적인 것에 맞춰져 있었다. 하지만 그 이후 영국의 최우선 목표는 〈경제 성장〉이 되었다. 정해진 파이를 어떤 방식으로 〈분배해야 하는가〉를 놓고 대립을 계속하던 좌파와 우파 간의 이념

논쟁은 거의 자취를 감추었다. 관심의 초점은 어떻게 파이의 크기를 〈늘릴 것인가〉에만 집중되었다.

1989년 아일랜드의 경제학자 리처드 다우스웨이트는 영국의 1인당 국민소득이 2배가 되면서 얻어진 이득을 입증하는 작업에 착수했다. 그는 다음과 같이 서술했다.

영국의 1인당 국민소득이 2배가 됨으로써 얻어진 이득이 무엇인지 알아보려는 시도를 하면서 비로소 문제들이 확실히 드러났는데, 특히 영국의 재무 장관 버틀러가 제의한 경제 실험이 시작된 지 거의 30여 년이 지난 이 시점에 거의 모든 사회 지표들이 악화되었다는 사실이 분명해졌다. 만성질환이 늘어났고, 범죄율이 여덟 배나 증가했으며, 실업률이 치솟고, 더 많은 결혼이 이혼으로 끝이 났다. 나는 거의 미친 듯이 이 손실들, 즉 내가 느끼기에 대부분의 경우 성장을 그 원인으로 볼 수밖에 없는 손실과 반대되는 이득을 찾아 헤맸다.

그러나, 결국 나는 포기했다. 증거의 무게는 거스를 수 없을 만큼 압도적이었다. 아무것도 묻지 않는 〈무조건적인 성장의 추구〉는 완전히 사회적, 환경적 재앙이 되었다. 성장이 만들어낸 거의 모든 잉여 자원은 체제의 기능을 유지하는 데 점점 더 비효율적으로 사용되었다. 그 돈은 물론 공항과 고속도로, 항만, 입체 교차로 등 사회 기반시설을 만드는 데도 들어갔다. 또 새로운 부는 실업 예비군 대열에 새롭게 합류한 3백만이 넘는 사람들을 먹여 살리는 데에도 들어갔다. 하지만 새로운 부는 또한 부유층을 위한 사치품과 쓰레기 유발 제품에도 쓰였다. 또 이 돈 덕분에 금융업과 보험업, 증권 중개업,

세금 징수, 회계 사무소에서 일하는 고용인의 숫자가 33년 동안 49만 3천 명에서 247만 5천 명으로 늘어났다.

우리는 1950년부터 이루어진 세계 생산량의 다섯 배 증가에도 이와 유사한 실험을 적용할 수 있다. 성장론자들은 경제 성장이 빈곤의 종식, 인구 안정, 환경 보호, 사회적 조화를 이루는 데 핵심이라고 끈질기게 주장한다. 그러나 같은 기간 동안 절대 빈곤 속에 살아가는 극빈자의 수는 인구 증가율에 비례하여 증가했다. 둘 다 배로 증가한 것이다. 세계의 소득 중에 20퍼센트의 극빈층에 돌아가는 몫에 비해 20퍼센트의 최고 부유층에 돌아가는 몫이 그 기간 중에 두 배로 늘어났다. 또한 사회 환경적 해체를 보여주는 지표는 거의 세계 모든 지역에서 눈에 띄게 급상승했다. 꼭 경제 성장이 이 문제들을 야기했다고는 말할 수 없을지 몰라도 그 문제들을 해결하지 못했다는 점은 분명하다.

성장률 측정의 함정
—

지난 몇 세기 동안 현실적이고 중대한 인류의 진보가 이루어졌으며, 기술적인 진전과 그에 따른 생산성 향상이 인류 복지에 실질적인 이득을 가져다주었다는 이론에 이의를 제기할 사람은 아무도 없을 것이다. 그러나 이 장에서 상세히 설명하고 있듯이 우리가 현재 정의하고 측정하는 방식의 경제 성장이라면, 경제가 성장하면 복지가 자동적으로 향상된다는 주장에는 아무런 근거가 없다. 그렇다면 영국의 경제학자 폴 에킨스가 지적하듯이, 성장은 오직 특별한 경우에 한해서만 좋은 결과를 낳는다는 결론이 가능하다. 그 경우는 다음과 같은 것들이다.

- 본질적으로 가치 있고 이로운 재화와 용역의 생산을 통해서 성장이 이루어졌음을 보여주는 경우
- 이 재화와 용역이 사회 전체에 폭넓게 분배되었음이 입증되는 경우
- 경제 성장으로 얻은 이득이 사회의 다른 부분들에 나타나는 성장 과정의 해로운 결과들보다 더 크다는 것이 증명되는 경우

그러나 우리가 사용하는 국민 총생산 측정법에는 이 같은 구별이 존재하지 않는다. 사실 다음과 같은 것들이 국민 총생산이 성장하면서 드러나는 문제들이다.

- 가족과 지역 공동체라는 비화폐적 사회 경제로부터 돈의 경제로의 전환과, 이에 따라 일어나는 사회적 자본(사회 구성원들이 힘을 합쳐 공동 목표를 효율적으로 추구할 수 있게 하는 자본, 질서, 규범, 신뢰 등)의 침식
- 천연자원 보유량을 고갈시키는 행위, 즉 회복률을 훨씬 웃도는 수준으로 산림, 어장, 석유, 광물 자원을 채취하는 행위
- 쓰레기 처리, 유독 폐기물의 처리, 유출된 기름의 수거, 환경 때문에 질병에 걸린 피해자들에 대한 치료, 산림 벌채와 같은 인간의 행

위에서 야기된 홍수 피해의 복구 사업, 오염 제거 장치 구입을 위한 비용 등, 성장의 결과로부터 우리 자신을 방어하는 데 드는 비용을 전부 소득으로 계산하는 것

　표준적인 재무 회계는 수입에서 자산의 감가상각분을 제외시킨다. 그러나 경제 성장을 측정하는 경제 회계 방식은 사회적 자본과 자연 자본의 소모에 대하여 표준적인 재무 회계의 감가상각분에 비교될 만한 어떤 조정도 가하지 않는다. 사실 경제 성장에 필요한 비용들이 우리의 복지를 증진시키기는커녕 퇴보시키는 것이 확실한데도 경제 회계 방식은 경제 성장의 여러 비용을 소득으로 간주한다. 그 결과는 때로 우스꽝스럽다. 예를 들어 알래스카 해안에서 엑슨 발데즈 호가 유출한 석유 제거 비용과 뉴욕 시 세계무역센터 폭파 사건으로 인한 복구 비용은 모두 경제 산출량에 대한 순기여로 처리되었다. 이러한 왜곡된 논리에 따라 인간과 환경에 비극을 초래하는 재앙들이 사회에 이득을 가져다주는 요인으로 둔갑한다.

　『공익을 위하여For the Common Good』라는 책에서 허먼 댈리와 존 콥 주니어는 오직 복지 향상에 관련된 생산량의 증가만을 계산에 넣고 인적 자원과 환경 자원의 고갈에 대해서는 수치를 하향 조정하면서 1960년에서 1986년 사이의 미국 국민소득에 대해 재평가를 실시했다. 그 결과 총생산량 대신에 진정한 경제 복지지수가 나오게 되었다. 그 지수에 따르면 평균적으로 미국에서의 개인 복지는 1969년에 절정에 달한 후 계속 정체 상태를 유지하다가 1980년대 초반과 중반을 거치면서 하락하기 시작했음을 보여준다. 그럼에도 1969년부터

1986년까지 미국의 1인당 국민 총생산은 35퍼센트 증가했고, 화석 연료 사용은 대략 17퍼센트 늘었다. 경제 성장이 가져온 가장 중요한 결과는 극소수의 사람을 제외한 대부분의 사람들이 퇴보하는 삶의 질을 유지하기 위해 더욱더 열심히 일하고 있다는 것이다.

  종종 우리의 복지에는 경제적 파이를 어떻게 나눌 것인가 하는 방법이 파이의 절대적인 크기보다 더 중요하다. 유엔개발계획UNDP에서 행한 여러 가지 연구들은 국민이 필요로 하는 기본 욕구를 충족시키기 위해 반드시 국가의 경제 생산량이 특별히 높은 수준이어야 하는 것은 아님을 보여준다. 사실 경제 생산량의 수준이 그다지 높지 않은 일부 국가들이 자신들보다 훨씬 잘사는 다른 국가들보다 어떤 면에서는 더 잘하고 있는 경우가 많다. 사우디아라비아와 스리랑카를 비교해볼 때, 사우디아라비아의 1인당 국민소득이 스리랑카보다 열다섯 배나 높은 데 비해 문맹 퇴치율은 오히려 스리랑카가 높다. 브라질은 1인당 소득이 자메이카의 두 배인데도 아동 사망률은 자메이카보다 네 배나 높다.

  분명 국민의 기본 욕구를 충족시키기 위해서는 국가의 경제 생산량이 최소 일정 수준 이상은 되어야 할 것이며, 이 수준은 아마도 세계 최빈국들의 현재 경제 생산량보다는 훨씬 높을 것이다. 하지만 대부분의 세계 시민들은 자신들의 기본적 욕구의 충족이 1인당 국민소득의 절대적인 규모보다는 오히려 경제 생산량이 분배되는 방식에 달려 있지 않나 하는 의문을 갖고 있다. 만약 사람들에게 양질의 식량과 주거 조건, 의류, 깨끗한 물, 의료 제도, 기본적인 교통수단, 교육, 그밖에 양질의 삶에 필요한 조건들을 제공하는 데 우선순위를 둔다면 인간의 기본 욕구 충족은 대부분 국가의 소득 수준 내에서 이루어질 것이고, 기존의 생산량 수준에서도 인간의 빈곤은 완화될 수 있을 것이다. 많은 경우, 현재 군사적인 목적에 바쳐지는 자원을 재분배하는 것만으로도 문제가 해결될 수 있을 것이다.

깨끗한 물과 적절한 위생 수준은 인간의 건강 유지와 장수에 아마도 가장 중요한 요소일 것이다. 인도의 케랄라 주와 같은 지역의 경험은 이러한 필수 조건들을 제공하는 것이 어지간한 소득 수준으로도 가능하다는 사실을 증명해 준다. 이와 대조적으로 훨씬 높은 소득 수준을 자랑하는 여러 국가들이 오히려 정자 수의 감소뿐 아니라 암과 호흡기 질환, 스트레스, 심혈관 질환 등의 발병률에서, 그리고 선천적 기형아의 출생률에서 다른 국가들보다 훨씬 높은 수치를 기록하고 있다. 대기와 수질 오염, 화학물질 중독, 잔류 농약이 검출되는 식재료, 높은 소음 수준, 전자파 노출의 증가와 같은 모든 현상들이 경제 성장의 부작용과 밀접하게 관련되어 있다는 증거들 또한 점점 많아지고 있다.

교외화, 자동차에 대한 엄청난 의존도, 그리고 디지털 기기와 인터넷 등의 사용 증가 또한 경제 성장과 밀접한 관련이 있다. 이 각각의 현상은 한때 시골과 도시 생활의 평범한 모습이었던 것들, 이를테면 사람들이 길거리나 보도에서 만나 서로 인사를 나누고, 가족과 지역 공동체가 함께 즐길 수 있는 것들을 만들어 내고, 동네의 가게와 커피숍에서 이웃끼리 교류하는 행위와 같은 사람들 간의 일상적 접촉과 상호작용을 상당 부분 위축시켰다.

게다가 저소득 국가들의 급속한 경제 성장은 운이 좋은 소수에게

만 현대식 공항과 고속도로, 잘 구성된 쾌적한 주거지, 최첨단 주택과 자동차, 그리고 매우 정교하고 세련된 가전제품과 유명 패션 브랜드를 두루 갖추고 에어컨 시설까지 완비된 쇼핑몰을 선사한다. 그러나 그것이 다수의 생활 조건을 개선해 주지는 않는다. 이런 종류의 성장은 부유한 사람들이 원하는 물건들을 사들이는 데 필요한 외화를 수입하기 위해 자국 경제를 수출 지향적 경제로 조정할 것을 요구한다. 빈곤층의 토지는 수출 위주의 작물을 재배하기 위해 무단 혹은 불법으로 전용된다. 이 토지의 이전 경작자들은 이제 수출품을 생산하는 열악한 작업장에서 지불하는 굶어 죽지 않을 만큼의 기아 임금을 받으며 도시 빈민촌에서 연명해 가는 자신들을 발견한다. 가족은 해체되고, 사회 조직의 긴장은 붕괴 직전으로 팽팽해지며, 폭력은 고질적인 문제가 된다. 한편 성장의 혜택을 고스란히 받아 안은 자들은 이제 소외당한 자들의 분노로부터 자신들을 보호해줄 무기를 수입하기 위해 훨씬 더 많은 외화를 필요로 한다.

성장이 아니라,
성장이라는 이름으로 행해지는 것들이 문제

—

성장 종식의 필요성에 대한 언급은 늘 반대에 부딪힌다. 그렇게 하면 빈곤층은 영원히 궁핍에서 헤어나지 못할 거라는 게 그 이유다. 빈곤층의 복지가 경제 성장 여하에 달려 있다는 주장은 역설적이게도 주로 개발 전문가와 경제학자, 금융업자, 기업주 그리고 자기 집 식탁에 음식을 올리는 데 아무 문제가 없는 사람들에게서 나온다. 그러나 빈곤층이 자신들의 의견을 말할 때면, 이들은 자신들이 발붙이고 살아가며 생계를 의지하는 토지와 물에 대한 확고한 권리를 더 자주 언급한다. 그들은 최저 임금을 보장해 주는 괜찮은 일자리를 원한다. 그들은 자식들을 위한 의료 제도와 교육을 원한다. 모든 것이 돈과 연관되는 세상에서 그들 역시 이렇게 말할지 모른다. "우리에겐 돈이 필요합니다." 하지만 그들이 "우리는 경제 성장을 해야 합니다."라고 말하는 경우는 있다고 해도 매우 드물다.

급속한 경제 팽창 시기에는 빈곤층의 궁핍이 더욱 증가하는 반면, 경제 침체기에는 오히려 더 나은 생계를 유지하는 경우를 우리는 아주 흔히 볼 수 있다. 그 이유는 간단하다. 즉 경제 팽창을 지지하는 정책이 대개 노동으로 근근이 먹고 사는 사람들을 희생시켜 소득과 자산을 돈 있는 사람들에게로 이동시키기 때문이다. 성장 자체가 필연적으로 가난을 불러오지는 않지만, 〈성장의 이름으로 추진되는 정책〉은 종종 가난을 야기한다. 예를 들어 다음과 같은 경우를 생각해 보라. 다음과 같은 정책의 결과들은 전형적으로 경제 성장과 연관되어 있다.

■ 천연자원을 고갈시키는 것은 종종 사람들의 기초 생계를 파괴하는 대가로 경제적으로 힘 있는 자들에게 금전적인 이익을 제공한다.

■ 사회적 경제(자본이 아닌 사람과 지역 공동체에 초점을 맞추는 비화폐 경제) 활동에서 화폐 경제 활동으로의 이동은 근로자 계층의 돈에 대한 의존도를 증가시키는데, 이에 따라 자산을 소유한 사람들, 전문적인

서비스를 제공하는 사람들, 채용 권한을 쥔 사람들에 대한 의존도가 커진다.

■ 농지, 산림, 어장 관리권이 그것을 통해 실질적인 생계를 꾸려가는 사람들에게서 수익을 위한 투자에 열을 올리는 자산가들에게 넘어가는 것이 경제 생산량 측정에 보태어지고, 이들 자산의 소유권은 자본가들에게 재분배되며, 저임금 노동자의 범위는 확장되고 그들의 임금 하락은 가속화된다.

수세기에 걸쳐 필리핀의 벤구 지방 원주민인 이고로트 족은 조상 대대로 살아온 땅에서 발견된 풍부한 금맥을 캐는 일에 종사해 왔다. 남자들이 산에 조그맣고 둥그런 굴을 파면 여자와 아이들은 금을 품고 있는 바위를 망치로 두드려 옥수수알 크기로 만들었다. 그러나 지금 이고로트 족의 땅은 벤구 사, 즉 돈 많은 필리핀인과 필리핀 정부, 미국 투자자들이 대략 동등한 지분을 소유하고 있는 회사가 운영하는 거대한 노천 광산에 의해 지배되고 있고 여기서 채굴된 금은 해외로 수출된다. 수십 대의 불도저와 기중기, 트럭이 산으로 밀고 들어와 나무를 베어내고 상층토를 벗겨내고 강바닥에 엄청난 규모의 바위 더미를 쌓아놓는다. 이 지역 주민들은 이미 파괴된 수자원으로는 더 이상 쌀과 바나나를 재배하지 못하며 산의 반대편으로 가야만 자신들이 마시고 씻을 물을 찾을 수 있다. 심지어 그들이 채굴을 하던 땅마저 위협받고 있는 등 그들의 권리는 완전히 묵살되고 있다.

바위에서 금을 분리하는 일에 이고로트 족처럼 물을 사용하는 대신, 광산 회사는 시안화합물을 포함한 유독성 화학물질을 사용하고 그것을 강에 그대로 흘려보내 물을 오염시킬 뿐 아니라 그 물을 마시는 소들까지 죽게 한다. 그 피해를 고스란히 입는 이 강의 하류인 팡가시난 지역에서 쌀농사를 짓는 농부들은 광산 쓰레기가 그들의 비옥한 농지를 뒤덮어 수확량이 엄청나게 감소해 매년 줄잡아 2억 5천만 페소의 손해를 입고 있고 그 결과는 순인구의 대이동으로 이어졌다. 그것도 모자라, 인근만의 어부들은 쓰레기가 산호초를 질식시켜 어획량이 눈에 띄게 줄었다고 보고한다. 이는 성장을 위해서는 잘된 일이다. 벤구 사와 이에 관련된 주요 광산 회사들은 연간 도합 11억 페소의 순이익을 챙기고 있기 때문이다. 이것이야말로 빈곤층으로부터 부유층으로 거대한 양의 자원이 이동하는 현상이 아닐 수 없다. 그리고 광산 회사가 있는 지역에는 그곳이 어디든 간에 이와 비슷한 이야기들이 수없이 많다.

목재 회사가 몰려들어 산을 벌거벗길 때에도 빈곤층은 이와 유사한 결과로 고통을 받는다. 이들 회사들은 대개 지역 주민들의 권리는 고려하지 않는다. 필리핀 남부 부키드논에서 꽤 멀리 떨어진 산 페르난도에서 농사를 짓고 사는 한 젊은 여성은 이렇게 말한다. "나무가 없으면 음식이 없고, 음식이 없으면 삶도 없어요." 그러나 벌목 트럭이 그 마을에 들어오기 전 한 노인은 이렇게 말했다. "이곳에는 물고기가 많았고 옥수수도, 쌀도 많이 났었어요." 사람들은 그들의 강이 어떻게 변했고, 강에 진흙이 얼마나 많아지고, 수심이 얼마나 얕아졌는지를 계속해서 말했다. 계절풍이 부는 철에는 강은 이제 둑을 넘쳐 흐르고, 이전까지 단 한 번도 홍수 피해를 입지 않았던 지역의 비옥한 농지들을 집어삼킨다. 예전에 건기에 토지를 적셔주고 영양분을 대주었던 작은 개울들은 이미 사라져 흔적조차 찾을 수 없다. 우기 중에 산사태가 일어나는 것은 이제 매우 흔한 일이다. 이전에는 숲에서 먹이를 구하고 상위 포식자에 의해 적절히 그 개체 수가 조절되었던 쥐들이 야밤에 농지를 약탈한다. 한때 잘살았던 지역 공동체에서는 아이들 다섯 중 넷 이상이 영양실조로 고통받고 있다.

이런 황폐화에 경제 성장의 추진이라는 이름으로 심지어 엄청난 공적 자금이 투입되기도 한다. 위에서 언급한 필리핀 광산 회사들은 광산에서 생산하는 폐석 1톤당 96.73페소를 벌어들이는 반면 세금은 단 0.5페소만을 납부한다. 미국에서는 정부가 연방 토지 광업권을 1만 제곱미터당 12달러 남짓에 광산업자들에게 양도했다. 설상가상으로 광산업자들에게는 전체 소득액의 5퍼센트에서 최대 22퍼센트까지 세금 공제를 해주는 방식으로 연방 토지를 채굴하는 데 들인 수고를 보상해 주는 감모 공제(광산, 석유 채굴 등을 행하는 기업에 대한 세금 공제)까지 주어진다. 일본에서는 정부가 국내 광산 개발업자들에게 대출, 보조금, 세금 혜택까지 부여한다. 일본 기업이 여러 남반구 국가에서 벌이는 광산과 목재 채취 사업과 관련된 인프라를 건설하는 비용은 주로 일본의 대외 원조 프로그램에서 제공하는 차관으로 조달된다.

고소득 국가들에서 산업 고용의 기회가 점차 감소하자 경제학자들은 서비스 경제가 그 공백을 메워줄 것으로 기대했다. 그러나 서비스 경제의 팽창은 대부분 가족과 지역 공동체를 기반으로 하는 사회적 경제의 식민화에 기인한다는 사실에는 아무도 주목하지 않는다. 한때 성인 인구는, 특히 여성들은 노동 시간 중 거의 절반 이상을 할애해 가족의 기본 욕구를 충족시키고 서로 배려하는 건강한 지역 공동체를 유지하는 데 꼭 필요한 수없이 많은 친근한 역할을 수행하면서 사회적 경제에 생산적으로 참여했다. 과거에는 사회적 경제가 사람들의 음식, 집, 옷, 육아, 건강관리, 노인 부양, 가사, 교육, 육체적 안전, 오락 등의 기본적인 욕구를 충족시키는 대부분의 생산적, 재생산적 활동에 남녀 모두를 참여시킨 때가 있었던 것도 사실이다. 사회적 경제는 본래 지역적이고 임금이 주어지지 않으며, 비화폐적이고 비시장적이다. 사회적 경제는 화폐보다 사랑으로 활성화된다.

그러나 육아, 건강관리, 음식 준비, 오락, 육체적 안전과도 같은 생산적, 재생산적 기능들이 사회적 경제로부터 시장 경제로 넘어가면서, 이것은 새롭게 경제 생산량에 포함되고 경제 성장에 기여하는 요소로 간주된다. 이 같은 전환이 우리가 받는 서비스의 향상과는 거의 아무런 상관이 없는데도 말이다. 이러한 전환은 또한 경제의 간접 기능에 대한 수요를 증가시킨다. 그리고 이 간접 기능들은 실제로는 경제적 비효율성의 거대한 원천임에도 경제 생산량에 추가된다. 다음의 경우를 생각해 보자. 가족과 지역 공동체 구성원들이 서로 힘을 합해 일하던 당시에는 실질적인 생산업에 종사하는 사람들이 거두어들인 산물에서 자기 몫을 거둬가는 세금 징수원, 관리인, 정부 담당자들, 회계사, 변호사, 증권 중개인, 은행원, 중개인, 광고 기획자, 마케팅 전문가, 투자 자문가 등이 존재하지 않았다. 따라서 재화와 용역의 전체 가치는 가족과 지역 공동체 안에서 실제로 가치를 창조한 사람들에게 분배되고 교환되었다. 그 결과 자원은 실질적인 욕구를 충족시키기 위한 목적으로 엄청나게 효율적으로 사용될 수 있었다.

많은 사람들은 시장 경제가 우리에게 징수하는 간접 비용이 너무나 높아진 나머지, 심지어 한 집안에 두 명이 예전보다 더 장시간 일을 하는데도 과거에 혼자 힘으로 꽤 만족스럽게 충족시킬 수 있었던 요구들을 이제는 제대로 채울 수 없게 되었다고 느낀다. 부모들, 특히 형편이 안 좋은 경우에는 더더욱 그저 먹고 살기 위해 돈을 벌고 밤에 아이를 돌보는 것 외엔 다른 일을 할 수 있는 시간도, 힘도, 용기도 없다. 현대의 도시 가정은 잠을 자고 텔레비전을 보는 장소로 전락했다. 과거에 실제 주소가 어디든 서로를 이웃사촌으로 만드는 데 훨씬 더 많은 기여를 했던 온갖 종류의 지역 활동과 서비스에 참여할 시간이 있는 사람은 이제 거의 없다. 오랫동안 함께 나누고 도와가면서 생긴, 사회적 경제가 떠받쳐온 *끈끈한* 관계들도 해체되었다. 높은 빈곤율과 우울증, 이혼, 미성년 임신, 폭력, 알코올 중독, 약물 남용, 범죄, 자살 등이 늘어난 것은 소득이 낮은 국가와 높은 국가를 막론하고 공통적으로 나타나는 현상이다.

이러한 전환이 여성들에게 새로운 기회를 부여했다는 이유로 여성의 평등권을 위한 하나의 승리라고 환호하는 사람들도 종종 있다. 그러나 노동 현장에 대한 여성 참여가 팽창된 만큼 남자들이 가정과 지역 공동체에 더 적극적으로 참여하는 새로운 파트너십이 생겨나기는 커녕, 이 변화는 오히려 여성들에게 더 무거운 짐을 지워놓았다. 이는 가족 관계의 긴장을 고조시켰고, 과거에는 이웃끼리 서로 맡아주던 역할을 이제는 돈을 받는 전문 직업인에게 의존할 수밖에 없게 되었다. 많은 아이들이 영리를 목적으로 운영되는 탁아소에서 성장하거나 아무도 돌봐주는 사람 없이 집이나 길거리에서 시간을 보낸다. 선택의 폭을 넓히기 위해서 일을 하기 시작한 많은 여성들은 이제 형편없는 임금에 보람도 없는, 그나마 가족의 생계가 달린 일자리에 자신들이 목을 매고 있음을 깨닫는다.

경제학자들은 건강관리와 사회 복지 사업, 보안 서비스 산업 등에 종사하는 새로운 고소득 전문직 계층이 생겨남으로써 얻어지는 경제 성장과 이들이 가족과 공동체의 붕괴를 해결해줄 새로운 가능성에 박수를 보낸다. 그러나 사회에 대한 순비용, 특히 화폐 경제로부터 적절한 기회를 제공받지 못하는 빈곤층에 대한 순비용은 계산에 넣지 않는다.

중요한 것은 절대 소득이 아니라, 상대 소득이다

—

빈곤층이 살아가고 생계 수단을 얻었던 토지로부터 그들을 밀어내는 행위는 오랜 역사적 과정을 통해 이루어졌다. 시간이 흐르면서 그 결과는 강자에게는 경제 성장으로, 약자에게는 빈곤으로 나타났다.

경제학자들은 1750년부터 1950년까지 영국의 1인당 국민소득이 2배로 증가했으나 대다수 사람들의 삶의 질은 꾸준히 하락했다고 평가한다. 1750년 이전까지, 영국의 시골 지역을 여행했던 사람들은 빈곤의 증거들을 거의 찾아볼 수 없었다고 보고했다. 대부분의 사람들이 적절한 수준의 의식주를 누리고 살았고 시골 풍경도 여유로웠다. 농업은 대개 개방 경작 방식으로 이루어졌으며, 가구마다 기다란 모양으로 구획된 소규모 농지를 경작할 권리가 있었다. 더러 경작권이 없는 사람들조차도 공동 토지에서 생계 수단을 제공받을 수 있었고,

공동 토지는 또한 가축, 식용 토끼, 땔감용 나무를 키우고 기를 수 있는 풀을 제공해 주었다. 유난히 부지런한 소수의 사람들만이 교환, 대여, 매매 등 수단과 방법을 가리지 않고 더 넓은 소유지를 가지려 기를 썼고, 그렇게 해서 통합한 소유지를 다른 토지와 구별하기 위해 울타리나 담을 쌓았다. 흔히 인클로저enclosure라 불리는 이 과정은 그러나 매우 서서히 일어났으며 상당히 성가신 과정이기도 했다.

그러나 그 후 지주들은 이 과정을 의무로 정하는 법률을 도입함으로써 인클로저 운동에 박차를 가했다. 인클로저가 진행되자 빈곤층은 과거 자신들에게 생계 수단을 제공해 주던 토지에 점점 더 접근하기 어려워졌다. 다른 생계 수단을 갖지 못했던 그들은 더 넓은 규모의 토지를 가진 지주를 위해 일하는 노동자로 전락할 수밖에 없었다. 노동력이 넘쳐나자 임금은 줄고 대지주의 이득은 커졌다. 또한 농지세의 도입으로 수많은 소농들은 자신들이 소유한 토지의 일부를 매각해야만 했고 그 결과 토지의 거대한 합병이 이루어졌다. 오랫동안 뿌리를 내리고 살던 농촌을 떠나게 된 사람들은 당시 산업혁명이 진행 중이던 도시의 공장들로 줄지어 꾸역꾸역 몰려들었다. 그들 중 대다수는 여성과 어린 아이들이었고 그들은 감옥보다 더 지독한 공장에서 어떻게든 일자리를 얻으려고 기를 썼다. 너무나 소름 끼치는 것은 19세기 초 영국 공장 근로자들의 근로 조건이 미국의 농장에서 일하던 노예들보다 더 나빴을 거라는 사실이다.

경제 팽창의 초기에 영국의 빈민층이 겪어야 했던 위의 경험과는 대조적으로, 영국의 평범한 국민들이 누렸던 삶의 조건은 제1차 세계대전이 발발한 1914년부터, 그리고 제2차 세계대전의 종전을 거치면서, 또 국민소득이 이렇다 할 성장을 이루지 못했던 두 세계대전 사이에도 오히려 개선되었다. 리처드 다우스웨이트가 설명했던 것처럼, 두 차례의 전쟁은 자본주의의 힘을 통제해야 한다는 정치적 필요성을 던져주었다. 정부는 최상위 소득자에게 무거운 세금을 매겼고 근로자의 임금을 관리했다. 정부의 규제로 임금 인상률이 물가 상승률보다 낮게 유지되었음에도 더 많은 사람들이 고용되었고 그들이 취업할 수 있는 일자리도 꾸준했다. 그로 인해 대다수 임금 노동자 가계의 실질 구매력이 향상되었다. 뿐만 아니라 정부는 임금 인상을 허락하면서 모든 이들에게 인상분이 똑같이 돌아가도록 했다. 따라서 비숙련 근로자들에게 가는 임금 인상은 숙련공들이 받는 인상분에 비해 높을 수밖에 없었다. 그 결과 전체적으로 보아 〈부유층으로부터 빈곤층에게로 거대한 소득 이동〉이 이루어졌다.

제1차 세계대전이 끝나고 사회로 귀환한 군인들을 노동 시장으로 흡수하기 위해 주당 54시간 노동에서 46-48시간으로 근로 시간 단축이 이루어졌는데 이는 실업률을 낮게, 임금을 높게 유지시켰다. 실업자들은 1911년 도입된 국민고용보험제에 의해 보호를 받았다. 고소득자들에게서 거둬들인 적잖은 세금으로 유지되었던 이 제도는, 가장 돈 많은 납세자에게서 가장 궁핍한 사람들에게로 소득을 체계적으로 이동시켰다.

제2차 세계대전 또한 빈곤층에게 이와 비슷한 결과를 가져왔다. 그러나 이들에게 돌아간 혜택은 전쟁 수행에 따른 생산량의 증가에서 나온 것이 아니라 노동에 대한 높은 수요와 임금 격차의 붕괴, 수익에 대한 정부의 통제, 누진 과세제 이행의 결합에서 비롯된 것이었다. 덕분에 소득의 평등이 눈부시게 향상되었고, 배급으로 야기된 강요된 절약으로 거대한 소비 욕구가 쌓여갔으며 이것이 전쟁이 끝난 뒤 평시 경제로의 전환을 보다 용이하게 했다.

미국의 상황도 이와 비슷했다. 1930년대의 대공황과 제2차 세계대전의 지상 명령은 사람들의 정치적 행동을 이루 말할 수 없을 정도로 자극해 그 결과로 〈소득의 의미 있는 재분배〉가 이루어졌으며, 후에 미국의 경제력과 성공의 전형적 특징으로 평가받게 되는 강력한 중산층이 형성되었다.

그 결과로 얻어진 상대적 공평relative equity과 번영을 함께 공유하는 경제 구조는 1970년대까지는 그럭저럭 크게 훼손되지 않고 유지되었다. 그러나 그 무렵 동아시아의 경쟁적인 번영, 노동 불안, 인플레이션, 그리고 반항적인 청년 문화가 한데 결합되면서 이것이 보수 세력을 자극해 자신들의 세를 재확인하고 싶게 만들었다. 노동조합과 사회 안전망, 시장 규제, 무역 장벽 전반에 걸쳐 총력을 쏟아부었던 그들의 정치적 공격은 거대한 이권을 앞에 놓고 미국 사회 주요 기관들의 세력을 재편성해 놓았다. 결국 1970년대와 1980년대에 임금이 빈곤선(최저 생활 유지에 필요한 소득 수준) 아래로 떨어진 미국인 근로자의 비율은 급격히 증가했고, 사회는 고용 기회와 소득 면에서 가진 자와 못 가진 자로 점차 양극화되었다.

빈곤에 대한 해답으로 경제의 파이를 키우자는 사람들은 한 가지 중요한 현실을 간과하곤 한다. 그것은 어떤 한 사람이 생존에 필요한 자원에 접근할 수 있는가의 여부는 절대 소득보다는 상대 소득에 달렸다는 사실이다. 자유 시장 경제에서 각 개인은 한정된 자원에 접근할 수 있는 권리를 놓고 경쟁을 벌이는데, 가장 많이 가진 자가 어김없이 그 경쟁에서 이긴다.

우리가 위에서 확인했듯이 경제 성장은 종종 빈곤층의 소득보다는 부유층의 소득을 더 빨리 증가시킨다. 모든 소득이 똑같은 비율로 증가한다고 가정해도 결과는 크게 다르지 않다. 빈부의 절대적인 격차는 더욱 벌어진다. 이는 단순한 산술 계산으로도 확인할 수 있다. 1인당 소득이 똑같이 연간 3퍼센트의 증가를 유지한다고 생각해 보자. 이 가정은 환경과 개발에 관한 브룬틀란트 위원회에서 세계적인 빈곤과 환경 문제에 대한 해답으로 제시한 것이다. 첫 해 연간 1인당 소득의 증가를 보면 미국의 경우 633달러, 에티오피아 3.60달러, 방글라데시 5.40달러, 나이지리아 7.50달러, 중국 10.80달러, 인도 10.50달러로 나타난다. 10년째 되는 해에는 연간 3퍼센트의 지속적인 성장이 에티오피아의 1인당 소득을 41달러까지 끌어올린다. 그러나 이는 에티오피아의 빈곤을 퇴치하기에는 어림도 없는 수치다. 반면 미국의 1인당 소득은 7,527달러까지 증가한다. 이 시점에 미국의 1인당 구매력 증가는 에티오피아의 177배에 달하게 된다.

소득의 증가와 동시에 재분배가 이루어지지 않는다면, 파이를 키우는 것은 빈곤층보다는 이미 많은 것을 가진 부유층에 훨씬 더 큰 혜택을 가져다주고, 빈부 간의 절대적 격차를 더욱 크게 벌리며, 나아가서 빈곤층에 대한 부유층의 권력 특혜를 증강시킨다. 또한 이 특혜는 자원이 부족한 세상에서는 생사를 결정하는 문제가 된다. 부유층과 빈곤층은 점차 고갈되어 가는 자원을 놓고 꼼짝없이 목숨을 건 사투를 벌여야 하는 것이다.

빈곤에 대한 해결책으로 성장을 촉진해야 한다는 환상에 젖은 예언자들이 진정으로 빈곤층이 처한 곤경을 염려한다면 부자들을 위한 감세에 신경 쓰는 대신, 빈곤층이 인간의 기본 욕구를 충족시킬 수 있는 능력을 향상시키는 정책들을 지지해야 할 것이다.

삶의 터전에서 추방되는 난민들

—

많은 개발 경제학자들은 한 국가가 산업화의 길로 들어서려면 농장에서 쫓겨난 노동력이 도시로 유입되는 과정이 반드시 필요하며, 그래야 농업이 현대화되고 도시의 산업 노동자 집단이 창조될 수 있다고 믿는다. 영국의 인클로저와 비슷한 상황들이 현재도 벌어지고 있다. 하지만 코스타리카의 경우는 그것이 얼마나 어처구니없이 진행되는지를 보여주는 실제 사례다.

IMF와 세계은행이 외채 문제 완화라는 명목으로 코스타리카의 경제 정책을 완전히 새로 짜기 전까지, 코스타리카는 라틴 아메리카 국가들 중에서 가장 안정적이고 평화롭고 평등한, 비교적 잘사는 나라 중 하나로 널리 알려졌다. 다른 라틴 아메리카 국가들의 특징인 대규모 토지 점유는 거의 찾아볼 수 없이 소규모 농부들이 오랫동안 그 나라의 굳건한 기반을 이루어왔다. 하지만 IMF와 세계은행이 코스타리카에 적용한 여러 가지 정책 때문에 코스타리카 국민이 필요로 하는 작물을 주로 경작했던 소규모 농장들에 주어지던 경제적 장려금이 수출용 작물을 재배하는 대규모 농장으로 이동했다. 그 결과 수천 명의 소농들이 자신들의 토지에서 추방되었고, 그 땅은 대규모 목장이나 수출용 곡식을 생산하는 대농장으로 합병되었다. 그러자 코스타리카의 소득 격차 양상은 다른 라틴 아메리카 국가들과 유사하게 변화했다. 또한 범죄와 폭력의 증가로 경찰과 공공의 안전을 유지하기 위한 공적 지출은 턱없이 늘어났다.

코스타리카는 이제 기본적인 식량의 조달을 수입에 의존하고 있으며, 구조조정으로 감소될 것이라 예상되었던 외채는 감소되기는커녕 배로 증가했다. 뿐만 아니라 이러한 정책 때문에 초래된 여러 결과들 못지않게 터무니없는 일은, IMF와 세계은행이 코스타리카의 경제 성장률이 높아졌고 이들이 이제 점차 불어나는 외채를 상환할 수 있을 거라는 이유를 들며 코스타리카를 구조조정의 성공 사례로 손꼽는다는 것이다.

한편 브라질에서는 농업의 형태가 내수용 식량을 생산하던 소규모 자작농에서 수출을 위한 자본 집중적인 생산으로 전환되면서 1960년에서 1980년까지 대략 2,840만 명의 인구가 타지로 추방되었다. 이 숫자는 아르헨티나의 전체 인구보다도 많은 숫자다. 인도에서는 대규모 개발 계획으로 40년 동안 2천만 명이 삶의 터전을 잃고 밀려났다. 1989년 당시 진행 중이던 세계은행의 프로젝트에 의해 150만 명이 추방되었으며, 준비 단계에 있던 계획들은 또 다른 150만 명을 위협하고 있었다. 그러나 지역에서 밀려난 주민들이 어딘가에 다시 정착해서 추방당하기 전에 그들이 누렸던 생활 수준과 비슷한 삶의 질을 회복하는 데 세계은행 프로젝트가 돈을 댄 경우는 단 한 건도 보고된 바 없었다. 환경과 빈곤 문제에 뿌리를 두고 활동하는 아시아의

NGO 활동가들은 아시아 개발을 주제로 진행된 회의에서, 세계은행의 보고서와 이들의 사업 성과를 다룬 정기 간행물이 그때까지 한 번도 언급하지 않았던 아시아 개발 경험의 한 국면을 폭로했다.

현재 약 1천만 명에 달하는 태국 농촌의 주민들은 상업용 나무를 키울 수목 육성장이 들어서면서 자신들이 살던 토지를 빼앗길 위기에 처해 있다. 지하수는 고갈되고 홍수림은 수출용 새우 양식장으로 인해 지속적으로 파괴되고 있다. 태국의 부족민들은 동말레이시아와 인도네시아의 삼림에 대한 조상의 소유권을 공식 인정받기 위해 투쟁을 벌이고 있다. 필리핀에서는 정부의 토지 개혁안으로 주요 농지가 산업 단지와 비농업용 토지로 용도 전환됨에 따라 농지가 조직적으로 침식되고 있다. 심지어 필리핀은 턱없이 부족한 외화를 사용해 쌀을 수입해야만 한다. 국제 원조라는 미명하에 외국 기업에서 들여오는 것들을 포함해 농업용 화학 비료와 유독성 산업 폐기물은 우리를 끊임없이 독살하고 있다. 댐 건설과 지열 발전 계획들은 주민들을 추방할 뿐만 아니라 수출 지향 산업의 에너지 수요를 충족시키기 위하여 농지와 산림을 파괴한다. 빈민들이 슬럼가에서 쫓겨나면 그 자리에는 산업시설이 들어서거나 그들은 생전 갈 일도 없는 쇼핑 센터가 들어선다. 기업에서 대개 외국의 시장에 물량을 대기 위해 고수하는 파괴적인 조업 방식은 어부들의 생계를 빼앗고 바다의 재생력을 위협한다.

태국의 방콕에서는 도시 개발 계획이 진행되면서 간선도로 건설과 여타 개발을 위해 30만 명의 주민이 이주를 강요당하고 있다. 이에 저항하는 저소득층 가정에는 식수와 전기 공급이 끊어진다. 거기서 더 저항을 했다가는 집에 불을 지르거나 불도저로 밀어버리는 꼴을 보게 될 것이다. 100만 명에 달하는 멕시코 가족들은 북미자유무역협정NAFTA이 체결됨에 따라 자신들의 농장을 떠나야 했다. 결국 경제 성장의 동력은 전 세계 저소득 국가에서 인간의 궁핍을 종식시키겠다는 종전의 약속을 이행하기보다는, 개발 난민 창조에 훨씬 더 효과적인 것으로 증명되었다.

만약 우리가 모든 인류를 위해 지속 가능한 인간의 복지에 관심을 갖는다면 환상에 젖은 예언자들이 우리 문화 속에 깊숙이 새겨놓은 경제 신화를 퇴치하고, 성장에 대한 강박 관념으로부터 스스로 벗어나 새로운 경제 관계를 극적으로 재구성해야만 한다.

우리가 새로운 전환을 이루기 위해서는, 정치적 이권들이 강력한 제휴를 형성하고 기관의 의제 뒤에 숨어서 우리를 완전히 엉뚱한 방향으로 이끄는 것에 맞서 싸워야 한다. 사회가 경제 성장의 추구를 공공 정책의 원칙으로 삼을 때, 그 혜택을 받는 쪽은 바로 〈기업〉이다.

04

경제 기적인가, 가짜 번영인가

아무도 이렇게 말하지는 않는다. "이 지구의 모든 생명 시스템의 능력을 파괴하는, 통제할 수 없는 거대 경제를 갖는다면 멋지지 않겠는가?" – 기업가이자 생태 운동가 폴 호켄

새로운 유목 자본은 절대 한 곳에 정착하지 않으며 절대로 공동체를 형성하지 않는다. 그것이 떠난 자리에는 유독성 폐기물과 원통한 가슴을 부여안은 노동자, 그리고 원주민 사회만이 남는다. – 정치 활동가이자 바디숍 설립자 아니타 로딕

1999년의 시애틀은 인간의 삶과 민주주의를 위한 투쟁이 바야흐로 요란하게 그 모습을 드러내기 시작한, 글로벌 시민운동의 아이콘이다. 한때 남들 눈에 안 띄게 평화롭고 우아하게 모여 세계 기업 경제가 나아갈 길을 모색했던 엘리트들은 이제는 대규모 시위대를 막기 위해 경찰이 둘러친 바리케이드 뒤에 모여 있다. 경계선은 이미 그어졌고 열정적 활동가들로 이루어진 실질적 그룹이 잠에서 깨어났다.

지금부터 이 책에서 다룰 내용들은 세계화의 과정과 결과에 대한

기록이다. 파괴주의적인 경향은 그 이후로 더욱 놀랍게 내리막길을 굴러왔고 글로벌 금융 체제는 한층 더 근시안적이고 불안정해졌다. 정치 과정의 부패는 참을 수 없을 지경이 되어서 사람들은 거리로 뛰쳐나와 대규모 가두시위를 벌이며 전면적인 구조 개혁을 요구했다.

아시아, 라틴 아메리카, 동유럽과 서유럽, 아프리카, 북아메리카로부터 보고되는 내용이 하나같이 비슷하다. 문명은 하나의 무역 장벽으로 여겨져 해체되고 있고, 공유 재산(사회 구성원 전체가 공동으로 소유하는 천연자원, 문화적 자원 등)은 최고 입찰가를 제시하는 사람에게 팔린다. 사회적, 환경적 기준은 후퇴를 거듭하는 중이다. 공적 지원에 의존하는 글로벌 기업들에 대한 혜택이 늘면서 오히려 빈곤층을 위한 사회 안전망은 단계적으로 사라지고 있다. 소규모 농장, 상점, 공장들은 계속해서 글로벌 기업들에 그리고 보조금이 지원되는 수입품에 의해 대체되고 있다. 세계은행, IMF, 세계무역기구가 내놓은 혹은 기업과 부유층의 이해관계에 따라 움직이는 정부에서 내놓은 공공 정책에 대한 응답으로 오염, 외환 부채, 환경 파괴, 불평등이 지속적으로 증가하고 있다.

모든 것이, 심지어 물, 공기, 정보, 토착 지식, 교도소, 작물의 종자, 유전자 암호에서부터 사회 보장제, 보건, 학교에 이르기까지 모두 경매대에 올라와 있는 것처럼 보인다. 모든 이들이 이용할 수 있는 공공 서비스가 돈을 낼 수 있는 사람들만 이용할 수 있는 사적인 서비스로 바뀌고, 인류가 공동으로 물려받은 자원이 사유 재산으로 바뀌고 있다. 생태 경제학자 허먼 댈리가 말했듯이, 인류는 마치 마지막으로 〈폐업 정리 염가 세일〉을 하려는 것처럼 보인다. 이것이 점차 힘을 얻어가는 시민의 저항 운동 뒤에 가려진 현실이다. 지금부터 소개하는 내용은 이 책의 초판이 출간된 이래 있었던 사건들 중에 중요한 것만 간추려본 것이다.

고삐 풀린 금융 시장

—

돈을 버는 것과 가치를 창출하는 것 사이의 연결 고리가 한층 더 미약해졌다. 세계 외환 시장에서는 많으면 1조 달러까지 매일같이 손바뀜이 일어난다. 그 중에 약 2퍼센트만이 실질 재화와 용역에서의 교역과 관련 있는 돈이다. 2000년 1월 주식 시장의 조정으로 수많은 첨단 산업 관련주들이 꿈에서 깨어 현실로 돌아오기 전에, 1995년부터 상장되기 시작한 170여 개 인터넷 업체들은 전체 수입 금액이 고작 80억 달러인 상황에서 6천억 달러의 시가총액을 기록했다.

2000년 4월 3일에 《비즈니스 위크》는 「월스트리트의 하이프 머신」이라는 제목의 표지 기사에서, 텔레비전에서 금융 시장에 대한 보도를 할 때 그들은 이제 더 이상 객관성을 가장하지 않는다면서 "예를 들어 대부분의 애널리스트들은 정보 제공자로 행동하는 것이 아니라 아예 특정 주식을 매매하라고 대놓고 부추기고 있다."고 말했다. 시사 해설자들이 주가를 밀어올리고 거품을 만들었다. 매수추천이 매도추천보다 72:1의 비율로 월등히 많았다. 적어도 2000년 후반에 주식 시장의 조정이 시작되기 전까지는, 회사의 내재 가치를 토대로 장기적인 안목으로 주식을 매수하는 가치 투자는 뒷전으로 밀려났다.

단기 상승 추세를 보여주는 주식을 재빨리 샀다가 파는, 즉 주가의 흐름을 따라가는 이른바 순행 투자가 대세로 자리를 잡았다. 불과 10년 전만 해도 투자자들은 나스닥 주식을 평균 2년 정도 보유했지만 2000년에는 이 기간이 5개월로 줄었다. 1999년에 월스트리트는 광고비에 12억 달러를 썼는데 이는 5년 전에 비해 세 배가 늘어난 금액이었다.

1990년부터 1999년까지 미국 국내 총생산의 시장 가치는 1998년 달러화 기준으로 31조 4천억 달러에서 40조 5천억 달러로 29퍼센트 상승했다. 같은 기간에 세계 주식 시장의 총자본(시장 가치)은 9조 4천억 달러에서 27조 5천억 달러로 무려 293퍼센트가 늘었다. 금융 자산의 가치가 실질 생산량에 비해 훨씬 더 빠르게 상승했다는 사실은 광고와 대출의 부채질에 의한 주식 시장의 왜곡을 그대로 반영한다. 미국에서 1995년 3월부터 2000년 3월까지, 돈을 빌려 주식을 매수하는 미수거래는 6백억 2천만 달러에서 2,780억 5천만 달러로 463퍼센트 증가했다. 1995년부터 2000년 1사분기까지 미국 금융 부문의 부채는 81퍼센트 증가해 7조 7천억 달러가 되었다. 돈 있는 자들을 위해 돈을 이용해서 돈을 버는 기관들의 부채가 정부, 가계, 비금융 산업을 포함해 다른 어떤 부문보다 많았다.

금융 시스템이 어떻게 아무것도 없는 상태에서 대출을 일으켜 돈을 버는지는 13장에서 살펴볼 것이다. 은행들이 서로서로 대출을 해주면서 불어나는 대출금이 피라미드 모양을 이루면서 이로 인해 은행이 금융 상품을 거래하거나 대규모 인수 합병에 돈을 대는 데 그들이 마음대로 이용할 수 있는 금융 자산이 터무니없이 팽창하는 시스템을 머릿속에 그려보라. 1999년의 한 조사에서는 미국의 5대 투자

은행(다른 기업들에 지분을 소유하고 있는 은행들)의 레버리지 비율(타인 자본 의존도)이 27:1이라고 밝혔다.

산더미 같은 부채 위에 쌓아올려져 통제가 불가능한 세계 금융 시스템의 극심한 불안정성은 1997년과 1998년에 아시아, 러시아, 라틴아메리카에 번졌던 재정 붕괴로 나타났다. 이 국가들이 그와 같은 일을 당했던 데에는 고금리와 빠르게 팽창하는 주식 시장의 매력에 홀려 급속히 흘러들어온 외국의 자본이 기름을 부었다는 공통적인 특징이 있다. 이렇게 유입된 돈 중에 생산 능력을 확대하기 위한 실질 투자에 들어간 돈은 거의 없었다. 그것은 단지 주식 시장과 부동산 시장의 팽창에 부채질을 해서 허풍 가득한 열기로 거대한 부를 창출했을 따름이었다.

진정한 투자보다 투기가 훨씬 더 수익률이 좋았으므로 농업이나 공업 부문에 실질 자산을 보유한 사람들은 사업을 해서 번 돈으로 기본 생산 설비를 유지하거나 개선하기보다 금융 시장에서 그 돈을 굴리는 쪽을 선호하게 되었다. 새로운 투자가 밀려드는 속도가 빠르면 빠를수록 생산력으로부터 자본이 이탈하는 속도도 빨라진다. 외국에서 차입한 돈으로 대금을 치른, 외국에서 제조한 사치품 수입이 증가하면서 국내 생산과 수출은 점점 위축된다. 이는 마치 실질 소득이나 자산이 전혀 없는 사람이 우편으로 받은 모든 신용카드들을 최고 한도까지 긁어서 사치와 낭비의 생활방식을 아주 잠깐 맛보는 것과도 같다.

각각의 기적의 경제가 해외의 채권국으로까지 대책 없이 확대되어 상환 능력 이상의 채무를 지게 되면서 남들보다 좀 더 눈치 빠른 투기꾼들이 한 발 앞서 자신의 돈을 빼내고 그에 따라 국내 통화 가치가 폭락하고 경제가 무너지면, 그 자리에 IMF가 재빨리 끼어든다. 그들은 회수 불가능한 대여금을 안게 되어 부도 위기에 몰린 세계적인 자산 관리 은행에 해당 국가가 지불 보증하는 공적 차관을 긴급 구제 금융 형식으로 지원한다. 당시 금융 위기를 겪게 된 아시아 국가들의 실업률은 두 배로 치솟았고 라틴 아메리카에서는 15년 만에 최고치의 실업률을 기록했다.

1998년 9월에 미국을 기반으로 한 세계 최대의 헤지펀드인 롱텀 캐피털 매니지먼트LTCM가 무너진 것은 이 불안정성을 부채질하는 고위험 금융 투기의 은밀한 세계를 대중이 살짝이나마 엿볼 수 있는 드문 기회가 되었다. 지분 1달러당 25달러의 비율로 차입을 일으킨 LTCM은 세계 금융 시장에서 막대한 돈으로 위험천만한 도박을 벌였다. 그 결과가 실패로 끝났을 때 미국과 세계 금융 시장에 미치는 여파가 너무나 엄청났으므로, 어쩔 수 없이 납세자의 돈으로 이들을 구제하기 위해 연방준비은행이 개입했다. 현재 전 세계에 약 4천여 개의 헤지펀드가 있고 그 중에 일부는 차입금의 비율이 100:1에 이르는 것으로 보고된다. 아무것도 없이 고위험의 금융 투기로 돈을 만들어낼 수 있는 권한과 혹시라도 일이 잘못되면 정부가 개입해서 구제해줄 거라는 기대를 가진 고삐 풀린 세계 금융 시장이 재앙을 부르고 있다.

돈에 팔린 민주주의
—

한때는 이러한 과도함에 한계를 설정하는 역할을 정부 담당자들이 수행했던 때가 있었다. 하지만 지금은 그들이 오히려 앞장서서 편의를 봐주고 있다. 정치 자금을 감시하는 민간 단체에서 제출한 미국의 정치 기부금에 관한 자료가 그 이유를 명확하게 보여주고 있다. 이 단체는 1990년에서 2000년까지의 미국 대통령 선거 주기에 금융, 보험, 부동산 회사에서 민주당과 공화당에 기부한 정치 자금이 총 8억 1천 1백만 달러라고 보고했다. 다른 어떤 산업 분야의 기부보다 현격하게 많은 액수다.

연방선거위원회는 공직에 지원하는 후보자들이 2000년도 선거 운동에 총 30억 달러를 지출할 것으로 예상했는데 이는 4년 전의 선거에 비해 8백만 달러가 증가한 수치였다. 정치적으로 환심을 사겠다는 의도로 기업들이 후원한 자금을 받아 부자가 된 정당, 그것이 2000년에 공화당과 민주당의 전당 대회를 통해 우리가 볼 수 있었던 핵심이었다. 뇌물을 정치로부터 몰아내기 위한 진지한 개혁 운동의 필요성이 날이 갈수록 증가할 수밖에 없다.

대부분 합법의 탈을 쓰고 자행되는 걷잡을 수 없는 정치 타락은 공공의 이익을 경매대에 올려놓고 민주주의를 의미 없는 가식으로 만들어 놓았다. 부의 분배가 불공평할수록 정치 과정에서 갑부들의 이해관계를 대변하는 목소리는 더욱 우세해지고, 가진 자들에게 더욱 큰 수혜를 주기 위해 규칙은 점점 더 왜곡된다. 2000년 미국의 대통령 선거에서 조지 부시와 앨 고어 두 명의 후보 중 누가 승리하더라도 큰손들로서는 별 차이가 없었다. 두 사람 모두 예일대를 나온 백인 남성이었고 정치 엘리트 집안 출신에, 기업 세계화를 신봉하는 보수주의자들이었으며, 이미 큰손들의 이해관계에 장악되어 있었다. 또 미국 의회의 국회의원 한 명당 등록된 로비스트가 38명이 넘었고 그들에게 사용되는 로비 자금이 270만 달러에 달했다.

대기업들에게는 정치 자금을 기부하는 것이 그들이 하는 투자 중에서 가장 수익률이 높은 투자로 자리 잡았다. 예를 들어, 영국계 다국적 제약 회사인 글락소 스미스 클라인은 120만 달러를 정치 자금으로 내놓음으로써 잔탁이라는 약에 대해 19개월의 특허 연장을 얻어냈는데 이것을 돈으로 따지면 10억 달러의 가치가 있었다. 말하자면 정치 자금으로 투자한 금액의 83,333퍼센트를 다시 거둬들인 셈이었다. 벌목 회사가 정치 헌금으로 내놓은 8백만 달러가 4억 5천8백만 달러의 벌목도로 보조금을 지키게 했고 이는 계산하면 5,725퍼센트의 수익이었다. 달랑 5백만 달러의 정치 헌금에 방송 사업자가 7백억 달러 가치의 무료 디지털 TV 사업권을 따냈으니 그 회사는 투자 대비 140만 퍼센트의 수익을 거둔 셈이었다.

은밀한 로비와 더불어 공공연한 정치 전략도 한층 심해졌다. 협회나 홍보 회사에 의해 진행되는 세심하게 조직된 캠페인은 대중의 마음속에 있는 쟁점들을 흐려놓고, 자신들의 비용을 일반 대중에게 전가하는 기업의 능력에 제한을 가할지 모르는 중요한 개혁들을 가로막는다. 당신은 식품 안전, 자동차 안전, 연료의 효율성, 유전공학, 환경 보호, 인터넷 개인 정보 보호, 총기 규제, 의료 개혁, 10대 청소년 흡연, 식수 안전, 최저 임금제, 폭력 문제, 자원 재활용 등의 무수한 문제와 관련해서 공익적 대의명분을 추구할 수 있다. 당신이 그렇게 했을 때 만일 당신의 제안으로 기업의 이윤이 감소한다면 그 기업들이 구축한 연합체는 그것을 무산시키기 위한 활동에 수백만 달러를 쓸 것이다. 그들은 자신들의 입장을 뒷받침해줄 전문가를 고용하고, 당신이 주장하는 바의 신빙성을 떨어뜨리고자 의도된 논평이나 뉴스를 내고, 당신이 속한 재단이나 공익 법인에 대한 지원을 끊고, 당신의 과학적 지식에 이의를 제기하고, 개선 조치에 막대한 비용이 들 거라면서 우려를 표명하고, 당신을 편협하고 특별한 이해관계를 추구하는 탐욕스런 〈기회주의자〉라고 매도할 것이다. 당신에게 반대하는 사람들은 대체로 자신들을 풀뿌리 시민 단체의 대표자로 자처하겠지만 결국 기업이 그들의 돈줄이고 그들의 소속은 기업의 홍보 회사일 가능성이 높다. 활동가들은 이를 〈인조 잔디 로비〉(풀뿌리에 대비되는 단어로, 여론 조작을 위한 가짜 로비를 뜻함)라고 부른다.

기업들은 또한 사회나 환경에 대해 자신들이 깊은 관심을 갖고 있음을 보여주는 화려한 광고 캠페인에 막대한 지출을 해왔다. 다국적 석유 회사인 쉘Shell 사가 《내셔널 지오그래픽》에 게재한, 자연 그대로의 열대 다우림을 순색의 사진으로 보여주면서 그곳 원주민들과 함께하려는 자사의 노력을 홍보하는 광고가 그 전형적인 예다.

쉘 사는 환경을 소중히 하면서 일을 해나가는 것이 결국은 보답으로 돌아온다는 사실을 거듭거듭 확인하고 있습니다. 만일 우리가 환경적으로 민감한 지역에서 석유나 가스를 탐사하고자 한다면 우리는 세계적인 그리고 현지의 다양한 이익 단체에 폭넓게 자문을 구합니다. 우리가 이렇게 함께 일하는 목적은 각각의 지역에서 생물 다양성이 유지되도록 하기 위함입니다. 우리는 또한 쉘 사의 진척 상황에 대한 이들 집단의 감시 감독을 장려합니다. 그것을 통해 우리도 자신을 돌아보고 일하는 방식을 향상시킬 수 있기 때문입니다.

쉘 사는 화려하고 그럴 듯한 광고로, 나이지리아 오고니족 지도자들이 무분별한 채굴로 자신들의 지역을 황폐화시키는 쉘 사에 저항하다가 교수형을 당했던 기억을 지울 수는 없음을 알아야 한다. 기업이 환경에 유해한 활동을 하면서 마치 친환경적인 것처럼 광고하는 녹색분칠에 쏟아부어지는 그 돈이 기업의 생산 공정을 실제로 친환경적으로 바꾸고 해당 지역 사람들의 삶을 개선하는 데 쓰인다면 세상이 얼마나 달라질 것인가.

특별 보조금과 규제 면제를 받아내기 위해 국가별로 혹은 정치인한 사람 한 사람을 접촉해 로비를 벌이는 것은 비용도 많이 들고 시간도 많이 걸리는 일이다. 기업들은 국제 협약을 이용해서 중앙 정부와 지방 정부의 규제를 전체적으로 교묘히 빠져나가는 것이 훨씬 더효율적이라는 사실을 알아차렸다. 이 목적을 위해 1995년 1월 1일에 창설된 세계무역기구에는 무역 전쟁을 예방하고 가난한 나라들의 이해관계를 보호하는 데 꼭 필요한 통상 규칙을 확립하고 이를 시행하기 위한 권한이 공식적으로 부여되었다.

하지만 그 시행 과정에서 입증된 바와 같이 세계무역기구가 실제로 하는 일은 국가나 지방 정부들이 세계적 기업과 금융 기관의 이해관계와 충돌하는 새로운 규제 법안을 시행하지 못하도록 저지하고,

무역과 기업 및 금융을 규제하는 기존의 법규를 축소 또는 제한하는 것이다. 예를 들어 일본은 세계무역기구로부터 미국에서 생산한 버번 위스키에 대해 일본이 부과하는 관세가 지나치게 높다는 말을 들어야 했고, 캐나다는 자국 문화를 보호할 목적으로 미국 잡지에 세금을 물려서는 안 된다는 말을 들었다. 또한 인도가 자국민들에게 값싼 복제 약품을 공급함으로써 유명 상표 제품을 이용해 실질적인 수익을 얻는 것은 부당하다고 했으며, 미국에게는 돌고래에게 해로운 방법으로 포획한 다랑어의 수입을 금지하는 법안이 수정되어야 한다는 자신들의 입장을 전했다.

유럽인들에게는 카리브해 지역의 소규모 농장에서 생산되는 바나나에 수입 특혜를 주어서는 안 된다고 했고, 성장 호르몬을 투여한 소나 유전자 변형 식품이 해롭다는 결정적이고 과학적인 증거를 내놓기 전에는 이들에 대한 수입을 금지해서는 안 된다고도 했다. 그것이 인간의 건강과 환경을 위태롭게 할지도 모른다는 우려는 충분한 이유가 되지 않았다. 위에 열거한 각각의 경우에서 세계무역기구는 민주적 절차에 의해 선출된 정부가 자국민의 이익을 위해 제정한 규정들을 뒤집으려고 했다. 세계무역기구한테는 민주주의와 인권이 기업의 권리를 지키기 위해 제거되어야 할 무역 장벽에 지나지 않았다.

시애틀에서 열릴 예정이었다가 무산된 1999년 세계무역기구 회의에서는 금융, 언론, 그밖의 다른 서비스 분야에서 외국의 투자자보다는 지역 투자자에게 혜택을 주고, 약탈적인 외국 기업들과의 경쟁으로부터 지역의 농민들을 보호하고, 외국 기업의 마구잡이식 개발로부터 삼림과 수자원을 지키고, 국제 통화의 투기적인 흐름을 규제하기 위한 각국 정부의 조치들에 더욱 제약을 가하기 위한 제안들이 검토될 예정이었다. 그 외에도 교육, 보건, 지역의 수자원 같은 공공 부문의 민영화가 수월하게 이루어질 수 있도록 각국 정부들에게 길을 터줄 것을 요구했을 것이었다. 시애틀에서의 대실패 이후 기업 세계화의 선봉자들은 앞으로 있을 세계무역기구 차기 회의와 국제 포럼으로 이 의제들을 끌고 가기 위해 급히 전열을 재정비했다.

미국에서 기업의 세계화를 옹호하는 사람들은 정치적 과정에 대한 장악력을 회복하기 위한 로비를 더욱 강화한 덕에 노동, 환경, 그밖의 공공의 이익을 옹호하는 단체들에 맞서서 단기간에 일련의 승리를 거머쥐었다. 2000년 5월 11일, 미국 상원은 아프리카 지역에 대한 무역 법안을 승인했다. 그 후 중국과 항구적인 무역 관계를 확립하는 법안이 통과되었고 이어서 베트남과의 교역에 관한 법률안도 의회에서 통과되었다. 이 모든 법안들이 가난한 나라를 지원하고, 무역을 정상화하고, 미국의 해외 수출 시장을 열어주는 수단이 될 거라고 과대 선전되었다. 중국과의 무역 법안이 클린턴에 의해 법제화된 바로 다음날, 《월스트리트 저널》은 사실 기업들이 중국과의 무역법 통과를 위한 로비에 총력을 기울인 진짜 이유는 미국 기업들이 더 많은 생산 설비를 안전하게 중국으로 이전할 수 있도록 보장하기 위한 거라고 말했다. 물론 아프리카 지역, 베트남 역시 마찬가지였다.

나는 최근에 비즈니스 관련 서적을 준비하는 한 저술가로부터, 기업의 지도자들이 특수 이익 단체들의 점점 커지는 반발로부터 회사를 지켜내기 위해 무엇을 할 수 있겠느냐는 질문을 받았다. 그런데 그 질문의 표현 방식 자체가 이미 기업 기득권층의 근시안적 시각을 드러내고 있었다. 첫째, 그것은 기업의 이해관계와 공공의 이해관계를 동일시하고 인간의 삶과 민주주의를 위해 일하는 것을 〈특수한 이익〉이라고 치부하고 있었다. 둘째, 그 질문은 사회적 환경적으로 부당한 관행을 개선하려는 항의자들의 노력을 간과하고 오히려 그들 자체를 문제라고 보았다.

만일 당신이 인간과 환경을 위해 기업이 얼마나 노력하고 있는지에 대해 떠벌이는 말을 다음에 듣게 되면 기업들이 관련 단체를 통해서 사회적 환경적 규제를 격퇴하고, 새로운 무역 협정을 성공시키고, 정부 보조금을 받아내고, 시민 주도의 공익 캠페인을 좌절시키고, 악행의 바탕 위에 활기차고 행복한 얼굴을 그리기 위해서 수많은 홍보 회사와 전문 로비스트들에게 얼마나 많은 돈을 쓰고 있는지를 알아보라.

진심으로 인간과 지구의 행복한 공생을 생각하는 기업 지도자의 첫 번째 의무는, 시장이 보다 광범위한 대중의 이익 안에서 작동하는 데는 민주적인 절차를 통해 확립된 강제할 수 있는 규칙이 있어야 한다는 것을 인정하는 것이다. 그는 또한 규칙을 정하는 과정에는 권력자들만이 아니라 자신들의 이해관계가 위태로워진 모든 사람이 함께 참여할 수 있어야 한다는 것을 인정해야 한다.

관심과 우려를 가진 기업 지도자의 두 번째 의무는 시장의 규칙을 결정할 권리가 기업이 아닌 진짜 사람들에게 있음을 인식하는 것이다. 이는 설사 기업들이 사회의 이익을 위해 무엇이 최선인지를 늘 염두에 두고 행동하고 있다고 스스로 믿는다고 해도 마찬가지다. 그들은 선거로 뽑힌 사람들도 아니고 자신의 이해관계 외에 모든 이들의 이해관계를 대변할 만한 특별한 전문성을 갖춘 것도 아니다. 그들이 가진 막대한 권력과 자산 때문에 그들의 정치 개입은 필연적으로 민주적 절차를 왜곡한다. 기업에게 유일하게 가능한 정치 참여는 기업을 정치에서 분리시키고, 민주적 절차의 충실성을 회복하는 규칙을 모색하는 것이다. 그것 말고도 사회적 책임을 인식하는 기업이라면 법을 지키고 정치로부터 거리를 두어야 한다. 그들이 가진 경험과 전문성이라면, 구름 위에서 지금도 잘살고 있는 사람들의 이해관계뿐 아니라 모든 이들의 이해관계에 도움이 되는 시장의 규칙을 확립하려고 애쓰는 시민운동의 환영받는 동지가 될 수 있을 것이다.

늘어난 생산성 혜택의 잘못된 분배

—

구름 아래 황폐한 지표면에 사는 트로글리테스들*이 좀처럼 늘지 않는, 아니 되려 줄어드는 소득으로 먹고 살기 위해 저 아래 광산에서 힘겹게 일하며 악전고투하는 동안 금융 버블은 구름 위 환상의 세계인 스트라토스 거주자들의 재산을 하늘 높이 밀어 올렸다. 1998년까지 세계 3대 갑부의 총자산은 지구의 저개발국들의 모든 국민 총생산

* 미국의 텔레비전 공상 과학 시리즈 「스타 트렉」의 제74화 〈구름 위 환상의 세계〉에서 다룬 아다나라는 이름의 행성에 거주하는 자들로, 저 아래 황폐한 지표면에 있는 광산에서 비참하게 살아가는 사람들을 트로글리테스라고 부른다. 반면 지표면 위 높은 허공에 떠 있는 아름답고 평화로운 도시를 〈스트라토스〉라고 하는데, 그곳에서는 아다나 행성의 지도자들이 트로글리테스의 삶과는 완전히 다른 환상의 세계 속에서 부유한 삶을 영위하고 있다(2부 7장 참조).

을 합친 것보다 많았다. 세계 60억 인구 중에 거의 절반에 가까운 28억 인구가 하루에 2달러가 채 안 되는 돈을 가지고 살아간다. 1990년에서 1998년까지 평균 1인당 소득 증가율은 50개국에서 마이너스를 기록했다. 이는 거의 IMF와 세계은행이 구조조정이라는 미명하에 강요한, 기업 자유의지론에 입각한 정책이 낳은 직접적인 결과이다.

1973년부터 1998년까지 미국의 생산성은 33퍼센트 향상되었지만 중산층 근로자의 임금은 오히려 감소했다. 보통의 가정에서는 생활비를 벌기 위해 더 긴 시간을 일해야 했고 가족 중에 누군가가 더 일을 하러 나가야 했으며 그럼에도 부채는 점점 늘어갔다. 1999년 미국의 총가계 부채는 6조 5천억 달러에 달했으며 이는 연간 가처분 소득의 98퍼센트에 해당한다.

생산성 향상의 모든 혜택은 그 혜택이 전혀 필요하지 않은, 가장 부유한 10퍼센트의 사람들에게 주로 돌아갔다. 그들은 회사 자산의 90퍼센트, 채권의 88.5퍼센트, 주식의 89.3퍼센트를 갖고 있었다. 1999년에 미국 기업의 CEO들이 받은 총보수는 1,240만 달러로 제조업 근로자 평균 수입의 475배에 달했는데, 이는 1995년의 141배에 비해 놀라울 정도로 늘어난 비율이었다. 1998년에 미국 근로자의 29퍼센트는 빈곤 수준의 임금을 받으며 일했다. 1995년에 소득이 10만 달러였던 가정은 1998년까지 소득이 22퍼센트 증가했지만, 1만 달러에서 2만 5천 달러를 버는 가정의 소득은 오히려 20퍼센트 감소해 그들은 부채의 수렁 속으로 더 깊이 들어갔다.

이처럼 늘어난 생산성의 잘못된 분배는 우연한 일이 아니다. 구름 위의 거주자들이 실업률의 하락으로 임금이 올라갈까봐 걱정할 때마다 최고의 은행가들이 포진해 있는 연방준비위원회가 즉각 개입해서 금리 상승으로 경제를 식혀주었다. 그러는 동안 기업들은 구조조정에 박차를 가하고, 저임금 국가로 일자리를 이동시키고, 아무리 적은 보수에 형편없는 잠자리를 제공해도 싫으면 고국으로 돌아갈 수밖에 없는 임시직 노동자들을 외국에서 수입했다.

남반구 국가들의 부채는 1994년 2조 1천억 달러에서 1998년 2조 5천억 달러로 늘었다. 1996년에 사하라 이남의 아프리카 국가들은 장기의 신규 차관으로 빌린 돈보다 갚은 돈이 20억 5천만 달러 더 많았다. 아프리카 국가들이 채무 상환에 쓴 돈은 공공 의료에 들어간 돈보다 네 배나 많았다.

기업 인수 합병은 시장에서 경쟁을 몰아내고 권력을 핵심으로 집중시키는 과정을 계속해 나갔다. 1994년에 전 세계 인수 합병 총액은 5천6백억 3천만 달러였다. 그것이 1998년에는 2조 5천억 달러가 되었고 1999년에는 다시 3조 4천억 달러로 증가했다. 한때 적대적 인수 합병을 금기시하며 자제했던 유럽도 그 광란에 뛰어들었다. 유럽에서의 인수 합병 총액은 1998년에 9천8백8십억 달러였던 것이 1999년까지 한 해 동안 66퍼센트 증가해 1조 5천억 달러가 되었고 2000년에는 2조 달러에 달했다.

대중에게 널리 알려진 마이크로소프트 사에 대한 반독점 소송은 예외로 하고, 점차 커져가는 거대 기업들의 정치적 영향력은 미국 정계 내에서 기업의 경제력 집중에 대한 우려를 거의 불식시킨 것처럼 보인다. 1998년에 전설적인 록펠러 제국에 남아 있는 두 개의 거대 기업 엑손과 모빌이 지금까지의 역사상 최대의 합병으로 재결합했을 때 정치권은 조용했다. 1934년에 은행 파산의 위험성을 줄이고자, 특히 은행이 보험업에 손대는 것을 금지하는 것을 골자로 한 글래스 스티걸 법안Glass-Steagall Act이 통과되었다. 하지만 시티 금융과 트래블러스 그룹이 합병을 해서 세계 최대의 금융 그룹을 형성하겠다는 의도를 밝혔을 때 공화당 의회와 클린턴의 민주당 행정부는 초당적 협력을 과시하면서 글래스 스티걸 법안을 폐지하는 것으로 이 두 거대 기업의 결혼을 위한 법적 장애물을 치워주었다. 그로부터 며칠 후 도이치 뱅크는 뱅커스 트러스트 사를 사들여 새로 탄생한 시티 그룹보다 훨씬 큰 금융 그룹이 되었다. 2000년 1월 10일, 미국 최대의 인터넷 서비스 기업인 아메리카 온라인이 1천8백5십억 달러에 타임워너 인수를 발표함으로써 역사상 최대 규모의 합병 기록을 갈아치웠을 때도 세상은 조용했다.

조지 오웰 식 이중 화법doublespeak*의 위대한 전통 속에서, 우리는 그 각각의 결합으로 효율성이 증가할 것이고 경쟁이 강화되고 그 혜택이 소비자에게 돌아갈 거라는 말을 들었다. 나중에 보니 확실한 승자는 오직 거래를 성사시키고 커미션을 받은 중개인들과, 대체로 그런 기회를 이용해 추가 보너스와 스톡옵션을 챙기는 합병 회사의 최고 경영자들뿐이었다. 수많은 인수 합병의 사례들에서 일반 주주들과 소비자들은 아무것도 얻은 것이 없었다.

전통적인 경제 지표에 따르면 – 극심한 불안정성을 드러낸 사건들

* 마치 거짓을 진실처럼 보이게 하는, 겉과 속이 다른 정치적 언어로 대중 기만에 사용되는 허울 좋은 말을 말한다. 조지 오웰이 『1984』에서 무대로 설정한 가상 국가 오세아니아에서 인민을 지배하기 위한 슬로건으로 "War is peace. Freedom is slavery. Ignorance is strength"(전쟁은 평화이고, 자유는 예속이며, 무지는 국력이다.)를 내세웠던 데에서 유래된 표현이다.

이 있긴 했지만 - 이들 기업들은 전례 없는 경제적 부를 계속 창출해 나갔다. 그러나 그것은 대부분 환상과 금융 버블 위에 쌓아올린 가짜 번영이며, 갈수록 견디기 힘든 손실을 우리에게 안겨주고 있다.

팡파르 뒤의 세계

—

사람과 자연의 건강과 안전만이 번영의 유일한 잣대이다. 일부 저소득 국가들에서 지난 몇 십 년 동안 몇 가지 사회 지표가 고맙게도 향상되었다는 사실에 우리는 기뻐한다. 거기에는 수명이 늘어난 것과 초중등학교 진학률이 상승된 것, 그리고 안전한 식수의 보급이 늘어난 것도 포함된다. 그럼에도 여전히 전 세계 9천만 어린이들은 초등학교에 가보지 못한다. 1억 명이 넘는 아이들이 거리에서 일하고 거리에서 살아간다. 30만 명의 어린이가 1990년대에 군에서 복무했고 6백만 명이 무장 투쟁에서 부상을 당했다. 2000년에 국제 난민과 국내 실향민의 숫자는 5천7백만을 웃도는 것으로 보고되었다. 30년 동안 캐나다와 영국의 이혼율은 5배 증가했고 혼외 출산은 6배가 늘었다.

1999년 말에 전 세계의 3천4백만 인구가 에이즈에 걸렸고 그 중 사하라 이남의 아프리카에만 2천3백만 명의 에이즈 감염자가 있었는데 재정난에 처한 의료 서비스는 그들을 치료하기엔 역부족이었다.

종신 고용의 전통을 버린 일본 기업들이 사람보다 이윤을 앞세우는 미국의 파트너로 합류했다. 기업의 감량 경영이 사실상 0퍼센트에 가깝던 역사적인 일본의 실업률이 2000년 4월에 4.9퍼센트로 끌어올려졌다. 남은 근로자들의 늘어난 근무 시간과 가중된 스트레스로 인한 과로사가 국민적 이슈가 되었다. 일본경찰청에 따르면 1997년에서 1998년 사이에 일과 관련된 자살이 4,786명에서 7,935명으로 62퍼센트 증가했다. 실업률의 증가는 또한 범죄율의 증가로 이어졌다.

장밋빛 경제 통계와 번창하는 경제에 대한 요란한 축하에도 불구하고 미국 역시 마음을 혼란스럽게 만드는 사회적 추세로 골치를 앓고 있다. 미국의 사회적 보건에 대한 포드햄 대학교의 연구는 영아 사망, 65세를 기준으로 본 기대 수명, 65세 이상 노인층에서의 빈곤, 고등학교 자퇴의 지표가 1970년부터 1996년 사이에 꽤 많이 좋아진 것으로 보고했다. 그러나 그와 동시에 임금의 하락과 의료 보장의 후퇴, 청년 자살, 폭력 범죄, 빈곤, 불평등, 실업, 아동 학대가 놀라울 정도로 늘어난 것을 알 수 있었다.

1999년 말에는 630만의 미국인들이 보호 관찰 명령, 구치소나 교도소 수감, 금고형까지 포함해서 어떤 형태든 사법적 통제 하에 놓여 있었다. 이는 미국 성인 인구의 3.1퍼센트에 해당하는 인원으로, 통계를 내기 시작한 첫 해인 1980년의 180만 명에 비해 250퍼센트가 늘어난 수치였다. 이들 중 2백만 명이 감옥에 있으며, 덕분에 자유의 나라 미국이 아마도 러시아를 제외하고는 전 세계에서 가장 높은 구금률(인구 10만 명당 재소자의 수)을 기록하게 되었다. 재소자의 55퍼센트 이상이 아프리카계 미국인이고 그들 중 대다수가 비교적 경미한 범죄에 속하는 약물 사용으로 수감되었다. 많은 문제를 안고 있는 미국 사회가 사회적으로 병든 자들에 대한 주된 해결책으로 구금을 선택한 것처럼 보인다.

미국이 현재 범죄 정의에 초점을 맞추고 있기는 하지만 그럼에도 불구하고 기업의 범죄에 대해서는 어떤 공식적 통계도 없다는 사실이 그저 놀라울 따름이다. 기업들이 저지르는 범죄에 비해 거리의 범죄는 아주 사소해 보인다.

위험하고 결함 있는 제품, 열악한 작업 환경, 독성 물질의 배출로 인한 인간의 질병, 신체적 상해, 죽음을 포함시켜 보라. 그러면 기업 범죄로 인한 인간의 피해와 경제적 손해는 어마어마한 수준이 될 것이다. 기업들은 또한 범죄를 용이하게 해주는 역할로 수익을 챙긴다. 예를 들어 마약 거래상, 세금 탈루, 그밖에 다른 범죄자들을 위해 돈세탁을 해주는 주요 은행들이나 담배 밀수를 조장하는 담배 회사들이 이에 해당된다. 하지만 거리의 범죄자들에게는 사소한 잘못에도 가혹한 처벌이 내려지는 것과는 달리, 기업 범죄에 책임이 있는 자들은 개인적 벌금형이나 징역형에 처해지는 경우가 거의 없다.

대부분의 사람들은 사회의 평화와 안전, 복지를 위해 없어서는 안 되는, 민주적으로 정한 법을 집행할 경찰과 사법 기관의 필요성을 인정한다. 기업은 타인들을 위한 법은 강력히 지지하지만, 기업이 공적인 기준을 지켜야 한다는 말을 누가 내비치기만 해도 자신들이 알아서 처리할 사적인 일에 공연히 간섭하려는 것으로 여겨 발끈하고 나선다.

이 모든 것들이 어쩌면 자신이 방금 수술한 환자의 상태를 환자 가족들에게 알린 외과의사의 얘기로 뭉뚱그려질 수 있을 것이다.

"좋은 소식과 나쁜 소식이 있습니다. 좋은 소식은 수술이 성공적으로 끝났다는 것이고요. 나쁜 소식은 환자가 죽었다는 것입니다."

1990년대의 좋은 소식은 활기차게 돌아가는 경제와 급속히 팽창하는 주식 시장이었다. 기업 전문가들은 이를 현대의 〈경제 기적〉이라 부르며 환호했다. 나쁜 소식은 그것이 주로 금융 거품의 환상 위에 쌓아올려진 〈거짓된 번영〉이라는 것이다. 몇몇 소수의 은행 계좌들만 한없이 부풀려놓은 경제 활황은 이 사회와 지구의 생명들을 죽이고 있고 그 속도는 점점 빨라지고 있다. 그리고 기업의 권력자들은 여전히 그 사실을 한사코 부정하고 있다.

  다행스럽게도 우리는 진정 좋은 소식을 들을 수 있었는데, 인간 정신이 깨어나고 있다는 그 신호는 바로 기업 세계화의 실상을 대중들이 깨닫기 시작했다는 것이다. 세계은행, IMF, 세계무역기구를 비롯한 주요 경제 및 금융 기관들에 대한 대중의 저항 운동이 세계 곳곳에서 일어나는 것으로 우리는 그것을 느끼고 있다. 그것은 또한 새로운 정치에서, 정신적 쇄신의 추구에서 모두를 위한 공정한 세계를 창조하려는 열정을 가진 창조적이고 젊은 활동가들의 새로운 리더십으로 나타나고 있다. 그리고 그것이 인류의 미래에 대한 희망의 원천이다.

제 2 부

구름 위
환상의 세계,
구름 아래
우리들의 세상

05

누가 지배권을 쥘 것인가

특허장에 의해 주어지는 특권은 무거운 짐이다. 영국을 비롯해 여타 유럽 국가의 국민들이 그 짐을 지고 비참하게 신음하고 있다. - 토머스 얼

오늘날의 기업은 소유주와 관리자들을 보호하면서 자신의 존재와 특권을 유지하기 위한 인위적인 창조물이다. 인위적이든 아니든 기업들은 사람들보다 법률상 더 많은 권리를 쟁취해 왔다. 그리고 정부는 군대를 동원하여 기업의 권리를 보호한다. - 리처드 L. 그로스맨과 프랭크 T. 애덤스

기업들과 부유층 사람들의 이해관계가 서로 밀접하게 얽혀 있다는 사실은 자신의 권리를 가진 하나의 조직으로서 기업의 중요성을 흐리는 경향이 있다. 좀 더 긍정적으로 보면 기업의 설립 강령은 원래는 공공의 목적을 위해 재정 자원을 끌어 모으려고 만든 사회적 고안이다. 부정적인 쪽으로 보자면, 그러나 이 설립 강령은 한 명 혹은 그 이상의 개인이 아주 좁게 초점이 맞춰진 사적인 의제 뒤에서 막대한 정치 경제적 자원에 영향력을 행사하는 것을 허가해 주며, 한편으로

는 기업이 공공에 미치는 영향에 대한 법적 책임으로부터 그들을 보호해 준다.

　그에 비해 사람들이 잘 인식하지 못하는 사실이 있다면, 각각의 기업들은 그 규모가 커지고 힘이 세지면서 그 본성과 구조 속에 본래 내재한 지상 명령과 궤를 같이하는 자신들의 독자적인 의제를 개발해 나가는 성향이 있으며, 심지어 그 기업을 소유하고 관리하는 사람들조차 이것을 완전히 제어하지는 못한다는 사실이다. 기업의 의제는 수익을 향상하고 시장의 불확실성으로부터 스스로를 보호하는 것에 중심을 둔다. 또한 이 의제들은 시장의 경쟁, 금융 시장의 요구, 그리고 그 의제 안에서 자신들의 커리어를 키우고 소득을 올리려는 개인들의 노력이 하나로 결합되어 만들어진다.

　대기업들이 자신들이 공유하는 정치적, 경제적 의제를 추진하기 위해 서로 협력하는 것은 흔한 일이다. 예를 들어 미국에서는 기업들이 150년이 넘는 기간 동안 자신들의 이익에 부합하도록 정부 기관과 법률을 재구성하는 과정에 참여해 왔다. 혹, 이 글을 읽는 독자들 중에 일부는 기업을 의인화하는 나의 표현에 불편함을 느낄지도 모르지만 이는 다분히 의도적인 것이다. 왜냐하면 일단 탄생한 기업은 거기에 참여하는 인간들의 의사와는 상관없이 독자적인 〈생명〉을 갖고 움직이는 성향이 있기 때문이다.

　기업은, 그 중에서도 가장 덩치가 큰 대기업들은 실질적으로 전 세계 모든 국가에 손을 뻗고 있고, 규모와 힘에서 대부분의 정부들을 능가하는, 지구상에서 가장 지배적인 통치 기관이 되었다. 이제는 점점 국가와 국제기구에서 정책 의제를 정할 때 인간의 이익보다는 기업의 이익이 그 핵심이 되고 있다.

권리는 확대하고 의무는 축소하려는 그 시작
—

현대의 기업들이 15-16세기 영국과 네덜란드에서 교역을 주도하던 대규모 무역상들의 직계 후손이라는 점은 많은 것을 시사한다. 이들은 광대한 해외 영토에 대해 실질적으로 국가의 역할을 수행할 수 있는 권한을 부여받은 유한책임의 합자 회사였다.

예를 들어 네덜란드 왕실에서는 1602년에 합동 동인도회사에 아프리카 최남단인 희망봉부터 남아메리카 남단의 마젤란 해협 사이의 해상과 육지에서 네덜란드의 교역을 독점적으로 수행할 수 있는 칙허를 내주었다. 그 독점권을 바탕으로 네덜란드 동인도회사는 각종 조약을 체결하고 군대를 유지하고 요새를 건설하고 영토를 정복하는 등의 통치권을 행사했다. 이 회사는 그 후에 영국 함대를 격파하고 포르투갈 세력을 몰아낸 후 동인도제도(현재의 인도네시아)에 대한 지배권을 확립했다. 초기에 이 회사는 대규모의 토지를 경작자들에게 임대해 주는 형식을 취했지만 이것이 궁극적으로는 토지 강탈로 이어졌다. 네덜란드의 지배권 하에 있지 않은 토지에서는 정향을 재배하는 것이 금지되었다. 그나마 남아 있는 불모의 땅에서는 자신들이 먹고 살기에 충분한 식량을 생산할 수가 없었던 토착민들은 자신들의 주식인 쌀을 동인도회사로부터 엄청난 가격에 구매할 수밖에 없었다. 결국 지역 경제는 무너지고 많은 사람들이 빈곤층으로 전락했다.

영국 동인도회사는 영국이 1784년까지 마치 자신들의 사유지처럼 지배했던 인도에 대해 식민 통치를 가능하게 했던 주요 기관이었다. 영국 정부가 인도를 직접 통치하기 시작한 1858년까지는 이 회사가 인도에 대한 영국의 지배권을 행사했다.

1800년대 초, 영국 동인도회사는 중국에서 차를 사들이는 대신 불법적으로 아편을 밀매해 엄청난 수익을 챙기며 번성했다. 중국은 광저우에 있는 아편 창고를 불태워 버리고 모든 아편을 몰수하는 것으로 사회적, 경제적 붕괴에 대응했다. 이것이 1839년부터 1842년까지 이어진 아편전쟁을 촉발했고 이 전쟁은 영국의 승리로 끝났다. 영국의 압박으로 체결한 조약(난징 조약)을 통해 중국은 영국이 전쟁으로 입은 엄청난 피해를 배상하고, 중국의 다섯 개 항구를 열어 영국과의 자유로운 교역을 허락했으며, 영국인들이 중국에서 저지르는 범죄에 대해 영국 법정에서 재판을 받을 수 있는 권리를 보장해 주었다. 이 조약이 현재 국력이 강한 북반구 국가들이 자기들보다 힘이 약한 남반구 국가들에게 강요하는 자유 무역의 선도자 격이었다.

영국의 국영 기업들은 또한 북아메리카를 식민화하는 데도 큰 역할을 했다. 런던 컴퍼니는 버지니아 식민지의 기초를 세우고 한동안 그 땅을 자신들의 사유지처럼 지배했다. 매사추세츠 베이 컴퍼니는 뉴잉글랜드 지역에서 교역과 식민 통치 권한을 행사했다. 북미 허드슨 해안 유역의 모피 무역을 관장하기 위해 설립된 허드슨 베이 컴퍼니는 영국이 현재의 캐나다 지역을 식민화하는 데 중요한 기초가 되었다.

왕실로부터 부여받은 특별한 권리를 뜻하는 칙허장은 투자자의 투자 규모에 따라 손실에 대한 책임의 한도를 정한 것으로, 이 권리는 일반 시민에게는 주어지지 않았다. 각각의 칙허장은 특정 기업이 어떤 의무와 권리를 갖는지를 명시했고 거기에는 특권을 부여하는 대가로 왕실이 받을 이익금의 배당도 포함되어 있었다. 그러한 칙허장을 부여하는 것은 왕실의 재량이었으며 그러므로 언제라도 철회될 수 있었다. 그때부터 지금까지 〈기업과 정부〉의 관계가 권리는 어떻게든 확대하고 의무는 최소한으로 축소하려는 기업의 이해관계에 의해 압박을 받아온 것은 놀랄 일이 아니다.

젊은 공화국이 관철시킨 견제와 감시

—

미국 역사의 대부분은 국민과 기업들 사이에 지배권을 놓고 벌였던 길고도 끊임없는 투쟁에 의해 형성되었다. 다른 서구 민주주의 국가들에도 비슷한 과정이 있었지만 미국의 경우가 특별한 중요성을 갖는 이유는 제1차 세계대전이 끝난 후부터 미국이 세계 경제 기구의 형성에 지배적인 역할을 해왔기 때문이다. 미국이 제2차 세계대전을 통해 초강대국으로 부상하면서 미국의 국제적 역할은 점점 더 확실해지고 자기주장을 관철시키려는 경향도 강해졌다. 미국의 경제력이 쇠퇴하고 있는 오늘날에도 미국은 유엔, 국제통화기금, 세계은행, 세계무역기구 등의 세계적 경제 및 금융 기관들을 형성하는 데 주도적인 역할을 하고 있다. 다음 장에서 살펴보겠지만, 미국이 이들을 비롯한 여타의 세계적 기관들과의 관계 속에서 자국의 이해관계를 규

정할 때 가장 중요한 부분을 차지하는 것이 바로 기업들의 이해관계
였다. 이와 같이 미국 기업의 권력의 역사는 단지 국가적인 중요성
그 이상의 의미를 지닌다.

　미국은 영국의 국왕들과 칙허를 쥔 회사들이 식민지 경제에 대한
통치권을 유지하고자 권력을 남용하는 것에 반대하는 혁명으로 탄생
했다. 17세기와 18세기에 부유한 지주들, 상인, 상공인들로 구성되었
던 영국 의회는 자신들의 독점적 이익을 보호하고 확대하기 위해 수
많은 법안을 통과시켰다. 예를 들어 어떤 법안은 식민지가 유럽이나
아시아로부터 수입하는 모든 물품은 일단 영국의 손을 거칠 것을 의
무화했다. 마찬가지로, 식민지에서 수출하는 특정한 생산품은 일단
먼저 영국으로 보내져야 했다. 또한 항해 조례는 식민지에서 나가고
들어오는 모든 상품은 영국인 선원 혹은 식민지인 선원이 배치된 영
국 혹은 그 식민지의 선박으로 운반해야 한다고 법으로 정한 것이었
다. 게다가 필요한 원자재를 풍부하게 지니고 있었음에도 식민지 주
민들은 모자, 중절모, 양모 제품이나 철제품을 생산하는 것이 금지되
었다. 원자재는 모두 식민지에서 영국으로 운송되었고 영국은 이를
완제품으로 만들어 다시 식민지에 되팔았다.

　애덤 스미스는『국부론』에서 이러한 관행을 강력히 비난했다. 그는
기업 역시 정부만큼이나 시장의 유익한 경쟁력을 억압하는 기관이라
고 보았다. 기업에 대한 그의 비난은 강경했다. 자신의 논문에서 그는
기업에 대해 열두 차례나 특별히 언급하면서도 기업의 좋은 면은 단
한 가지도 인정하지 않았다. 그의 주장은 대표적으로 이런 것이다.

지금껏 모든 기업들이 설립되고 기업에 관한 대부분의 법률이 제정되었던 이유는 자유 경쟁을 억제함으로써 가격의 하락, 그리고 그에 따라 임금, 이윤이 하락하는 것을 예방하기 위해서다. 하지만 역으로 자유 경쟁을 막는 것이 오히려 그런 결과를 야기하게 될 것임은 거의 확실하다.

『국부론』의 출간과 미국 독립선언문에 대한 서명이 1776년에 일어났다는 사실은 주목할 만하다. 이 두 가지는 불로 소득을 취하고 현지 지역 사업체를 억제하려는 의도로 시장에 가해지는 폭력적인 통제에 각자의 방식으로 이의를 제기하는 혁명적 선언문이었다. 애덤 스미스나 미국 식민지 주민들이나 국가와 기업의 권력에 깊은 불신을 품고 있기는 마찬가지였다. 미국의 헌법은 국가가 권력을 남용하지 못하게 할 목적으로 정교하게 고안된 견제와 균형의 체제를 갖추기 위해 정부 권력의 분리를 법으로 정해 놓았다. 그러나 기업에 대해서는 어떠한 언급도 하지 않았는데, 그것은 헌법의 골조를 짠 사람들이 기업이 새로운 국가 질서에 중요한 영향력을 행사하게 될 거라고 예상하거나 생각하지 못했음을 뜻한다.

젊은 아메리카 공화국에서는 기업이 그 시대에 필연적인 존재라거나 꼭 필요하다는 인식은 거의 없었다. 동네 상점과 협동조합들, 근로자 소유의 기업도 볼 수 있었지만, 애덤 스미스의 이상에 훨씬 더 부합하는 가족 농장과 가족 사업체들이 미국 경제의 주축을 이루었다. 이는 투자와 생산의 결정은 그 지역 단위에서 민주적으로 이루어지도록 하는 것이 중요하다는 당시의 보편적 믿음과 일치한다.

설립 허가를 받은 기업들은 그들을 항상 예의주시하며 경계하는 시민들과 정부의 통제를 받았다. 기업에 허가를 내줄 수 있는 권한은 연방 정부가 아니라 각각의 주가 가짐으로써 그러한 권력에 대해 조금이라도 더 시민들의 통제가 가능하도록 했다. 기업의 설립 허가서와 기업 관련 법규들에는 개인의 힘을 과도하게 축적할 목적으로 기업이라는 도구를 사용하는 행위를 제한하기 위한 수많은 단서 조항들이 포함되었다. 기업에 대한 설립 허가서는 초기에는 정해진 수량만 발부되었고 이것을 갱신하지 못했다는 것은 곧 그 기업의 소멸을 의미했다. 일반적으로 이 설립 허가서에는 기업의 차용, 토지 소유권, 때로는 기업이 얻는 이윤에 대한 제한까지도 명시되었다. 또한 기업의 구성원들은 자신이 그 기업에 속해 있는 동안 기업이 초래한 모든 부채에 대해 개인의 능력 범위 내에서 책임을 져야 했다. 투자자는 소규모이건 대규모이건 모두 동등한 투표권을 가졌고 겸직임원 제도(몇 개 관련 회사의 임원을 겸직하는 것)는 법적으로 금지되었다. 뿐만 아니라 기업은 설립 허가서에 명시된 사업 활동만을 할 수 있었으며 허가 철회에 관한 내용이 포함되는 경우도 흔히 있었다. 또한 각 주의 입법자들에게는 그들의 판단에 따라 공익 수행에 실패한 기업의 허가를 취소할 수 있는 권한이 있었으며 따라서 그들은 기업의 활동을 세세히 감시했다. 1800년까지 미국의 각 주에서 기업에 발부한 설립 허가는 전부 합해 고작 200여 개에 불과했다.

19세기에는 주 정부를 통해 기업의 설립 허가를 철회 혹은 정정하려는 국민의 권리를 두고 기업과 시민 사회 간에 활발한 법적 투쟁이 전개되었다. 19세기 전반에는 주 정부 입법자들이 기업 설립 허가를 정정, 철회, 혹은 단순히 갱신해 주지 않는 경우가 꽤 흔했다. 그러나 미국 독립 이전에 영국 왕 조지 3세가 다트마우스 대학에 부여했던 특허장을 뉴햄프셔 주가 철회하려 했던 사건과 관련하여 1819년에 이 같은 권한이 공격을 받게 되었다. 미 연방 대법원은 특허장에 단서 조항이나 철회에 관해 어떠한 내용도 명시되어 있지 않았다는 이유로 뉴햄프셔 주의 요청을 기각했다.

이 판결을 주 자치권에 대한 명백한 공격으로 받아들인 분노한 시민들은 기업과 개인의 재산권을 명확하게 구분해야 한다고 주장했다. 기업은 저절로 생겨난 게 아니라 공익에 이바지하려는 목적으로 주 입법자들에 의해 창조되었다는 것이 그들의 주장이었다. 따라서 기업은 사조직이 아닌 공적 조직이며, 그러므로 선거로 선출된 주 입법자들에게 기업의 설립 허가를 자신들의 의지대로 정정 혹은 철회할 절대적인 법적 권리가 있다는 것이다. 대중의 이러한 강렬한 항의는 기업의 행위를 감독하는 각 주의 법적 권한을 상당히 강화하는 결과를 낳았다.

1855년 후반 닷지 대 울시Dodge v. Woolsey 사건에서 미 연방 대법원은 헌법이 기업에 어떠한 절대적 권리도 부여하지 않았음을 명백하게 밝혔다.

그러나, 결국 권좌에 오르고 마는 기업들
—

미국의 남북전쟁(1861-1865년)은 기업의 권리 면에서 일대 전환점이 되었다. 징병에 반대하는 심각한 폭동이 수많은 도시를 휩쓸고 정치 체제를 혼란에 빠뜨렸다. 이 와중에 군수 물자 조달 계약에 의거해 물밀듯 쏟아져 들어온 엄청난 수익은 산업 관련 이익 단체들이 사회 혼란과 정치 부패의 만연을 이용해 입법권을 실질적으로 사들이는 것을 가능하게 했다. 기업들은 이렇게 사들인 입법권으로 서부의 철도 연장(대륙 횡단 철도)에 이용할 막대한 돈과 토지를 손에 넣었다. 수익의 규모가 커질수록 신생 산업 계층은 정부에 대한 영향력을 더욱 확고히 했고 이를 토대로 더 많은 혜택을 얻을 수 있었다. 당시 전개되는 사태를 지켜보던 링컨 대통령은 사망하기 직전 다음과 같이 술회했다.

기업들은 마침내 권좌에 올랐다. 곧 고위직의 부패 시대가 뒤를 이을 것이고, 돈의 힘이 사람들의 편견을 등에 업고 자신의 힘을 연장시키려 기를 쓸 것이며, 결국은 모든 부가 몇 사람의 손에 집중되어 공화국은 멸망할 것이다.

미국은 남북전쟁으로 말미암아 스스로 분열했다. 링컨의 암살과 뒤이어 알코올에 빠진 전쟁 영웅 율리시스 그랜트가 대통령에 당선되면서 정부의 힘은 더욱 약화되었다. 나라는 혼란 속으로 빠져들었다. 수백만의 미국인들은 전쟁에 이은 불황으로 일자리를 잃었고, 온갖 부정으로 얼룩진 1876년의 대통령 선거는 결국 막후의 은밀한 거래로 승자를 결정했다. 부패와 내부 거래가 판을 쳤다. 기업이 지배적인 영향력을 행사했던 거래의 최후의 승자, 러더퍼드 B. 헤이즈 대통령은 후에 이렇게 불만을 토로했다.

"이제는 더 이상 국민의, 국민에 의한, 국민을 위한 정부가 아니다. 현재의 정부는 기업의, 기업에 의한, 기업을 위한 정부일 뿐이다." 매튜 조셉슨은 자신의 걸작 『날강도 귀족*The Robber Barons*』(19세기 미국의 악덕 실업가들을 경멸적으로 이르는 말)에서 1880년대와 1890년대의 상황을 이렇게 기술했다. "국회는 한 표의 가격을 흥정하고 질서를 위한 법을 돈으로 사고파는 시장으로 변했다."

이 시기는 바로 존 록펠러, J. P. 모건, 앤드류 카네기, 제임스 멜론, 코르넬리우스 밴더빌트, 필립 아모르, 제이 굴드와 같은 인물들의 시대였다. 사회가 혼란한 틈을 타서 기업들은 자신들을 더욱 부유하게 만들어줄 관세, 금융, 철도, 노동력, 국공유지에 관한 입법에 돈을 풀어 영향력을 행사했고, 결국 부는 부를 낳았다. 기업의 책임을 끈질기게 주장해온 시민 집단은 주 차원에서 기업의 권력 남용에 맞서 투쟁을 계속했고, 그때까지만 해도 법원과 주 정부에게 아직은 기업의 설립 허가를 철회할 권한이 있었다.

그러나 기업들은 주요 입법 기관에 대한 영향력을 점점 키워가면서 기업 설립에 관한 법률들을 실질적으로 개정해 나가기 시작했다. 기업의 활동에 관여하는 시민의 권리를 제한하는 일에는 뉴저지와 델라웨어 주 의회가 선두에 섰다. 그들은 기업주와 경영자들이 져야 하는 법적 책임의 한계를 정했고 기업에 영구적인 설립 허가를 내주었다. 머지않아 기업은 법으로 명백히 금지하고 있지 않는 한, 어떤 방식으로든 자유롭게 기업을 운영할 수 있는 권리를 갖게 되었다.

기업 담당 변호사들의 탄원과 주장에 끊임없이 응답했던 보수적인 사법 체제는 경계심 많은 시민들이 조심스럽게 기업의 권력에 가해 놓았던 제한들을 야금야금 무너뜨렸다. 덕분에 기업과 기업의 재산에 대한 보호를 헌법의 핵심으로 만드는 새로운 판례들이 하나씩 생겨나기 시작했다. 이 판례들이 기업 관련 사건에서 기업의 오류를 판단하고 그로 인한 손해를 평가하는 배심원제를 무용한 것으로 만들고, 기업의 이익률과 가격을 감독하는 주의 권리마저 앗아가 버렸다. 기업의 입장에 동조하는 재판관들은 근로자들이 일을 하다가 입은 상해는 개인의 책임이라고 판결했고, 기업이 유발했을지 모르는 손해에 대해서는 기업의 책임을 축소했으며, 임금과 근로 시간에 관한 법률은 위헌이라고 선언했다. 그들은 공익이란 바로 최대한의 생산을 의미한다고 해석했다. 그 기업에서 무엇을 생산하는가는 상관없었고 그로 인해 누가 피해를 보든 그것도 상관없었다. 산업 재해로 70만 명의 근로자가 목숨을 잃었던 1888년부터 1908년 사이(줄잡아 매일 100명씩은 재해로 사망했을 것이다.)에 이런 것들이 산업 부문의 주요 관심사였다.

기업이 지배권을 갖는 것을 지지하는 사람들에게 놀라운 승리를 안겨준 1886년, 앞서 말했듯 헌법에는 기업에 관해 어떤 내용도 언급된 바 없지만, 산타 클라라 카운티 대 남태평양 철도 회사의 소송에서 미 연방 대법원 수석판사는 사기업은 미국 헌법 아래 하나의 〈자연인〉이라는 판결을 내렸다. 그 이후로 법원은 이 판결이 기업이 언론의 자유와 그밖에 헌법이 개인에게 보장하고 있는 내용들을 포함하여 권리장전의 완전한 보호를 받을 권리가 있음을 의미한다고 해석했다.

이렇게 해서 기업들은 시민에게 주어지는 대부분의 책임과 의무는 면제받으면서도, 개개의 시민들이 누리는 모든 권리들을 자신들의 당연한 권리로 요구하게 되었다. 하나의 시민으로서 동등하게 언론의 자유를 보장받게 된 그들은 폴 호켄의 말을 빌자면 "정확히 권리장전이 사전에 방지하고자 했던 것, 즉 대중의 사상과 공적 토론에 대한 지배권"을 획득했다. 그 뒤부터 기업들은 자신들도 개인과 마찬가지로 사적 이해관계에 따라 정부에 영향력을 행사할 권리가 있다고 주장했고, 이로 인해 개개의 시민들은 기업이 갖고 있는 막대한 재정과 커뮤니케이션 자원과 경쟁을 벌여야 할 판이었다. 기업의 이런 주장은 주요 사안을 둘러싼 정치적 갈등에서 모든 시민이 동등한 발언권을 지닌다는 헌법의 의도를 조롱하는 것이었다.

이 시기는 칼 마르크스에 의하면 과도한 자본주의의 무절제함이 불러온 폭력과 사회 불안의 시기였다. 근로 조건은 끔찍했고 임금은 겨우 생존을 이어갈 수 있는 수준이었다. 아동 근로 역시 만연되어 있었다. 한 조사 결과에 따르면 1890년 당시 1,250만 미국 가정 가운데 1,100만 정도가 연간 평균 380달러의 소득으로 생계를 꾸려 나갔고, 그런 까닭에 먹고 살기 위해서는 자기 식구 외에 하숙인을 받아서 생계에 보태야만 했다. 또 공장의 태업을 비롯해서 조직적 파업 혹은 노조와 상관없는 비공인 파업이 늘 있었다. 고용주는 파업을 무산시키기 위해 자기가 동원할 수 있는 모든 수단을 가리지 않았고 그중에는 사설 보안 요원, 혹은 연방군과 주 정부의 군대도 포함되었다. 결국 폭력은 폭력을 낳았고, 이 시기의 산업 전쟁으로 수많은 사람들이 목숨을 잃었다.

이러한 상황들이 노동운동의 성장에 자극제가 되었다. 1897년부터 1904년까지 노동조합 조합원의 수는 44만 7천 명에서 207만 3천 명으로 불어났다. 노동조합은 미국에 이제 막 뿌리를 내리기 시작한 사회주의 운동이 성장할 수 있는 비옥한 토양을 제공해 주었고 생산 수단, 천연자원, 특허 등의 사회화와 민주적 통제를 요구했다. 이 시기는 그 수효가 점점 불어나고 있는 〈갖지 못한 자들〉의 대열에 신입들이 대의명분을 위해 투쟁하고 희생할 각오를 안고 앞다투어 합류하던 열린 계급투쟁의 시대였다. 계급에 따라 노동자들을 조직하고자 했던 사회주의자들은 그보다는 기술과 산업 분야에 따라 노동자들을 조직하는 것을 선호했던 전통적인 노동조합원들과 우위를 차지하기 위한 치열한 경쟁을 벌였다.

이 노동운동과 사회주의 운동이 인종 집단들을 하나로 결속시켰다. 흑인의 자긍심black pride과 흑인 문화가 생겨나면서 흑인들이 단결하기 시작했다. 여성들 또한 자신들만의 노동조합을 결성하고 파업을 지휘하며, 대중운동과 사회주의 운동에서 적극적인 역할을 수행하면서 여성운동이 확립되었다. 1920년의 수정헌법 통과로 마침내 여성의 참정권(투표권)이 보장되었다.

결국, 자유 시장 경제의 폭발적 산업 팽창의 특징이라고 할 수 있는 혼란과 폭력 상황은 기업가와 노동자 양쪽 모두에게 아무런 이득도 가져다주지 못했다. 가장 막강한 기업가들이 자신들끼리 벌였던 치열한 경쟁은 채산성을 떨어뜨렸다. 또한 기업가들은 사회주의자와 대중 운동가들의 정치적인 힘이 점차 커져가는 것에 대해 상당한 두려움을 갖고 있었다. 그것이 근본적인 변화를 가져와 자신들의 특권적 지위를 상실하게 될 것을 우려해서였다.

　이러한 상황이 기업 간 합병과 타협의 장을 열었고 이에 따라 악덕 기업가들 사이의 사회적, 조직적 관계들이 변화하기 시작했다. 기업 가들은 자신들이 소유하고 있는 각각의 제국을 더 거대한 카르텔로 합병해 자신들끼리의 경쟁을 줄이고 힘을 통합했다. 과거에 지독한 적수 관계였던 J. P. 모건과 존 D. 록펠러는 1901년 222억 달러에 달 하는 엄청난 자산을 합병해 뉴저지 노던 시큐리티즈 사라는 이름으 로 거듭나면서 112명의 중역들이 한배를 타게 되었다. 이는 당시 미 국 남부 13개 주의 모든 자산 가치를 합친 총액의 두 배에 달하는 실 로 엄청난 금액이었다. 그 합병의 결과로 금융, 철강에서부터 철도, 도시 교통, 통신 수단, 상선, 보험, 전기 시설, 고무, 제지, 제당, 그리 고 산업의 중추가 되는 여타의 기간산업에 이르기까지 미국 경제의 핵심이 한 지붕 아래 놓이게 되었다.

　마침내 거물 기업가들은 근로자에게 더 나은 임금과 혜택, 근로 조 건을 제공할수록 사회주의의 매력을 약화시킬 수 있으며, 그와 동시 에 근로자에게서 더 큰 충성심과 동기를 유발할 수 있다는 사실을 깨 달았다. 이와 병행하여 장인들의 기능을 중심으로 느슨하게 짜인 생 산 공정을 조직화해서 산업 기술과 대량 생산을 통해 더 큰 이윤을 창출하는 데에도 관심이 집중되었다. 이는 근로자의 노동 안정성과 숙련을 요구하는, 고도로 조직화되고 정해진 규칙에 의해 작동되는 생산 공정을 중심으로 구조를 바꾸는 것을 의미했다.

　대규모 사업체들은 오히려 산업 전반에 걸쳐 동일한 임금과 근로 기준을 요구하고 일단 합의된 규칙에는 모든 조합원들이 따르게 만드는 온건한 노동조합(비사회주의자)과 손을 잡고 일하는 것이 이득임을 알게 되었다. 이러한 조정은 기업가나 시장 체제의 힘에 대한 궁극적인 도전 없이 체제 안에서 안정성과 예측 가능성을 향상시켰다.

그러나 이러한 개혁의 배경에서도 갈등은 여전히 계속되었다. 산업 자본가에 우호적인 사법 체제가 계속해서 노동자의 이익에 반하는 판결을 내림으로써 오히려 노동운동을 자극해 점점 정치화하게 만들었고, 결국 노동운동이 노동의 발전을 입법의 의제로 삼고 민주당과 손을 잡도록 만드는 데 일조했다. 지방 자치 단체, 주, 국가 차원에서 이루어진 개혁 입법은 새로운 사회적 기준을 만들어 나가기 시작했고 노사관계를 재구성했다. 노동계 입장에서 무엇보다 특히 중요한 의미를 갖는 사건은, 법정이 파업 중인 근로자에게 불리한 강제 명령을 내리지 못하도록 법으로 금지한 클레이턴 반트러스트법 Clayton Anti-Trust Act의 시행이었다.

상황이 그러했음에도, 광란의 1920년대를 지나는 동안 통제가 느슨한 국가 경제 안에서는 기업의 독점이 마음껏 번창했다. 차입금으로 연료를 공급받은 주식 시장은 마치 부를 창조하는 무한대의 엔진을 장착한 것처럼 보였다. 절정에 다다른 대규모 기업들의 힘과 자유 시장 경제에 대한 확신으로 사기가 충만했던 허버트 후버 대통령은 "신의 도움으로 우리는 곧 빈곤이 영원히 국가에서 추방되는 날을 맞이하게 될 것입니다."라고 주장했다. 당시 미국에서 손꼽히는 경제학자 중 한 명이었던 어빙 피셔도 경기 순환의 문제도 해결되었고, 이제 미국은 끝없는 번영의 드높은 고지에 다다랐다고 선언했다.

당시에 평균적인 미국 가정이 역사상 어느 시대보다 잘 먹고, 잘

입고, 쾌적한 삶을 누렸다는 것은 분명한 사실이다. 그러나 현실은 단지 1퍼센트의 가정에서 전체 부의 59퍼센트를 점유하고 있다는, 미국 사회의 기저에 깔린 거대한 불평등을 교묘하게 감추고 있었다. 하지만 1929년 10월, 그러니까 어빙 피셔가 경기 순환의 종식을 선언한 지 불과 몇 달 되지 않아 과다 차입으로 인해 금융 시스템이 무너져 내리기 시작했다. 거의 하룻밤 사이에 막대한 금융 자산이 증발해 버렸다. 전 세계의 경제 체제를 다시 번영의 트랙 위에 올려놓기 위해서는 케인즈의 경제 원칙에 입각해 정부와 기업, 노동자 사이에 새로운 사회 계약이 형성되는 데 추동력을 제공해줄 제2차 세계대전이 필요했다.

반전의 연속, 규제하고 또 철폐하고
—

프랭클린 루스벨트가 대통령에 당선된 1933년까지, 1920년대의 비즈니스 과잉과 뒤이은 불황, 그리고 그 여파로 농부, 노동자, 노인, 흑인, 여성 등에게 닥친 곤경은 미국 전역을 정치 문화적인 급진주의의 물결에 휩싸이게 했다. 루스벨트는 당시 극적인 결단 없이는 이 급진주의가 전체적인 정부 조직을 괴멸시킬지도 모른다는 두려움을 느끼고 있었다. 그래서 그는 사회 개혁과 규제 개혁이라는 장대한 의제를 통해 붕괴한 시스템을 되살리는 일에 착수했다. 그 핵심은 그가 주창한 국가산업부흥법의 의회 통과였는데, 그것은 이 법이 시장의 힘만으로는 역부족으로 보이는 경제 부흥을 달성하는 데 정부가 더 적극적인 역할을 할 수 있도록 정부에 권한을 부여하기 때문이었다.

그렇지만 1935년 5월 27일 미 연방 대법원은 주 정부에서 최저 임금 기준을 정하는 것은 위헌이라며 국가산업부흥법을 무효화하는 판결을 내렸다. 이 판결은 거의 한 세기 동안 개인의 권리 혹은 시민권보다 기업과 산업계의 이익을 우위에 두고 옹호해온 연방 대법원의 관행을 그대로 보여준 것이었다. 산업부흥법과 최저 임금제에 대한 최고 재판소의 이 같은 행위가 격분한 루스벨트를 더욱 급진적으로 만들었고 미국을 구조적으로 개혁하고야 말겠다는 그의 다짐에 불을 붙였다. 그는 같은 업종의 기업끼리 시장 독점을 위해 결합하는 기업 간의 트러스트를 해체하고 기업과 금융 시장에 대한 규제를 강화했으며, 근로자의 권익을 더 강력하게 보장해줄 법안의 통과를 밀어붙였다. 그 결과 공공 고용 프로그램이 도입되었고 사회 안전망이 제자리를 되찾았다.

루스벨트는 복수심을 갖고 미 연방 대법원을 공격했고 자신이 선택해서 지명하는 인물들로 구성원들을 확충하려고 시도했다. 그러나 연방 대법원 법관들을 갈아치우려는 그의 시도는 좌절되었지만 그의 공격은 판사들에게 확실한 영향을 미쳤고 그들 대다수가 루스벨트의 진취적인 행보를 전보다 더 지지하게 되었다. 꽤 길었던 그의 집권 기간 동안 루스벨트는 공화당의 리처드 닉슨 대통령이 연방 대법원을 본래의 친비즈니스적 이미지로 돌려놓기 시작한 1970년대 전까지는, 아홉 명의 판사 가운데 일곱 명을 직접 임명하면서 연방 대법원을 진보적인 방향으로 나아가게 만들었다.

제2차 세계대전으로 말미암아 정부는 경제 문제를 다루는 데 있어 더욱 중앙 집권적으로, 정치적으로 허락된 역할을 수행할 수 있었다. 정부는 소비를 통제하고 산업 생산량을 조절했으며, 전쟁 수행을 지원하기 위해 국가 자원을 어떻게 분배할 것인지를 결정했다. 전쟁에 필요한 재원을 조달하기 위해 도입된 매우 진보적인 조세 제도, 꽤 괜찮은 임금 수준에서 이루어진 완전 고용, 그리고 강력한 사회 안전망이라는 세 가지 요소가 하나로 결합되면서 형평성이 증진되는 방향으로 부의 분배가 이루어지면서 엄청난 이동이 일어났다. 1929년 당시, 미국 내에는 2만 명의 백만장자와 두 명의 억만장자가 존재했다. 그러나 1944년에는 백만장자만 겨우 1만 3천 명 있을 뿐 억만장자는 한 명도 없었다. 상위 0.5퍼센트에 해당하는 가정이 미국의 전체 부에서 차지한 비율은 1929년 최고 32.4퍼센트에서 1949년 19.3퍼센트로 하락했다. 이는 중산층의 팽창과 더불어 노동자 계층이 중산층 대열에 합류하게 되면서 거둔 대승이었다.

미국 내에서 문화적 반란이 시작된 1960년대에 들어서면서는 다원주의(pluralism, 개인이나 여러 집단이 기본으로 삼는 원칙이나 목적이 서로 다를 수 있음을 인정하는 태도)가 꽃을 피웠다. 새로운 세대인 히피족은 생활방식, 군산 복합체, 외국에 대한 군사적 개입, 무분별한 환경 개발, 여성의 권리와 역할, 시민의 평등권, 형평성, 빈곤에 관한 지금까지의 기본적인 전제에 분명한 반대의 목소리를 냈다. 미국의 기업 지도층은 가치와 이해관계에 대한 이들의 분명한 위협으로 심각하게 흔들리기 시작했다. 그 중 가장 위협적이었던 것은 아마도 젊은이들이 소비문화에서 이탈하기 시작한 현상이었을 것이다. 이 새로운 세대는 빈곤과 착취에 따른 궁핍보다는 오히려 도가 지나친 풍요에 대해 더

심한 거부감을 느꼈다. 이들 신세대의 물질주의에 대한 거부는 분노
에 찼던 이전 세대, 즉 최저 임금과 안전한 근로 조건을 요구하던 세
대보다 어떤 면에서 체제에 대한 훨씬 근본적인 위협이 되었다.

소비자 운동가 랠프 네이더와 환경 운동가 레이첼 카슨의 이름은
모르는 사람이 없었다. 진보적 민주당원들은 의회를 더욱 강력히 장
악했고, 환경 보호와 제품 안전 및 근로자 안전을 강화하기 위해 정
부 규제의 범위를 확대하는 주요 법안들을 통과시켰다. 정부는 독점
을 깨뜨리고 시장을 경쟁 체제로 유지하기 위한 독점 금지 소송을 공
격적으로 밀어붙였다.

한편 해외에 진출한 미국 기업들은 두 전선으로부터 공격을 받고
있었다. 당시 일본과 아시아의 신흥 공업국들, 즉 대만, 한국, 싱가포
르, 홍콩은 미국 시장에 침투하는 데 엄청난 성공을 거두고 있었다.
반면, 미국 기업들은 아시아의 신흥 공업국들을 포함해 남반구 국가
들의 정부에서 실시하는 자국 산업에 대한 적극적인 지원, 보호 무역
주의, 외국인 투자 규제로 말미암아 이들 국가의 경제에 제대로 진출
하지 못하고 있었다. 미국 기업들은 이러한 남반구 국가들의 정책이
자신들에게 부당한 불이익을 안겨주고 있다고 느꼈다. 기업과 투자
소득에 부과되는 중과세, 자국 내의 환경과 노동 기준의 엄격한 강화
로 인해 미국 기업들은 국제 경쟁에서 이중의 불리함을 안고 있는 셈
이었다.

이때는 매우 중요한 역사적 순간이었으며, 기업가들은 자신들의
이익을 보호하기 위해 다시 결집했다. 1980년 로널드 레이건 대통령
의 당선은 한때 전 세계가 미국을 부러워하게 만든 보편적 번영을 가

능하게 한 사회적, 경제적 개혁으로부터 다시 시곗바늘을 되돌리기 위해, 그리고 미국의 기업 이익에 보다 부응하는 세계 경제를 창조하기 위해 일치된 노력을 시작하는 계기가 되었다.

필리핀 경제학자 월든 벨로는 그의 통찰적인 저서 『어두운 승리 *Dark Victory*』에서 레이건이 제시한 의제에 대한 남반구 국가들의 시각을 제공하고 있다.

> 워싱턴의 극히 이념적인 공화당 정권은 대외적으로는 〈봉쇄적 자유주의containment liberalism〉의 대전략을, 대내적으로는 뉴딜 협정을 폐기 처분했다. 공산주의를 패퇴시키겠다는 것 외에도, 레이건의 정책은 세 가지의 전략적 관심을 갖고 있었다. 첫째는 미국이 지배하는 세계 경제 체제에 남반구 국가들을 다시 종속시키는 것이었다. 두 번째는 미국의 경제적 이해에 도전하는 일본과 아시아 신흥 공업국들에게 반격을 가하는 것이었다. 그리고 세 번째는 뉴딜 정책의 핵심인 거대 자본, 거대 노동자 집단, 거대 정부 간의 사회 계약을 해체하는 것이었다. 워싱턴과 월스트리트는 이러한 사회 계약이 아시아 신흥 공업국들과 일본에 맞서 경쟁하는 미국의 능력을 제약하는 핵심 요인이라고 보았기 때문이었다.

1982년에 닥쳐온 부채의 위기는 성공가도를 달리는 신흥 공업국들의 위협에 대해 고심해볼 좋은 기회가 되었다. 이에 따라 미국이 지배하는 세계은행과 국제통화기금은 외채 부담에 허덕이고 있는 남반구 국가들이 외국 기업의 자국 진출에 문호를 개방하도록 그들의 경제 구조를 재구성하기 시작했다. 이 기관들에 의해 부과된 구조조정은 남반구 국가들이 자국의 기업들을 보호하기 위해 경제 생활에 관여하던 것을 되돌려놓고, 북반구 국가들로부터의 수입에 대한 관세 장벽을 제거했을 뿐 아니라 외국인 투자에 대한 규제를 철폐하고, 남반구의 경제를 북반구가 지배하는 세계 경제 체제 속으로 더욱 단단히 통합시켰다. 무역 정책은 미국이 신흥 공업국들에게 이와 유사한 변화를 강요하기 위해 선택한 무기였던 것이다.

미국의 재계가 가진 모든 정치적 자원들이 정치적 의제와 사법 제도에 대한 기업의 지배권을 되찾기 위해 총동원되었다. 기업의 등 뒤에 들러붙어 사사건건 간섭하는 정부를 떼어내어 자신들의 국제적 경쟁력을 향상시키는 데 일조할 수 있는 국내 규제 개혁이 정치적 의제의 가장 상층부에 자리했다. 그 결과 부유층에 부과되던 세금은 대폭 삭감되었고 기업 합병과 인수에 관한 각종 규제도 철폐되었다. 환경과 노동 기준에 대한 강제 조항들 또한 완화되었다. 정부는 공격적인 미국 기업들과 한편이었다. 미국 기업들은 노동조합의 힘을 약화시키고, 근로자의 임금과 여타 혜택들을 축소했으며, 기업의 인원을 감축하고, 값싼 노동력과 느슨한 법규를 이용하기 위해 공장을 해외로 이전하는 등 국제적인 경쟁력을 키울 모든 방법을 강구했다.

이러한 정책적 조치들이 미국에서 힘을 얻으면서 실업은 고질적인 병이 되었고, 노동조합은 조합원과 정치적 영향력을 모두 잃었다. 임금이 하락하면서 동시에 극빈 가정들의 소득이 감소했다. 극소수의 운 좋은 자들은 그 와중에서 짭짤한 이득을 보았다. 큰손들, 최고 경영진, 연예인, 유명 운동선수, 투자 중개인의 수입은 하늘 높은 줄 모르고 치솟았다. 미국 내 억만장자의 수는 1978년의 단 한 명에서 1994년에는 120명으로 늘어났다. 규제가 철폐된 저축 대부 산업에 의한 대출 남용은 미국 납세자들의 손에 그 난장판을 청소하는 데 필요한 5천억 달러의 세금 고지서를 쥐어 주었다. 평범한 시민들에게는 정말 혹독한 불경기였다. 탐욕이 물을 만난 듯 설쳐댔다.

다른 서구의 국가들에도 이와 유사한 보수주의가 부활함에 따라 레이건의 새로운 계획이 해외에서도 힘을 얻으면서, 외채 부담을 지고 있는 남반구 국가들뿐만 아니라 대부분의 서구 국가들에도 이와 비슷한 양상이 나타났다. 국가 내에서, 그리고 국가들 간의 불평등이 심화되었다. 실업률은 위험한 수준까지 치솟았고, 과거 30년 동안 꾸준한 상승세를 보였던 많은 사회적 지표들이 정체되거나 일부 하락하기 시작했다. 외채 부담을 안고 있는 많은 남반구 국가들은 훨씬 더 불어난 외채를 짊어지게 되었다. 전 세계 억만장자의 수는 1987년의 145명에서 1994년에는 358명으로 증가했다.

레이건 행정부는 미국의 쇠퇴를 저지하겠다고 약속했었다. 그러나 그들은 전략 정책상 수많은 실수를 저질렀고, 레이건 행정부의 정책은 단기적으로는 미국의 군사력 강화와 경제 성장에 도움이 되었을지 모르지만 장기적으로는 세계 경제에서 미국의 위상을 심각하게 약화시켰다. 그 이유로는 첫째, 군대에 돈을 쏟아붓느라 발생한 엄청난 적자가 미국을 세계에서 손꼽히는 국제 채무국으로 만드는 데 큰 공헌을 했다. 게다가 이 부채의 주요 채권국은 당시 미국의 주요 경쟁국인 일본이었다. 둘째, 레이건 정부는 경제 계획과 정책의 우선순위를 결정하는 데 있어 정부가 해야 하는 모든 역할을 거부함에 따라 오직 단기 수익에만 관심을 보이는 자본 시장의 압박을 받고 있는 기업들에 미국의 경제 미래를 전적으로 내맡겼다. 셋째, 기업이 노동에 반하는 전략을 추구하도록 허락함에 따라 미국은 경쟁적인 세계 시장에서 자신의 핵심 자원인 인적 자본을 고갈시키고 말았다. 종합적으로 보아 이러한 전략은 덩치가 큰 몇몇 대기업들, 그 경영자들, 그리고 대주주들에게는 아주 훌륭한 결과를 가져다주었지만, 이는 이 지구와 대부분의 세계 시민들의 희생을 바탕으로 한 것이었다.

우리가 내준 권력을 되찾아오라

—

자유 시장 경제와 자유 무역에 대한 정치적 논쟁 속에는 아주 집요한 메시지가 들어 있다. 그것은 자유 시장의 발전이 곧 민주주의의 발전이라는 것이다. 자유 시장을 옹호하는 사람들은 규제가 없는 시장이 투표보다도 오히려 정치적 의사 표현에 보다 민감하고 더 효율적인 메커니즘이라는 믿음을 우리에게 심어주려고 애쓴다. 배려 따위는 없는 정치인들이나 비효율 덩어리인 관료들보다 기업이 더 효율적이며 대중의 선호를 즉각 반영한다는 것이다. 논리는 간단하다. 사람들은 시장에서 돈을 어떻게 소비하느냐를 통해 자신이 어디에 우선순위를 두고 있는지를 직접적으로 정확하게 보여준다. 유력한 정당의 후보자들 중 한 명에게 표를 던지는 것은 그에 비하면 자신의 선택을 표현하는 데 있어 훨씬 무딘 도구이다. 그렇기 때문에 시장이 대중의 이해관계를 규정하는 가장 효율적이고 가장 민주적인 메커니즘이라는 것이다.

　정부에 대한 점점 커져가는 불신을 생각하면 이는 매우 설득력 있는 메시지이며 다음과 같은 중요한 진실을 반영한다. 즉 시장과 정치는 두 가지 모두 통치, 권력, 사회적 자원의 분배에 관여한다는 것이다. 그러나 그것은 또한 중요한 정치적 현실을 감추고 사람들을 오도하는 메시지이기도 하다. 정치적 민주주의에서 국민들은 각각 한 표의 권리를 갖는다. 그러나 시장에서는 1달러가 한 표이고, 그 사람이 소유한 달러만큼의 투표권이 주어진다. 달러가 없으면 투표권도 없다. 시장은 본래 돈을 가진 사람들에게 유리하게 기울어져 있다.

　이에 못지않게 중요한 사실은 시장이 거대 기업들에 유리하도록 매우 심하게 치우쳐 있으며, 이 거대 기업들은 가장 부유한 개인들보다 훨씬 더 많은 재정 자원을 마음대로 사용할 수 있다는 것이다. 시장이 더 자유로워지고 더 글로벌화할수록 지배권은 각국 정부로부터 세계적인 기업들에게로 점차 이전되고, 이 기업들의 이해관계는 인간의 다양한 이해관계로부터 그 어느 때보다도 더 멀어져 버렸다.

　사람들은, 심지어 가장 탐욕스럽고 가장 인정머리 없는 사람조차도 돈을 초월한 욕구와 가치를 지닌, 생명을 지닌 존재이다. 우리에게는 호흡할 공기도, 마실 물도, 먹을 음식도 필요하다. 대부분의 사람들은 가정을 가지고 있다. 거의 누구나 자연 경관이나 갓 태어난 아기처럼 아름다운 대상을 보면 마음이 움직인다. 우리의 신체는 살로 덮여 있고, 우리의 혈관에는 진짜 피가 흐르고 있다.

　기업이 공들여 만든 홍보 이미지와 그들이 채용한 훌륭하고 윤리적인 수많은 사람들이 겉으로 드러난 기업의 모습이라면, 그 이면에 있는 기업의 설립 강령, 즉 그 기업의 법적 문서가 기업의 몸통이고 돈은 기업의 혈액이다. 핵심을 들여다보면, 기업은 단 하나의 목적을 지닌 매우 이질적인 생명체이다. 그 목적은 바로 〈부의 재생산〉을 통한 번성과 자기복제이다. 개인은 없어도 된다. 기업이 충성을 다하는 대상은 단 하나, 바로 금융 시장이며 그것은 기업 자체보다 훨씬 더 속속들이 돈이 만든 피조물이다.

문제는 기업의 구조 속에, 그리고 기업이 작동되는 규칙 속에 깊숙이 내재해 있다. 사회적 고안물의 하나로서 기업이 지닌 경이적인 능력은 수천 명의 사람들을 하나의 구조 속에 결속시키고, 그들을 개인적으로는 자기와 별 상관이 없을 수도 있는 기업의 목적에 맞추어 행동하게 만든다는 점이다. 여기에 응하지 못하거나 반항하는 자들은 쫓겨나고 보다 고분고분한 사람들로 대체된다.

인간 사회는 지배 권력이 오로지 부유층에만 있는지 아니면 모두가 공유하는지에 관한 질문에 오랫동안 직면해 왔다. 지금 우리 앞에는 이것과는 다른, 심지어 더욱 불길하기까지 한 질문이 놓여 있다. 그 질문은, 그것이 함축하고 있는 의미를 어느 정도 이해하느냐에 따라서 부유층과 빈곤층을 공통의 명분으로 통합시켜 주는 것이다. 그 질문은 바로, 사람들의 재정 상황과 상관없이 지배 권력이 사람에게 있을 것인가, 아니면 기업이라는 인공적 존재에게 돌아갈 것인가 하는 것이다.

우리 인류가 삶의 목적과 통합성의 회복이라는 근본적인 도전을 눈앞에 두고 있는 이 중요한 역사적 순간에, 우리는 지배 권력을 살아 있는 사람들이 가져야 하는지 아니면 서로 다른 의제에 따라 움직이는 기업 집단에 넘겨줄 것인지를 결정해야만 한다. 미래에 대한 우리의 통제력을 되찾고 인간 사회가 이 지구와 균형을 이루도록 하기 위해 우리는 스스로가 이 인공적 존재인 기업에게 내어준 권력을 되찾아와야만 한다.

06
괴물 같은,
이름 없는 이데올로기의 습격

만약 경제학자의 교리가 있다면 거기엔 분명 다음과 같은 내용이 포함될
것이다. "나는 비교 우위의 원칙을 믿는다." 그리고 "나는 자유 무역을 믿
는다." - 경제학자 폴 크루그먼

제너럴 모터스와 엑슨이 지배하는 체제와 미국 역사 초기 자영농과 소규
모 사업자들을 기반으로 하는 체제의 차이는, 아마도 미국의 거대한 사적
관료주의 체제와 사회주의 국가의 공적 관료주의 체제의 차이보다 훨씬
클지도 모른다. - 가르 알페로비츠

세계 각국은 경제 성장을 추구하는 자유 시장 이데올로기를 거의 종
교에 가까운 열정으로 끌어안았다. 그 이데올로기의 유일한 가치 측
정 수단은 돈이며, 그 이념은 실천 과정에서 사회와 환경의 해체를
도처에서 심화하는 정책들을 추진하고 있다. 경제 전문가들은 자유
시장 이데올로기의 성직자로 봉사한다. 자유 시장 이데올로기는 인
간의 정신적 품위를 떨어뜨리는 가치를 최고로 친다. 그것은 현실에
서 떨어져 나온 상상의 세계를 상정한다. 또한 그것이 우리의 지배

체제를 재구성하는 방식은 우리의 가장 긴급한 문제들을 더욱 해결하기 어렵게 만든다. 그럼에도 지금껏 그 이데올로기의 교리에 질문을 던지는 것은 재계, 정계, 학계 등 대부분의 기관에서 개인의 경력에 오점을 남기고 직업적인 비난을 받을 위험을 초래했으며, 따라서 그러한 행위는 거의 이단으로 취급되어 왔다. 호주의 사회학자 마이클 푸시의 말을 빌자면, 자유 시장 이데올로기는 경제학을 "지적인 성찰과 시민적 의무에 맞서 이념이 휘두르는 방패"로 축소시켜 버렸고, 대다수 대학에서의 경제학 연구에 이념적 세뇌의 요소를 강력히 불어넣었다.

무명의 이데올로기,
게임의 새로운 규칙을 만들어 내다
—

자유 시장 이론가들이 신봉하는 다음과 같은 믿음들은 현 시대의 경제 담론에서 사용하는 언어를 아는 사람이라면 누구에게나 익숙하다.

- 국민 총생산으로 측정되는 지속적인 경제 성장이 인간 진보로 나아가는 경로이다.
- 정부의 규제가 없는 자유 시장은 자원의 가장 효율적이고 가장 적합한 분배를 낳는다.
- 세계 전역에서 재화와 돈이 자유로이 흐르도록 장벽이 제거되면서 달성되는 경제적 세계화는 경쟁을 자극하고, 경제 효율성을 재고

하고, 고용을 창출하고, 소비자 물가를 하락시키고, 소비자의 선택의 폭을 넓히고, 경제를 성장시킨다. 그리고 이것은 거의 모든 사람들에게 이로운 일이다.

■ 민영화는 기능과 자산을 정부에서 민간 부문으로 이동시키는 것으로 효율성을 증대시키고, 가격을 낮추고, 소비자의 선호를 보다 잘 반영하게 된다.

■ 정부의 주요한 책임은 통상 증진과 공공질서 유지, 재산권의 보호, 계약의 시행을 위한 하부 구조(인프라)를 제공하는 것이다.

이런 신념들은 신고전주의 경제 이론에 깊이 박혀 있는, 아래에 나오는 수도 없이 많은 근본적이면서도 명백한 전제들을 바탕으로 한다.

■ 인간은 사리사욕에 따라 움직이며, 이는 주로 금전적인 이익을 추구하는 모습으로 나타난다.

■ 개인이나 기업에 최고의 재정적 수익을 안겨주는 행위가 사회에 가장 득이 되는 행위이다.

■ 개인들에게는 경쟁 행위가 협동 행위보다 더 합리적이며 궁극적으로는 이것이 사회에 더 도움이 된다.

■ 인간의 진보와 행복의 증진을 측정할 수 있는 최고의 척도는 경제 생산의 시가총액의 증가이다.

이들을 좀 더 가혹한 언어로 바꾸어보면, 이 이념적 교리들은 다음과 같은 것을 당연하게 여긴다.

- 사람들에게 동기를 부여하는 것은 오로지 탐욕뿐이다.
- 획득에 대한 욕구는 인간이라는 존재가 의미하는 바를 가장 적절히 표현한 것이다.
- 탐욕과 획득의 끈질긴 추구는 사회적으로 최선의 결과를 낳는다.
- 위에서 말한 가치들을 북돋우고 존중하고 이에 보답하는 것이 인간 사회의 이익에 가장 큰 도움이 된다.

시장에 대한 수많은 타당한 의견과 통찰들이 인간 본성의 보다 이기적인 측면들을 자기 합리화의 이상으로 승격시키는 극단적인 이데올로기로 변질, 왜곡되었다. 이 이데올로기가 인간의 가장 기본적인 가치와 이상을 모욕하는데도 우리의 가치와 제도, 대중문화 속에 너무나도 깊숙이 박혀 있어서 우리는 거의 아무런 의심도 없이 이것을 받아들인다. 널리 만연해 있는 이 이데올로기는 거의 모든 공공 정책의 형성에 중요한 역할을 한다. 그것은 또한 대다수의 경제적 운명의 하락에도 일조할 뿐 아니라, 누가 보더라도 분명히 대중의 요구나 바람과는 거리가 먼 결과를 가져올 의제에 찬성하는 정치 지지층을 형성하려는 큰 정부에 대한 대중의 이유 있는 불신에도 영향을 미친다.

20세기의 마르크스주의 신봉자들을 연상케 하는 이 극단적 이데올로기의 옹호자들은 대의명분을 향해 나아가는 역사의 힘은 거스를 수 없는 필연이라는 선언적 주장으로, 아예 다른 사람들의 입을 막아버리려고 한다. 그들은 자원의 분배를 거대 기업들의 손에 내맡기는 세계화된 자유 시장은 불가피하며, 따라서 우리는 게임의 〈새로운 규칙〉에 적응하는 법을 배우는 데 집중하는 게 나을 거라고 말한다. 그들은 게임을 방해하거나 여기에 동참하지 못한 사람은 한쪽으로 밀려날 것이고, 보상은 오로지 패를 쥔 자들에게 돌아갈 거라고 경고한다.

그들의 입장이 가지는 극단적 특성은 정부의 어떠한 규제에도 얽매이지 않는 자유로운 시장과, 중앙 집중적으로 계획되고 국가가 관리하며 경제의 모든 결정권을 정부가 쥐고 있는 소비에트 식 경제 사이에서 냉혹한 선택을 강요하는 것에서도 드러난다. 그들은 그 중간 지대, 그러니까 민주적으로 결정된 규칙의 틀 안에서 제 기능을 하는 시장에는 동의하지 않는다.

마찬가지로 그들은 세계를 두 그룹으로 나눈다. 공공의 감시 감독에 방해받지 않고 재화와 돈이 자유롭게 흐르도록 일체의 경제적 장벽을 제거하고자 하는 〈자유 무역주의자〉와, 무엇으로도 뚫을 수 없는 장벽을 나라 주위에 둘러치고 일체의 거래와 교역을 차단하려는 〈보호 무역주의자〉가 그것이다. 역사와 논리를 거부하는 그들에게 중간 지역이란 없으며, 정부에서 확립한 적절한 규칙을 기반으로 국경을 넘나드는 무역이 양쪽에게 모두 이익이 되는 공정하고 균형 있는 거래를 보장할 가능성 따위는 그들에겐 없다.

여러 가지 모습으로 위장하고 있는 이 이데올로기는 다양한 이름을 가지고 있다. 이것은 신고전주의 경제학, 신자유주의 경제학, 자유의지론적 경제학, 그리고 신자유주의, 시장 자본주의, 혹은 시장 자유주의라는 이름으로도 불린다. 호주와 뉴질랜드에서 발간된 마이클 푸시의 저서 『캔버라에서의 경제 합리주의*Economic Rationalism in Canbera*』는 경제 합리주의라는 용어를 대중화시켰고 이후 공개 토론회에서도 그 단어가 등장하게 되었다. 라틴 아메리카에서는 신자유주의라는 용어가 보편적으로 사용된다. 그러나 미국을 비롯한 대부분의 국가들에서는 보편적으로 인정되는 이름이 없다. 이름이 따로 없으니 이 무명의 이데올로기는 논쟁의 대상이 되지 않으며 그 근본적인 전제도 검토되지 않고 있다.

그들만의 동맹, 괴물을 만들어 내다

다음에 소개하는 세 개의 주요 세력이 강력한 정치적 동맹을 형성하고 일반적으로 종교 운동에나 어울릴 법한 교조주의적 열정으로 기업 자유의지론*의 의제를 추진해 왔다.

:: 신고전주의 경제학파

대부분의 주류 경제학자들은 경제 합리주의적 신고전파와 맥을 같이 한다. 합리주의는, 지식은 감각의 도움을 전혀 받지 않고 전적으로 순수 이성에서 나온다고 믿는 주의라고 정의된다. 이는 현대 주류 경제학의 근간을 이루는 철학이며, 현실 세계를 참고하지 않고 기본적인 원칙들로부터 연역적으로 경제 모델을 형성한다. 합리주의와의 이 같은 관련성은 경제학에 가치 판단의 영향을 받지 않는 오직 진정하게 객관적인 사회과학으로서의 입지를 마련해 주었지만 한편으로

* 자유의지론Libertarianism이 개인의 자유를 최고의 가치로 생각하는 이념이듯, 기업 자유의지론은 기업 역시 무엇이든 자기 의지로 자유로이 결정할 수 있어야 한다는 이념이다. 기업 자유의지론자corporate libertarian는 일반적으로 자유 시장의 옹호, 국가 역할의 최소화(작은 정부)를 지지하는 사람들이다.

는 관찰 가능한 현실과 상식을 종종 무시하는 결과를 낳았다. 대부분의 전문가들은 두 가지 원칙을 기본 신조로 받아들이고 있다. 하나는, 개인은 전적으로 자신의 이해관계에 따라 움직인다는 것이다. 나머지 하나는, 사적인 이익에 대한 규제 없는 추구를 바탕으로 한 개인들의 선택이 사회적으로 최선의 결과를 낳는다는 것이다. 하지만 경제학을 깊이 공부하지 않은 사람이라도 이 두 가지 원칙이 명백한 오류임을 한눈에 알 수 있을 것이다.

주류 경제학자들은 또한 기업을 인간과 똑같이 취급하고, 기업의 자유를 극대화하는 것은 인간의 자유를 극대화하는 것과 똑같다고 여긴다. 그들은 기업의 특허장이 독재적 권력의 엄청난 집중을 위한 수단이며, 기업에 더 많은 자유를 주면 대부분의 사람들의 자유는 불가피하게 축소될 수밖에 없다는 현실을 무시한다. 이렇게 사실을 왜곡하는 교묘한 속임수를 통해 신자유주의 경제학파는 기업 자유의지론에 지적 타당성을 덧입혀 주고 있다.

:: 재산권 옹호자

때로 시장 자유주의자라고도 불리는 이 열렬한 재산권 옹호자들은 흔히 개인의 권리와 자유를 보호하는 일에 헌신하는 자유의지론자라고 자신들을 소개한다. 그러나 진정한 자유의지론자들은 모든 종류의 강제적 기관으로부터 개인의 자유가 침해되는 것을 막기 위해 노력하는 반면, 시장 자유의지론자들은 주로 공적 책임으로부터 재산권을 보호하는 데만 관심이 있다. 사실상 매우 엘리트주의적인 이 이데올로기는 사람들의 권리를 그들이 가진 재산에 비례하여 배분한다. 워싱턴 D. C.에 있는 자유의지론자들의 싱크탱크인 카토 연구소의 로저 필론은 시장 자유의지론자들이 다음과 같은 믿음을 갖고 있다고 말한다.

"권리와 재산은 떼려야 뗄 수 없이 서로 연결되어 있으며, 광의로 이해해서 소유권은 우리의 모든 자연권의 근간이다. 우리는 타인들의 권리를 방해하지 않는 범위 내에서 자기 권리를 행사하면서 자기가 원하는 방식대로 행복을 추구할 수 있다."

이 권리를 행사하는 과정에서 개인들은 계약이라는 메커니즘을 통해 타인들과 자발적인 유대를 형성한다. 시장 자유주의자의 눈으로 보면 재산권에 딸린 유일한 책임은 타인들의 똑같은 권리를 존중해 주고, 법을 지키고, 계약으로 합의한 사항을 준수하는 것이다. 재산이 없는 사람은 시장 자유주의자가 존중해 줘야 할 권리도 갖고 있지 않은 것이다.

신고전주의 경제학파와 마찬가지로 시장 자유주의자들은 개인과 기업을 거의 구분하지 않는다. 그들은 기업들이 개인과 마찬가지로 자신에게 이익이 되도록 자기 재산을 어떤 식으로든 사용할 권리가 있다고 여긴다. 시장 자유주의는 기업의 자유의지론에 도덕적 정당성을 부여한다. 그 보답으로 재계에서는 카토 연구소처럼 시장 자유주의를 앞장서 지지하는 단체에 자신들이 신고전주의 학파에 제공하는 것과 맞먹는 재정 지원과 정치적 지렛대를 제공한다.

:: 기업과 그 구성원들
기업의 관리자, 법률가, 컨설턴트, 홍보 전문가, 금융 중개인, 돈 많은 투자자 등으로 이루어진 기업 구성원들은 기업 자유의지론자 동맹에서 셋째 기둥을 담당한다. 이들이 기업 자유의지론에 끌리는 것은 일부는 순전히 자신의 금전적 이해관계 때문에 혹은 돈을 받고 고용되었기 때문에, 또 일부는 도덕적 확신에 따른 것이다. 기업의 구성원들 중에 첨단의 학문적 이론이나 도덕 철학에 진지한 관심을 갖는 사람은 별로 없지만, 그들은 기업에 대한 정부의 규제를 풀거나 기업의 행위가 사회적, 환경적으로 가져온 결과에 대한 도덕적 책임을 면책하는 데 대한 지적, 윤리적 논거를 제공해 주는 사람들과 자연스럽게 공동 전선을 편다. 게다가 그들에게는 자신들의 권력에 정당성을 부여해 주는 사람들에게 후한 보상을 해줄 만큼 자기 뜻대로 사용할 수 있는 재정 자원도 있지 않은가.

이렇게 경제 이론과 도덕 철학, 엘리트들의 정치적 이해관계가 하나로 합쳐져서 강력한 동맹을 구축한다. 그러나 이 동맹이 사람을 타락시키는 효과가 비단 더 넓은 사회에만 국한된 것은 아니며, 결과적으로 이것은 심지어 기업 구성원들에게조차 별 도움이 되지 않았다. 신자유주의 경제학자들은 이로 인해 경제학의 통합성과 그 사회적 효용성을 심각하게 훼손하게 되었는데, 그것은 그들이 경제학을 본래의 이론적 기초에도 어긋나고 현실과도 심각하게 동떨어진 이념 주입 시스템으로 축소시켜 버렸기 때문이었다.

이와 유사하게 기업이 개인(실제 인간)의 재산권을 침해하고 점점 강대해지는 자신들의 힘을 사회의 최고 부유층을 제외한 대다수의 자유를 억압하는 데 사용하면서, 기업 활동을 지원한 자유의지론자들은 개인의 자유를 중시한다는 자신들의 서약에 위배되는 일을 해온 셈이었다. 공적 책임으로부터 기업들을 보호하는 방패막이가 되어주는 데 이 동맹이 거둔 엄청난 정치적 성공은 심지어 기업 구성원들조차 더 이상 통제하지 못하는 〈괴물〉을 창조해 놓았다. 그들 자신도 아마 자식들에게 물려주고 싶지 않을 그런 세상을 만들어 가고 있는 것이다.

현대의 기업은 심지어 그곳에 근무하는 사람들로부터도 유리된 별개의 독립체로 존재한다. 이미 기업의 구성원들은 지위고하를 막론하고 모두 소모품이 되어 버렸다. 기업의 수많은 고위급 임원들이 진즉에 깨달았듯이 말이다. 자치 조직으로서의 기업의 힘이 커지고 사람들과 지역으로부터 분리되면 될수록 인간의 이해관계와 기업의 이해관계는 더욱 멀어지게 된다. 마치 지구를 식민화하고 인간을 농노로 전락시키고 그 중에 필요 없는 사람들은 없애 버릴 목적으로 지구에 온 외계의 생명체에 침략당하는 것과 같은 상황이다.

자신들의 입맛대로 애덤 스미스 이용하기

—

기업 자유의지론자들이 애덤 스미스를 자신들의 지적 수호성인으로 여기고 그에게 종종 존경심을 표하는 것은 아이러니한 일이다. 왜냐하면 그의 대단한 저서 『국부론』을 대충이라도 훑어본 사람이라면 애덤 스미스가 기업 자유의지론자들의 대부분의 주장과 정책적 입장에 격렬히 반대하리라는 것을 너무나도 명백히 알 수 있기 때문이다.

예를 들어, 기업 자유의지론자들은 기업의 덩치와 힘에 대한 어떠한 규제에도 강력히 반대한다. 그러나 반면에 스미스는 모든 형태의 경제적 독점에 반대했는데, 그 이유는 독점이 토지와 노동, 자본에 공정한 보상을 되돌려주고 판매자와 구매자 양쪽 모두에게 만족스러운 결과를 안겨주며 사회적 자원을 가장 적절하게 배분하는 시장의 타고난 가격 설정 능력을 왜곡한다고 보았기 때문이었다.

기업 자유의지론자들은 무역 협정을 통해 기업의 지적 재산권을 완벽하게 보장해 달라고 정부를 압박한다. 애덤 스미스는 기업 비밀(trade secret, 노하우 등과 같이 법적인 보호 대상이 되지 않는 것으로 주로 상대보다 우위를 차지하기 위한 업무상의 비밀)이 시장 원칙을 위배하는 것으로 보고 이에 강력히 반대했으며, 아마도 그는 생명을 구하는 약제나 구명 장치에 대해 개인이나 기업이 독점권을 주장하고 그것이 얼마가 되든 간에 시장에 그 대가를 요구할 수 있는 권리를 정부가 보장해 주는 것에 강력 반대했을 것이다.

기업 자유의지론자들은 걸러지지 않은 상태의 탐욕을 시장이 사회적으로 최적의 결과로 바꿔놓는다고 주장한다. 애덤 스미스는 아마 이러한 생각을 누가 자기 탓으로 돌린다면 불같이 화를 냈을 것이다. 그가 했던 얘기는 가족을 부양하기 위해 자기가 생산한 산물을 가장 좋은 가격으로 팔고자 하는 소농과 장인들에 대한 것이었다. 그리고 그것은 사적인 이익이지 탐욕이 아니다. 탐욕은 고용인을 1만 명이나 해고하고도 덕분에 회사의 경비를 엄청나게 절약한 것에 대한 보상으로 수백만 달러의 보너스를 챙기는 고액 연봉의 기업 임원에게나 해당되는 말이다. 탐욕이란 기업 자유의지론자들이 구축하는 경제 체제가 조장하고 보상하는 바로 그것이다.

애덤 스미스는 정부와 기업, 양측 모두를 극히 혐오했다. 그의 눈에 보이는 정부는 시장의 독점을 보호할 목적으로 시장에 개입하고 국민에게 쥐어짠 세금으로 엘리트들을 지원하는 기관이었다. 그의 말을 빌자면, "시민 정부는 말로는 재산권을 보호하기 위한 조직이라고 하지만 실제로는 빈곤층으로부터 부유층을 보호하고, 아무것도 갖지 못한 자로부터 가진 자를 보호하고자 한다." 애덤 스미스는 최소한의 사회 안전, 건강, 근로자의 안전을 마련하고 이를 강화하는 일에, 공동의 이해관계에 맞는 환경 기준을 확립하는 일에, 그리고 부자로부터 빈자와 자연을 보호하는 일에 정부가 개입해선 안 된다는 말은 비치지도 않았다. 그가 살았던 당시 대부분이 군주제 정부였다는 것을 고려하면 그런 가능성은 아마 생각도 못했을 것이다.

생산 비용을 제3자에게 떠넘기기

—

시장 경제 이론은 자유 시장 이데올로기와 대조적으로, 시장이 공익에 부합하도록 가장 효율적으로 가격을 설정하는 데 필요한 수많은 기본 조건들을 명시하고 있다. 이 조건에서 많이 벗어날수록 시장 체제는 효율성이 떨어진다. 그 조건들 중 가장 기본적인 것은 시장은 반드시 경쟁적으로 유지되어야 한다는 것이다. 대학 때 들었던 경제학 입문 강의 시간에 교수님이 소규모로 밀을 재배하는 농부가 소규모 제분소에 밀을 파는 과정을 예로 들어 시장에서의 완전 경쟁의 개

넘을 설명하던 것이 아직도 기억이 난다. 그러나 오늘날은 코나그라, 에이디엠 밀링, 카길, 필즈버리, 이 네 개 회사가 미국 내에서 생산되는 밀가루의 거의 60퍼센트를 제분한다. 그리고 그들 중 두 기업, 코나그라와 카길은 곡물 수출의 50퍼센트를 관장한다.

시장에 아무런 규제가 없는 실제 세상에서는 잘나가는 선수는 점점 더 몸집이 커지고, 수많은 사례에서 보듯 자신의 경제력을 이용해 자기보다 약한 선수를 몰아내거나 돈으로 합병해 시장을 장악하고 자신의 지분을 늘려간다. 또 다른 예를 보면, 경쟁자들은 기업 담합이나 전략적 제휴를 통해 서로 결탁하고 가장 효율적인 적정선 이상에서 시장 가격을 설정하여 수익을 늘려나간다. 시장 내의 각각의 경쟁자들의 결탁이 심해지고 그 규모가 커질수록 신규로 시장에 진입하거나 소규모의 독립 기업들은 살아남기가 더욱 어려워진다. 따라서 시장은 더욱 독점적이 되고 경쟁은 더 약화된다. 또한 그럴수록 거대 기업들은 자신들의 정치적 힘을 과시하면서 정부의 양보를 얻어내 자신들이 감당해야 할 비용을 사회로 더 많이 외부화한다.

이러한 현실을 고려하면, 혹자는 애덤 스미스의 학문적 전통을 이어받았다고 주장하는 신자유주의 경제학파가 시장의 경쟁을 회복하기 위해 합병과 인수를 규제하고 독점을 깨뜨릴 필요가 있다고 솔직하게 목소리를 내지 않겠느냐고 기대할지 모른다. 그러나 그들은 대개 정확히 그와 상반된 입장을 취한다. 그들은 오늘날 세계 시장에서 경쟁하기 위해서는 기업들이 합병을 통해 더욱 덩치를 키워야 한다고 말한다. 다시 말해서 그들은 애초에 소규모 기업들을 가정해서 나온 경제학 이론을 거대 기업에 특혜를 주는 정책들을 옹호하기 위해 이용하고 있는 것이다.

시장 이론은 또한 시장이 자원을 효율적으로 분배하려면 각각의 생산품에 드는 전체 생산 비용을 생산자가 감당해야 하고 그것이 매매 가격에 포함되어야 한다고 명시한다. 경제학자들은 이를 일컬어 〈비용의 내부화cost internalization〉라고 한다. 반면 상품의 생산 비용 중 일부를 그 거래에 전혀 참여하지 않는 제3자에게 떠넘기는 〈비용의 외부화cost externalization〉는 그 생산물의 과도한 생산과 더불어 타인의 비용으로 그 제품을 사용하는 것을 부추기는 일종의 보조금이라고 볼 수 있다. 예를 들어 임산품 생산 회사가 산림청으로부터 토지 벌채권을 헐값에 획득한다면 임산품의 생산 비용이 낮아질 것이고, 따라서 회사는 임산 자원을 헤프게 사용하고 재활용을 소홀히 하게 될 것이다. 이렇게 되면 회사는 짭짤한 수익을 올리고 소비자는 싼값에 제품을 구매할 수 있겠지만 그 제품을 사지도 않은 일반 대중은 중요한 환경 파괴, 자연 서식지와 휴양지의 손실, 지구 온난화, 미래 임산품의 감소 등으로 인한 피해를 고스란히 떠안게 되는 것이다.

마찬가지로 적절한 처리 과정 없이 폐기물을 내버리는 거대 화학 회사들의 경우도 생산 비용을 외부화하는 경우에 속한다. 따라서 대기, 수질, 토양 오염이 초래한 비용은 의료비, 유전자 변형, 근로일수의 감소, 생수를 사 마셔야 하는 필요성, 그리고 오염을 제거하는 비용이라는 형태로 지역 공동체에 돌려진다. 만약 그렇게 생산된 화학 제품을 사용하는 사람들에게 생산의 총비용을 감당하도록 요구된다면 환경의 화학적 오염은 현저히 줄어들 것이고, 우리가 먹는 음식과 물은 더 깨끗해질 것이며, 암 발생이나 유전자 변형도 감소할 것이고, 우리는 개구리들과 고운 소리로 우는 새들을 더 많이 볼 수 있을 것이다. 만일 자동차를 생산하고 차를 모는 데 드는 총비용이 그 구매자에게 지워진다면 도시 스프롤 현상(도시의 주택지나 공업 지역이 도시 외곽으로 무질서하게 확대되는 현상), 교통 혼잡, 생산 가능한 토지에 포장도로가 나는 것, 오염, 지구 온난화, 석유 자원 고갈 등이 극적으로 감소하면서 오는 혜택을 우리 모두가 함께 누릴 수 있을 것이다.

비용의 내부화가 시장 원리의 기본 원칙이 되는 데에는 그럴 만한 충분한 이유가 있다. 그럼에도 기업 자유의지론자들은 시장이라는 미명하에 정부의 규제 철폐를 적극적으로 옹호하고 더 넓은 사회에 미치는 사회적, 환경적 영향은 무시하면서 소비자를 위한 비용 절감 효과만을 주장한다. 실제로 국제 경쟁력 제고라는 미명 아래 그들은 시장을 왜곡하는 지원을 늘려 달라고 국가와 사회 공동체를 압박하는데, 이런 지원에는 자원의 헐값 매각, 저임금 노동, 느슨한 환경 규제, 세금 감면 등이 포함된다. 이는 입지 조건을 가리지 않는 기업들에게 구미가 당기는 조건들이다. 규제가 없는 시장은 온갖 다양한 방법으로 비용의 외부화를 꾀한다. 일반 대중에게 전가한 비용은 곧 기업의 이득이 되기 때문이다. 궁극적으로 기업 자유의지론자들은 시장의 원칙을 지키는 것보다는 기업의 이윤을 늘리는 데 더 관심이 있어 보인다.

회사가 커지고 시장이 자유로워질수록 자신의 비용을 다른 사람들에게 떠넘기고 거기에서 이익을 취하는 기업의 능력이 더 커진다. 터프츠 대학에 있는 지구 개발과 환경 연구소의 생태 경제학자로 비용의 내부화를 주장하는 네바 굿윈은 이렇게 단도직입적으로 말한다.

"권력이란 주로 비용의 외부화에 관계된 것이다. 만약 당신이 감당해야 할 비용을 외부화할 수 없다면, 그러니까 다른 누군가에게 그 비용을 떠넘길 수 없다면, 권력을 가진다는 게 무슨 의미가 있겠는가?"

그들이 진정 원한 건 지구촌 경제 통합

기업 자유의지론자들은 애덤 스미스의 시장 이론과 데이비드 리카도의 이론을 기초로, 무역이 우리에게 주는 혜택을 지칠 줄 모르고 설파한다. 그러나 그들은 이 무역 이론이 말하는 혜택이 지역과 국가 소유의 자본을 그 자본의 관리에 직접 관여하는 개인이 소유하는 것을 전제로 한다는 사실은 절대 말하지 않는다. 사실은 애덤 스미스가 『국부론』에서 펼쳤던, 시장의 보이지 않는 손이 사적 이익의 추구를 공적 이익으로 환원한다는 유명한 주장 역시 이러한 조건들이 근간을 이룬다. 1천 페이지나 되는 『국부론』에 그 유명한 〈보이지 않는 손 an invisible hand〉이라는 표현이 단 한 번밖에 나오지 않는다는 사실에 주목하라.

기업인이 외국의 산업을 지원하기보다 국내의 산업을 선호하는 것은 오로지 자신의 안전을 도모해서이며, 그 산업의 생산물이 최대의 가치를 갖도록 회사를 운영하는 것은 오로지 자신의 이득을 추구하기 위함이다. 수많은 경우에서 보듯 그는 이런 상황에서 보이지 않는 손에 이끌려 자신이 전혀 의도하지 않았던 목표를 추진하고 있는 것이다.

애덤 스미스는 자신의 회사를 주의 깊게 살필 수 있다는 점에서 기업가가 국내 투자를 선호하는 것은 당연한 것이라고 보았다. 물론 이것은 항공 여행과 전화, 팩스, 인터넷이 등장하기 훨씬 이전의 일이었다. 지역에 대한 투자는 그 지역에 고용 기회를 제공하고 그 지역의 자원을 이용해 그 지역인들이 소비하는 상품을 생산하기 때문에 기업가가 지역 경제의 활성화에 기여하는 쪽을 더 선호하는 것은 어찌 보면 당연한 일이다. 그리고 기업과 그 소유주가 모두 지역에 기반을 두고 있기에 그들은 보다 기꺼이 지역의 기준을 준수한다. 순전히 기업의 논리에서 보더라도 애덤 스미스는 기업의 부재 소유(absentee ownership, 소유와 경영이 분리된 형태)에 단호히 반대했다.

그러나 이런 회사의 임원들은 자신의 돈보다 타인의 돈을 관리하기 때문에 자신의 돈을 끊임없이 감시하는, 즉 개인적으로 공동 출자를 했을 때처럼 근심스런 경계심을 안고 돈을 간수할 것이라고 예상할 수 없다. 따라서 그러한 회사의 업무 처리 과정에서는 많건 적건 낭비가 따를 수밖에 없다.

애덤 스미스는 효율적인 시장이란, 기업의 소유자가 자신이 직접 거주하는 지역 사회에 뿌리를 내리고 직접 경영하는 소규모 기업들로 구성된다고 믿었다. 이들은 보통 지역 공동체의 가치를 공유하고,

지역 사회와 기업 양쪽 모두의 미래에 개인적인 이해관계를 갖는다. 하지만 글로벌 기업 경제에서는 속박 없이 아무 데나 갈 수 있는 돈이 빛의 속도로 국경을 넘나들고, 사회적 자산은 국가나 지역 사회에 대한 애착 따위는 없는 거대 기업들의 손에 맡겨지며, 투자 기관과 지주회사 등을 통해 경영이 진짜 소유자들로부터 완전히 분리된다.

데이비드 리카도의 비교우위론을 살펴볼 때도 우리는 이와 비슷한 모순을 발견한다. 비교우위론은 기업 자유의지론자들이 규제 없는 시장이 공익에 기여한다는 자신들의 주장을 입증하기 위해 종종 인용하곤 하는 것이다. 1817년에 리카도에 의해 처음 세상에 발표된 이이론은 〈어떤 특정한 조건 아래〉에서는 두 나라 사이의 무역이 양국의 국민 모두에게 이익이 된다는 주장에 대한 명쾌한 논증을 제공한다. 그러나 이러한 결과를 가져오기 위해서는 다른 무엇보다 세 가지조건이 기본적으로 충족되어야만 한다. 즉, 자본이 절대 고임금 국가로부터 저임금 국가로 흘러들어가도록 해서는 안 된다. 양국 간의 교역은 반드시 균형을 이루어야 한다. 그리고 각국은 반드시 완전 고용 상태여야 한다는 것이 바로 그것이다.

이러한 조건들이 충족될 때 각 나라에서 이루어지는 투자는 각국의 천연자원의 차이를 바탕으로 비교우위를 갖는 생산 활동 쪽으로흘러가는 경향이 생길 것이다. 리카도가 예를 들어 설명한 것을 보면, 기후의 특성상 포르투갈에서는 와인을 생산하고 영국에서는 모직물을 생산하는 것이 상대적으로 더 효율적일 수 있다. 양국 간의개방 무역 상황에서 포르투갈에서 수입된 와인과 경쟁하는 것 자체가 불가능하다고 느끼는 영국의 불운한 포도주 상인은, 자신의 포도

밭을 목장으로 바꿔 양을 키우고 포도주 제조 공장은 모직 공장으로 바꿔 일꾼들을 그대로 고용할 수 있을 것이다.

리카도의 시대에는 대부분의 무역이 각각의 국가에서 그 국가의 기업이 제조한 완제품들을 서로 교환하는 것을 의미했다. 그러나 오늘날은 서로 다른 수많은 나라에서 생산하는 부품들과 서비스가 결합되어 하나의 제품이 만들어진다. 그 각각의 생산 단위를 조합하고 연결하는 역할을 하는 것은 국가 경제가 아니라 세계적 기업들이다. 단일 기업 내에서의 거래가 재화와 용역을 모두 합친 1990년 국제 교역량 3조 3천억 달러 가운데 대략 3분의 1가량을 차지한다. 오늘날 국제 무역에서는 산업 내 무역intra-industry이 차지하는 비중이 점차 증가하고 있는데, 이는 다시 말해 국가들이 같은 제품을 서로 교환하고 있다는 뜻이다. 예를 들어 미국과 일본이 서로에게 자동차를 파는 경우 자연적 비교우위가 작용한다고 주장하기는 매우 어렵고, 따라서 리카도의 무역 이론으로 그에 따른 비용과 편익을 평가하는 것은 부적절해진다.

자유 무역을 추구하는 기업 자유의지론자들은 공장의 해외 이전과 돈의 자유로운 이동을 위해 규제의 철폐를 적극적으로 추진하고, 무역 균형을 아무래도 상관없는 것으로 가벼이 취급하며, 실업을 인플레이션을 막아주는 유익한 제동 장치로 바라본다. 이 각각의 예에서 보듯 그들은 자기들이 툭하면 들먹이는 무역 이론의 필수 조건들을 무시하고 있는 것이다. 사실 기업 자유의지론자들이 옹호하는 무역 협정은 무역에 관한 것이 아니라 〈경제 통합〉에 대한 것이다. 비교우위론은 독립적인 양국 국가 경제에서 이루어지는 균형 잡힌 무역에 해당되지만, 국가 경제가 통합될 때는 그것과는 매우 다른 하향 평준화 이론이 적용되는 것이다.

자본이 무역 상대국들의 국경 내에 갇혀 있을 때, 그것은 자국이 비교우위권을 갖고 있는 산업 쪽으로 흘러들어야 마땅하다. 그러나 경제가 서로 구분이 안 될 정도로 어우러지면 자본은 그것이 어디든 상관없이 보조금, 세금 감면, 수준 이하의 임금 및 근로 조건, 느슨한 환경 기준을 통해 비용을 외부화할 기회를 극대화하는 곳으로 흘러들게 마련이다. 이렇게 되면 소득은 노동자에게서 투자자에게로 이동하고, 비용은 투자자에게서 지역 공동체로 넘겨진다.

경제학자 네바 굿윈은 신고전주의 경제학파가 정치적, 제도적 현실을 대부분 배제한 채 주위에 경계선을 둘러치고 자기 분야를 좁게 한정함으로써 경제학 이론의 왜곡과 오용을 자초했음을 시사한다. 그녀는 신고전주의 경제학파의 특징을 애덤 스미스의 정치경제학에서 칼 마르크스의 정치 체제적 분석을 뺀 것이라고 설명한다.

애덤 스미스의 고전적인 정치경제는 오늘날 대학에서 가르치는 경제학보다 훨씬 광범위하고 훨씬 인간적인 과목이었다. 적어도 100년 동안은 자본주의적 맥락에서 경제 권력에 대해 이야기하는 것이 사실상 금기시되어 왔다. 이는 사실 공산주의적(마르크스주의적) 개념이기 때문이었다. 또한 계층의 개념 역시 이와 비슷한 이유로 토론 대상조차 되지 못했다.

애덤 스미스는 경쟁적 시장의 역학을 잘 알고 있었던 것처럼 권력과 계층의 문제 또한 정확히 인식하고 있었다. 그렇지만 신고전주의 경제학파와 신마르크스주의 경제학파는 정치경제에 관한 그의 통합적 관점을 두 갈래로 나누어 놓았다. 그 하나는 재산을 소유한 자들의 구미에 맞는 분석이고, 다른 하나는 노동을 파는 자들의 구미에 맞는 분석이다. 그 결과 신고전주의 경제학자들은 권력과 계층의 파괴적인 역할에 대한 스미스의 고려를 빼버렸고, 신마르크스주의 경제학자들은 시장의 이로운 기능을 제외시켜 버렸다. 결국 두 가지 모두 사회에 대한 부분적 시각을 표현하는 극단주의적 사회 실험을 대규모로 촉진했고, 그 결과는 비참했다.

외계에서 지구에 막 도착한 경제학자
—

1994년 12월 1일 저녁, 레임덕을 겪고 있던 미국 상원은 표결 결과 76 대 24로 관세 및 무역에 관한 일반 협정의 다자간 무역 협상인 우루과이라운드를 여유 있게 통과시켰다. 관세 및 무역에 관한 일반 협정의 결과로 1995년에 탄생한 것이 세계무역기구다. 공화당과 민주당 상원 의원들 간의 광범위한 제휴는 그동안 자신들이 받아온 기업의 재정적 후원에 부응하여 우루과이라운드에 대해 잘 알고 있는, 그리고 그것이 고용, 환경, 민주주의에 가하는 위협을 익히 알고 있는 미국인들 사이에 반대가 점점 커지고 있는 와중에도 이 법안을 지지하게 만들었다. 당시 우루과이라운드에 대한 빌 클린턴 대통령과 앨버트 고어 부통령의 강력하고 확실한 지지는 선거에서 그들에게 표를 던진 노동계와 환경 분야의 핵심 지지층과 그들 사이의 균열을 더욱 심화시켰다.

미국의 케이블 TV 뉴스 채널인 시-스팬C-SPAN은 12월 1일 저녁의 투표 중계에 뒤이어 콜인(call-in, 텔레비전이나 라디오에서 시청자가 전화로 참여하는 형식) 프로그램을 방영했다. 《비즈니스 위크》의 무역 담당 편집자 더그 하브레흐트가 그 프로의 진행을 맡았다. 엄청난 금액의 이익금을 챙기고 대중의 의견은 완전히 무시하며 그 협정에 찬성표를 던진 정치인들에 대하여 끓어오르는 분노를 표출하는 대중의 전화가 끝도 없이 걸려 왔다. 하브레흐트는 관세 및 무역에 관한 일반 협정에 찬성하는 입장을 취하는 것이 경제학적으로는 나무랄 데 없지만 정치적으로는 악수라고 평했다. 그의 여러 동료들이 그랬듯이, 하브레흐트 역시 자유 시장 이데올로기를 좋은 경제 개념이라고 오인했다. 관세 및 무역에 관한 일반 협정과 세계무역기구를 통해 추진되는 지구촌의 경제 통합은 시장 경제의 가장 기본적인 원칙들에 어긋나는 것이며, 인간 사회가 치러야 하는 엄청난 대가를 바탕으로 자멸적인 경제 체제를 정착시킨다. 따라서 이는 어떤 경우에도 나무랄 데 없는 경제학의 실천이라고 볼 수가 없는 것이다.

만일 경제 통합이 효율적인 시장 기능에 필요한 원칙들에 어긋나는 조건들을 추진한다면, 어떻게 신고전주의 경제학자들이 경제 통합을 지지할 수 있을까? 우리는 그 대답의 중요한 부분을 현실과 동떨어진 사고를 하는 그들의 매우 놀라운 능력에서 찾을 수 있다. 그들의 이러한 능력은 세 부류의 과학자들, 즉 물리학자, 화학자, 경제학자들에 대한 출처 모를 이야기를 통해 면면히 전해지고 있다.

어느 날 세 과학자가 무인도에 고립되었다. 식량을 찾던 그들은 난파선 속에서 간신히 콩 통조림 하나를 찾아냈다. 그러나 불행하게도 그들은 통조림을 딸 수 있는 수단이 없었다. 그들은 매우 과학적인 자신들의 지적 능력을 한데 합치면 이 정도 단순한 일쯤이야 얼마든지 해낼 수 있을 거라고 입을 모았다. 물리학자는 옆에 있는 야자수 나무를 가리키며 자신이 나무 위에 올라가 나무 밑의 바위에 적당한 각도로 통조림 캔을 떨어뜨려서 뚜껑을 열어보겠다고 제안했다. 화학자는 그렇게 되면 콩이 땅바닥에 다 흩어지므로, 대신 소금물을 이용해 화학 반응을 일으켜서 통조림 뚜껑을 부식시켜 보겠다고 제안했다. 그러자 그 두 과학자의 이야기를 가만히 듣고 있던 경제학자가 이렇게 말했다.

"당신들 두 사람은 이 간단한 문제를 너무 복잡하게 만들고 있어요. 방법은 일단, 통조림 따개가 있다고 가정하는 겁니다."

이 이야기 속의 경제학자처럼 현실 세계가 자신들이 선호하는 정책들을 받쳐줄 필요조건들로부터 벗어나 있는 경우, 경제 합리주의자(신고전주의 경제학자)들은 자신들의 권고를 떠받칠 조건들을 〈추정〉하여 갈등을 해결하려 한다.

무한한 성장 가능성에 대한 신념이 바로 기업 자유의지론이라는 이데올로기적 교리의 근간을 이룬다. 왜냐하면 물리적으로 한계가 있는 현실을 수용한다는 것은 경제 정의와 경제적 자족을 위해 탐욕과 획득을 제한할 필요성을 받아들인다는 의미이기 때문이다. 그리고 이것은 경제의 우선순위를 근본적으로 재조정해서 성장보다는 형평성에 초점을 맞출 것을 요구한다.

결론에 맞추어 가정을 신택하는 경제 합리주의자들의 고질적인 버릇은 특히 무역 장벽을 낮추어 얻어지는 경제적 이득을 입증하기 위해 그들이 이용하는 컴퓨터 시뮬레이션을 통해 분명하게 드러난다. 북미자유무역협정에 대한 공청회 중에 이 협정의 입안자들은 일반균형모델이라고 알려진 컴퓨터 시뮬레이션 결과물을 북미자유무역협정으로 인해 각각의 협정 참여국, 즉 캐나다, 미국, 멕시코 내에서 엄청난 고용 기회가 새로이 창출될 것임을 보여주는 증거라고 야단스레 펼쳐 보였다.

경제학자 제임스 스탠퍼드가 이러한 추정이 도출되는 데 사용된 모델들을 검토한 결과, 그는 그 모델 하나하나가 협정 참여국의 경제 현실에 전혀 부합하지 않는 고전적 무역 이론으로부터 추출한 가정들을 포함하고 있음을 발견했다. 이 모순을 설명하기 위해 그는 미국 중서부의 자동차 공장 노동자와 친북미자유무역협정 모델의 입안자인 경제학자 사이의 가상 토론을 들려주었다. 자동차 제조 회사에서 일하는 그 여성은 경제학자에게 다음과 같은 두려움을 토로했다.

"만약 북미자유무역협정이 승인된다면 포드 사는 분명 노조도 없고 현재 제가 받는 임금의 10분의 1이면 노동자를 고용할 수 있는 멕시코로 공장을 이전할 것이고, 그곳에서 생산한 자동차를 수출을 통해 다시 미국으로 반입할 거예요. 그렇게 되면 이미 미국 자동차 업계의 노동 시장이 불황을 겪고 있는 상황에서 저 같은 사람이 이만한 일자리를 찾을 가능성은 거의 없다고 보여요."

그러자 경제학자는 매우 놀란 표정으로 자신이 무역 분야 전문가인데 그녀의 두려움은 전혀 근거가 없는 거라고 단언한다.

"걱정하지 마세요. 내가 만든 컴퓨터 시뮬레이션은 북미자유무역협정으로부터 여러분이 실질적인 이득을 볼 거라는 사실을 보여주고 있습니다. 왜냐하면 그 협정으로 미국에 새로운 일자리들이 생겨날 것이기 때문이에요. 자, 어떻게 그렇게 되는지 보세요. 제가 만든 모델에서, 저는 자본은 고정적인 것으로 〈가정〉했습니다. 따라서 포드는 공장을 멕시코로 이전할 수 없습니다. 포드는 공장 이전을 원치도 않을 것입니다. 왜냐하면 제가 두 국가의 단위 노동 비용이 똑같다고 〈가정〉했고, 또 제 모델에서는 미국 제품의 가격이 더 비싸다 할지라도 미국인들은 미국에서 제조된 제품에 대해 확실한 선호도를 갖고 있다고 〈가정〉했기 때문이지요.

또한 제 모델은 완전 고용을 〈가정〉했고, 멕시코로부터 미국으로 수입되는 어떤 물건도 미국의 수출품과 균형을 이루어야 한다고 못 박고 있습니다. 따라서 멕시코에서 들어온 수입품들 때문에 사라졌던 산업을 대체하기 위해 무엇이든 새로운 수출 산업이 생겨날 것입니다. 포드에서 평균 이상의 임금을 받고 있는 걸 보니 당신은 분명히 가치 있는 기술을 보유하고 있을 것입니다. 따라서 완전 고용으로 인해 당신은 짧은 시간 내에 새로운 수출 산업 중에서 분명히 새 직장을 찾을 것이고, 아마 지금보다 임금도 더 많이 받을 수 있을 겁니다. 따라서 당신한테 북미자유무역협정은 아주 이로울 것입니다."

이 설명을 들은 여성 노동자는 이 경제 모델을 만든 학자는 지구상에서 일어나는 일에 대해 아무것도 모르는 외계의 행성에서 이제 막 지구에 도착했다고 결론지을지도 모른다. 이 토론은 가상이지만 경제학자가 말한 〈가정〉들은 가상이 아니다. 그 각각의 가정들은 무역 전문가들이 북미자유무역협정을 통해 미국이 고용상의 이득을 얻을 수 있다는 주장을 입증하기 위해 사용한 몇 가지 경제 모델에 실제로 포함되어 있기 때문이다. 그 모델들과 그것들이 초래하는 결과를 비교하면서, 제임스 스탠퍼드는 비현실적인 가정과 고용에 대한 유망한 전망 사이의 직접적인 관계를 발견했다. 즉 가정이 현실적이지 못할수록, 전망은 더 낙관적이 된다는 것이다. 보다 현실적인 모델들은 상대국 중 적어도 어느 한쪽에는 부정적이거나 혹은 별 의미 없는 결과를 초래할 것임을 예상했다.

그러나 자신들의 주장을 관철하기 위해 이러한 모델들을 사용하는 사람들은 그 모델의 밑바닥에 깔린 가정들에 대해 아무런 언급도 하지 않는다. 이 왜곡이 너무나 파렴치하고 집요해서 사람들은 때로 대중에게 잘못된 정보를 전하는 그들의 의도를 의심한다. 예를 들어 북미자유무역협정에 대한 논쟁이 진행되는 동안 뻔뻔스러우리만치 자유 무역을 찬성하던 《뉴욕 타임스》는 첫 페이지에 무역 경제 입문서를 싣는 이례적인 행보를 보였다. 그 입문서는 북미자유무역협정의 채택을 지지하는 《뉴욕 타임스》의 입장을 뒷받침하는 비교우위론에 대한 교과서적 설명을 제공했다. 그러나 이러한 가정들이 얼마나 현실과 동떨어진 것인지에 대한 설명은 고사하고 그 이론의 배경을 이루는 가정들에 대해서도 언급조차 없었다. 나를 포함해 여러 사람들이 그와 같은 언급이 누락된 것을 지적하며 《뉴욕 타임스》에 보낸 항의 편지들은 게재되지 않았다.

이 왜곡 행위에 참여하는 자들은 가장 탐욕스런 자들에게는 이득을 주고 나머지에게는 불이익만을 가져다주는 결함 있는 경제 정책들에 타당성을 부여하는 일을 하고 있는 것이다.

왜곡된 논리, 편리한 합리화

—

시장 자유주의를 신봉하는 도덕 철학자들은 재산권과 인간의 권리 사이에 존재하는 차이를 무시함으로써 이와 유사한 왜곡을 범한다. 사실 그들은 개인의 자유와 권리를 시장의 자유나 재산권과 동등한 것으로 본다. 시장의 자유는 돈을 가진 자들의 자유다. 권리가 인간이 아니라 재산과 상관관계를 가질 때는, 오직 재산을 가진 자만이 권리를 갖게 된다.

민주주의의 가장 기본적 전제는 개인이 법 앞에 평등한 권리를 갖고 정치 사안에 대하여 똑같은 발언권을, 즉 한 사람당 하나의 투표권을 갖는다는 것이다. 우리는 권리와 특혜에 대한 민주적인 감시자로서 단지 돈과 재산이 공정하게 분배되는가에 대해서만 정당하게 시장을 감시할 수 있을 뿐이다. 시장이 완벽한 공정함에는 한참 못 미치지만 그래도 효과적인 분배가 가능하다고 아무리 주장한다 해도 358명의 억만장자가 7천6백억 달러(이는 전 세계 25억의 극빈층이 갖는 순자산과 맞먹는다.)에 달하는 순자산을 보유할 때, 시장은 정당하지도 효율적이지도 않으며, 따라서 시장은 민주적 기관으로서의 정당성을 상실한다.

《포천》,《비즈니스 위크》,《포브스》,《월스트리트 저널》,《이코노미스트》와 같은 기업 자유의지론을 열광적으로 지지하는 잡지들은 빈곤을 퇴치했다거나 형평성을 개선했다는 이유로 경제를 칭송한 적이 거의 없다. 그 대신 그들은 경제가 낳은 백만장자와 억만장자의 수치에 따라 경제의 업적을 평가하고, 감정에 치우치지 않고 수천 명의 근로자를 해고하는 냉정함으로 관리자의 능력을 평가하고, 일년에 얼마나 많은 재산을 긁어모으느냐에 따라 개인의 성공 여부를 평가하고, 기업의 권력이 세계 어디까지 미치며 얼마나 시장을 장악하느냐로 기업의 성공도를 평가한다.

예를 들어보자.《포브스》의 커버스토리는 「세계의 신흥 억만장자들을 찾아서」라는 제목으로 자유 시장의 놀라운 성취에 대해 다음과 같이 대서특필했다.

사회주의와 그밖의 국가 통제주의 경제에 대한 환멸이 널리 퍼지면서 개인 주도 혹은 민간 주도의 새로운 계획들이 봇물처럼 터져나와 제 갈 길을 찾고 있다. 부는, 자연히 그 뒤를 따른다. 1990년대에는 자유 기업을 통해 두 거대한 신흥 세력이 라틴 아메리카와 극동 아시아에서 등장했다. 별로 놀라운 일도 아니지만 목록에 오른 신흥 억만장자들 중 큰 비중을 차지하는 집단은 그 두 지역의 정치적 불안과 동요 속에서 급부상했다. 2년 동안 멕시코에서는 열한 명의 신흥 억만장자가 탄생했고 중국인 중에는 일곱 명이 추가되었다.

이보다 약간 더 대중적인 입장을 취하는 《비즈니스 위크》는 「1분에 한 명씩 백만장자 탄생」이라는 제목으로 특별 기획 기사를 실었다. 이는 자유 시장 경제가 아시아에서 달성한 업적에 대해 다음과 같은 숨 가쁜 평가를 내리고 있다.

부. 불과 한 세대 전까지만 해도 대부분의 아시아인에게 부는 미국으로의 이민, 혹은 일본에 천연자원을 내다파는 것을 의미했다. 하지만 지금 동아시아는 아마도 역사상 전례가 없을 정도의 속도와 규모로 부를 창출하고 있다. 일본인을 제외한 아시아 대부호의 숫자는 10년 안에는 현재의 두 배에 달할 것으로 예상되고 있다. 동아시아의 구매력 또한 10년 안에 일본을 앞지를 것이다. 게다가 동아시아는 유동 자금의 세계 최대의 원천지가 되어가고 있다.

이런 이야기들은 단순히 탐욕의 추구를 찬미하는 데서 그치지 않고 심술궂게도 탐욕의 추구를 종교적 사명의 수준에까지 올려놓는다. 비록 몇몇 아시아인들이 엄청난 재산을 모으고 소집단이 과소비 대열에 새로 합류했지만, 절대 빈곤 속에서 허덕이는 6억 7천5백만 명 아시아인의 수치는 전혀 줄어들지 않았다는 점에 대해서는 신경도 쓰지 않는다.

기업 자유의지론자들은 인간의 기본 욕구를 충족시키는 것보다 부자들에게 돈을 벌게 해주는 데에 훨씬 더 관심이 많은 것처럼 보인다. 심지어 신자유주의 경제학자들이 종종 끌어다 쓰는 〈가치 중립적인 객관성〉이라는 개념도 이러한 편향적 사고를 뒷받침한다. 왜냐하면 그 개념은 어떠한 결정이 오로지 재정적 보상을 기초로 이루어진다면 그것은 객관적이고 가치 중립적인 결정이라는 미심쩍은 전제를 바탕으로 하기 때문이다. 그러한 계산이 거의 예외 없이 돈 없는 사람들의 희생을 대가로 돈 가진 자들에게 돌아가는 보상만을 따지고 있다는 사실은 신경 쓰지 않는다. 클린턴 집권 말기에 미국 재무 장관을 지낸 로렌스 서머스가 세계은행을 이끌어가는 주요 경제학자 중 한 명으로서 작성한 회람이 우연한 기회에 세상에 널리 알려지게 되었는데, 위와 같은 진실을 이보다 더 적나라하게 드러낸 것도 찾아보기 힘들 것이다. 서머스는 부유한 국가가 자국의 유독성 폐기물을 빈곤 국가에서 처리하도록 하는 것이 경제적으로 가장 효율적이라고 주장했다. 빈곤한 국가의 사람들은 그런 경우가 아니면 그만한 경제적 기회를 구경도 못해 볼 것이라는 게 그 이유였다.

　기업 자유의지론자들은 더 나아가 도덕 이론을 왜곡하면서, 더 많은 것을 소비해서 가난한 자들을 돕는 것이 가진 자의 도덕적 의무라고 주장한다. 국제 간에는 이것이 빈곤한 국가로부터 수입된 상품의 소비를 늘리는 것이 부유한 나라가 가난한 나라를 최대한 돕는 길이라는 주장으로 바뀐다. 이것은 가장 부유한 사람들의 더 많은 소비를 지탱하기 위해 세계의 자원을 더 많이 식민화하는 것에 대한 아주 편리한 합리화가 아닐 수 없다.

　만일 기업 자유의지론자들이 시장의 원칙과 인간의 권리에 충실할 것을 진지하게 서약한다면, 그들은 시장이 공익 차원에서 민주적인 방식에 따라 제 기능을 발휘할 수 있게 해주는 정책들을 요구할 것이다. 그들은 아마도 대기업에 대한 장려금과 특혜적 대우의 종결, 기업 독점의 청산, 재산권의 공정한 분배, 사회적 환경적 비용의 내부화, 지역의 소유권 인정, 근로자의 최저 생계비 보장, 자본의 지역화, 진보적 과세 제도를 확립할 방안들을 강구할 것이다. 하지만 기업 자유의지론자들은 공익을 최적화하는 시장 조건을 창조하는 것과는 아무 상관이 없다. 그들이 오로지 관심을 갖는 것은 공익이 아니라, 사적 이익이다.

큰 정부에 대해 적당히 의심하고, 정직한 노동을 믿으며, 깊은 종교적 가치를 지니고 가족과 지역 공동체에 헌신하며 살아가는 수백만 명의 생각 있는 지식인들이 기업이 지배하는 매체를 통해 끊임없이 반복되는 거짓 정보와 지적으로나 도덕적으로 왜곡된 논리에 의해 속임을 당하고 있다. 그들은 자신들이 지닌 가치관과 이해관계 양쪽 모두와 배치되는 정치적 의제에 동의하도록 설득당하고 있다. 주요 기업, 학계, 정계, 정부, 그밖의 기관에서 일하는 사람들은 문화와 보상 체제가 기업 자유의지론자들의 이데올로기와 너무나 강력히 연합되어 있기에, 자신의 직업과 경력에 해가 될지도 모른다는 두려움 때문에 감히 반대 의견을 표명할 꿈도 꾸지 못한다. 우리는 자멸적인 〈문화적 최면 상태〉에 우리를 묶어두고 있는 환상과 왜곡의 장막을 뚫고 나아가, 이제 사람들과 살아 있는 지구에 봉사하는 경제 체제를 재창조하는 일에 나서야 한다.

07

구름 위, 환상의 세계

문제 덩어리 이 지구는 가장 극심한 모순의 현장이다. 보상을 받는 자들은
짐을 진 자들로부터 완전히 분리되어 있다. 따라서 이것은 현명한 리더십
이 아니다. - 스포크, 「스타 트렉」 중 〈구름 위 환상의 세계〉 편

이미 이용 가능해진 정보기술 덕분에 노트북 컴퓨터와 휴대전화를 가지
고 플로리다의 집 근처 해변에 앉아서, 오하이오 주에 있는 내 소유의 제
조 회사 곳곳에 설치해 놓은 비디오카메라를 통해 근로자들이 열심히 일
을 하는 모습을 모니터로 확인할 수가 있다. - 1994년 8월 31일, 미국 국영
라디오 방송 소유주와의 인터뷰 중

꽤나 인기가 있었던 텔레비전 공상 과학 시리즈 「스타 트렉」의 제74화
〈구름 위 환상의 세계〉는 아다나Ardana라는 이름의 행성에서 일어난
일들을 그린 것이다. 1969년 2월 28일에 처음 방영된 이 이야기는 아
다나 행성의 황폐한 지표면 위 높은 허공에 떠 있는 아름답고 평화로
운 도시 스트라토스Stratos에서 예술에만 전념하며 살아가는 아다나
지도자들을 묘사하는 것으로 시작된다. 저 아래 아다나의 지표면에
살고 있는 거주자 트로글리테스Troglytes들은 스트라토스의 지도자들

이 사용하는 사치품들을 수입하는 데 필요한 행성 간 교역권을 얻기 위해 폭력이 난무하는 비참한 광산에서 힘들게 일하고 있다. 이 현대적 우화에서 전체 행성은 지표면에 사는 사람들과 그 지역으로부터 용케도 자신들을 분리시키고 그들의 노동에 의지해 자신들이 필요로 하는 사치품들을 공급받는 지도자들에 의해 식민화되어 있다.

「스타 트렉」 에피소드의 그 영상들은 아직도 내 마음에 생생하게 남아 있다. 우리가 사는 세상과 어찌나 닮았는지! 돈이 정말로 많고 권력이 대단한 자들은 높다란 고층 빌딩의 멋지게 치장된 중역실에서 일하고, 리무진과 헬리콥터를 타고 회의 장소로 이동하고, 구름 위로 높이 오르는 제트기를 타고 대륙을 오가고, 상냥한 승무원들이 가져다주는 최고급 와인을 마음껏 마시고, 환경이 잘 보호되어 녹지가 푸르른 교외의 대저택에 살거나 혹은 예술과 미의 중심지에 자체 보안 시스템이 완벽하게 갖춰진 펜트하우스에 살고 있는 이 세상처럼 말이다. 그들은 마치 스트라토스의 지도자들이 트로글리테스들의 삶으로부터 분리되었듯, 이 지구에 사는 평범한 사람들의 생활로부터 분리되어 있다. 그들은 이 지구의 자원을 고갈시키면서 현실에서 동떨어져 〈환상의 세계〉에 살고 있기에 자신들이 무엇을 하는지, 달리 어떻게 살아야 할지 알지 못한다.

눈 가리기

돈 많고 권력을 쥔 사람들이 얼마나 우리와 다른 세계에 사는지는 세계은행과 IMF의 연차 총회를 보면 쉽게 알 수 있다. 다음은 저널리스트 그레이엄 핸콕이 그들의 회합에 대하여 묘사한 내용이다.

나는 빈곤한 개발도상국들을 위한 기금을 조성하는 데 주요한 역할을 담당하는 두 기관, 즉 세계은행과 IMF의 연례 총회에 참석하기 위해 워싱턴에 도착했다. 일주일 동안 위원들이 참석할 크고 작은 7백 건의 사교 모임에 소요되는 전체 비용은 1천만 달러로 추산되었다. 케이터링 전문 업체 리지웰스가 주관한 공식 만찬 한 끼에만 1인당 3백 달러가 들었다. 만찬은 크랩 케이크와 캐비아, 크렘 프레슈, 훈제 연어와 비프 웰링턴(쇠고기 안심을 잘게 썬 버섯, 거위 간, 패스트리 반죽으로 감싸서 오븐에 구운 요리)에서 시작되어 순서대로 진행되었다. 생선 코스로는 옥수수를 곁들인 바닷가재와 감귤 셔벗이 나왔다. 생선 요리와 고기 요리 사이에 나오는 앙트레는 라임 소스로 조리한 오리 고기가 작은 당근으로 밑을 채운 아티초크와 함께 나왔다. 또한 야자나무 새순 샐러드에는 포트와인(포르투갈 산의 단맛이 나는 붉은 포도주) 드레싱으로 맛을 낸 세이지 치즈 수플레가 곁들여졌다. 후식으로는 라즈베리를 졸여 만든 소스를 끼얹은 독일식 초콜릿과 아이스크림 봉봉, 로열 커피(커피에 브랜디를 부은 뒤 불을 붙여 마시는 커피)가 나왔다. 귀빈들의 행사로 대박을 맞은 워싱턴의 리무진 회사들이 분주했다.

두 개 기관의 대표자들에게 호화로운 식사를 대접하고 행사 준비를 하는 데 1천만 달러를 썼다는 바로 그 회합에서, 미국의 전 하원의원이자 당시에 세계은행 총재로 임명된 바버 코너블은 1만 명의 남녀에게 다음과 같은 임무를 부여했다.

우리 세계은행은 자원과 경험에서 막강하지만 만약 우리가 가장 특혜 받지 못한 자들의 눈으로 세상을 바라보지 못한다면, 그리고 그들의 희망과 두려움을 같이 나누지 못한다면 우리의 노력은 아무런 가치가 없을 것입니다. 우리는 그들의 요구에 부응하기 위해, 그리고 그들의 힘과 그들의 잠재력, 그들의 염원이 이루어지도록 돕기 위해 이곳에 모였습니다. 세계의 빈곤을 퇴치하기 위해 공동의 행동을 펼치는 것, 바로 그것이 오늘날 우리를 하나로 묶어주는 공동의 목표입니다. 위대한 선의 추구를 위하여 다시 한 번 헌신합시다.

만약 그 대표들이 정말로 세상에서 가장 특혜 받지 못한 사람들의 눈을 통해 세상을 바라보려는 노력을 조금이라도 기울였더라면 그들은 아마 단번에 식욕을 잃었을 것이다. 예를 들어 CBS TV의 레이몬드 윌러 기자가 앨라배마 주의 셀마 근교에 거주하는 소작농의 자녀를 인터뷰한 내용을 살펴보자.

"학교 가기 전에 아침을 먹나요?"
"가끔요. 가끔 완두콩을 먹어요."
"그럼, 학교에 가서는 식사를 하나요?"

"아니요."

"학교에 음식이 아무것도 없나요?"

"있어요."

"그런데 왜 안 먹죠?"

"35센트가 없거든요."

"그럼 다른 아이들이 점심을 먹는 동안 무엇을 하나요?"

(아이의 목소리가 갈라진다.) "한쪽에 떨어져서 그냥 앉아 있어요."

"다른 친구들이 점심 먹는 모습을 보면 어떤 기분이 들어요?"

(울면서) "창피해요."

세계은행과 IMF 연례 회의를 주최한 사람들은 그 기관의 위원들에게 가난한 사람들의 눈으로 세상을 바라보도록 촉구하기는커녕, 가난이라는 망령으로부터 그들을 보호하기 위해 엄청나게 신경을 쓰고 있다. 세계은행과 IMF는 사실 기업 합리주의와 자유 시장, 수출 지향적 성장 전략의 선구적인 지지자들이다. 그들은 수년 동안 한국과 대만, 싱가포르, 홍콩을 성공 사례로 꼽으며 그들을 칭찬해 왔다. 그래서 태국의 방콕에서 위원들이 다시 만났을 때 그 회합은 자연히 자유 시장과 수출 지향 정책을 펴면서 태국이 거둔 최근의 성공을 축하하는 자리가 되었다.

태국은 세계은행과 IMF 연차 총회를 위해 자국을 방문한 위원들에게 신흥 공업국들 중에서도 엘리트 그룹에 속하는 정회원국으로서의 강한 인상을 남기기 위해 수많은 경비를 쏟아부으며 모든 편의를 제공했다. 대규모 국제 행사에 초대된 손님들에게 확실한 인상을 심어주기 위해 방콕 시내에는 총회가 개최될 번쩍번쩍한 컨벤션 센터가 서둘러 완공되었다. 건설 현장을 확보하고 도로를 확장한다는 명목으로 2백여 가구가 자기가 살던 집에서 쫓겨났다. 또한 방콕의 빈곤층이 살아가는 불유쾌한 광경에 대표들이 행여나 기분 상하는 일이 없도록 근처의 무허가 거주지는 모두 헐렸다. 교통 혼잡을 덜고 자동차 배기가스로 오염된 공기를 조금이라도 정화하기 위해 학교는 임시 휴교에 들어갔고 정부 청사들도 문을 닫았다. 덕분에 대표들은 오염된 공기로 인한 호흡의 불편함 없이 에어컨이 시원하게 나오는 자동차를 타고 우아한 칵테일파티 장소와 공식 만찬장을 오갔다. 게다가 방콕 빈민촌의 불편한 모습에 혹시라도 대표들이 당황할까봐 필요한 곳마다 벽을 둘러 가려놓았기에 그들은 아무 불편을 느끼지 않고 엄선된 코스로 차를 내달릴 수 있었다. 영어를 할 줄 아는 엔지니어, 의사, 변호사들은 각국 대표들의 운전기사로 봉사해 달라는 압력을 받았고, 간호사와 교사들은 태국을 방문한 각국 대표들의 요구 사항을 즉각 이해하고 놓치는 것 없이 수용하기 위해 만찬장 테이블에 배치되어 그들의 시중을 들었다.

그러나 이런 겉치레의 방책들은 한때 아름다웠던 도시 방콕이 〈성공적인 개발〉의 결과로 황폐하게 파괴된 실상을 그저 부분적으로 감출 수 있을 뿐이었다. 태국에서 열린 세계은행과 IMF의 연차 총회는 세계의 권력자들이 살고 있는 환상의 세계를 보여주는 딱 맞는 은유이다. 그리고 그러한 환상은 부분적으로는 부유층의 사치스런 주거지를 따로 건설함으로써, 또 기업 자유의지론과 같은 자기 합리화의 신념 체제를 통해, 그리고 부와 부자들에 대한 비즈니스 관련 매체들의 지나친 찬사에 의해, 경제 전문가와 컨설턴트가 곳곳에 넘쳐나는 과잉 현상에 의해 유지된다. 그리고 무엇보다도 그 환상을 떠받치고 있는 것은, 나머지 인류에게는 끔찍한 부담을 안겨주는 정책들이 결정되는 과정에서 권력자들에게는 후한 보답을 아낌없이 베푸는 경제 체제의 역기능이다.

감소된 빈곤층의 소득은 누구에게로 갔는가
—

한 국가 내에서, 그리고 국가 간에도 부유층과 빈곤층 사이의 격차는 엄청나며 갈수록 점점 더 벌어지고 있다. 1992년 유엔개발계획은 샴페인 잔 모양의 그래프를 통해 세계의 소득 분배의 불공평을 극적으로 보여주었다.

다음 페이지에 나오는 〈그림 1〉에서와 같이 세계에서 가장 부유한 국가에 사는 세계 인구의 20퍼센트가 세계 소득의 82.7퍼센트를 점유하고 있다. 반면 세계에서 가장 빈곤한 국가에 살고 있는 세계 인구의 20퍼센트에게는 세계 소득의 단 1.4퍼센트만이 돌아간다. 개발 과정을 세계화하자는 서약이 이루어진 1950년에는 최고 부유한 국가에 살고 있는 20퍼센트 인구의 평균 소득이 최고 가난한 국가에 살고 있는 20퍼센트 인구 평균 소득의 30배에 달했다. 1989년에 이 비율은 두 배로 늘어 딱 60배가 되었다.

〈그림 1〉 세계의 소득 분배도

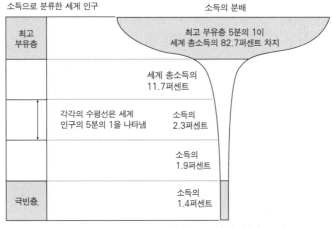

소득으로 분류한 세계 인구

소득의 분배

최고 부유층	최고 부유층 5분의 1이 세계 총소득의 82.7퍼센트 차지
	세계 총소득의 11.7퍼센트
각각의 수평선은 세계 인구의 5분의 1을 나타냄	소득의 2.3퍼센트
	소득의 1.9퍼센트
극빈층	소득의 1.4퍼센트

5분의 1의 극빈층이 세계 총소득의 1.4퍼센트를 차지

• 출처: 유엔개발계획의 『1992년도 인간 개발 보고서』, New York, Oxford University Press, 1992년.

　　국가 평균을 바탕으로 작성된 이 도표는 각 국가들 간의 격차를 보여주는 것이기 때문에 개인들 사이의 격차는 상당히 축소되어 나타난다. 예를 들어 미국인이라면 무주택자, 시골의 빈곤층, 도시 빈민가 거주자 할 것 없이 모든 계층이 세계의 최고 소득 범주에 위치한다. 왜냐하면 미국이라는 나라가 최고 부유한 국가에 속하기 때문에 그들의 경제적 상황이 어떻다 하더라도 모두 국가에 따라 분류되기 때문이다. 유엔개발계획이 국가 평균보다 개인 소득을 기준으로 세계적 부의 분배를 추산했을 때는, 최상위 20퍼센트의 평균 소득은 최하위 20퍼센트의 평균 소득의 무려 150배에 달했다.

그러나 심지어 이 수치들도 최상위 20퍼센트의 소득을 계층별로 구분할 때 그 안에서 볼 수 있는 극단적인 불평등은 드러내지 않는다. 비록 이 부분에 관해서는 세계 자료를 참조할 수 없지만 미국의 데이터가 핵심적인 요지를 잘 설명해 주고 있다. 1989년 미국 가정의 20퍼센트에 속하는 최상위 계층은 연간 평균 10만 9,424달러를 벌어들였다. 그러나 그 중 상위 10에서 20번째에 속하는 가정은 비교적 괜찮은 편인 평균 6만 5,900달러를 벌었다. 그러나 최고 1퍼센트에 속하는 부유층 가정이 벌어들인 소득은 평균 55만 9,795달러에 달했다. 이 1퍼센트의 소득을 모두 합친 금액은 하위 40퍼센트에 속하는 국민의 총소득을 합친 금액보다 많다.

　그렇지만 이 정도 소득은 월스트리트에서 정크 본드(junk bond, 신용 등급이 낮은 기업이 발행하는 고위험 고수익 채권으로 액면가보다 싸게 구입할 수 있다.)를 취급해 일년에 5억 달러를 간단히 벌어들였던 악명 높은 투자 중개인 마이클 밀켄이나 미국 메이저 기업의 CEO들, 혹은 소득 상위에 랭크되어 있는 연예인들이 벌어들이는 돈에 비하면 고작 호주머니 속의 잔돈푼일 뿐이다. 1992년 미국 최대 영리 병원 체인인 미국병원연합의 최고 경영자인 토머스 F. 프리스트 주니어는 1억 2,700만 달러를 벌어 몸값에 거품이 지나친 경영자 집단에서도 선두를 차지했다. 이 돈은 세계에서 가장 빈곤한 20퍼센트의 1인당 평균 소득 163달러의 거의 78만 배에 달하는 금액이었다! 《비즈니스 위크》가 조사한 1992년도 미국 1천 개 대기업 최고 경영자의 평균 소득은 380만 달러로, 전년도에 비해 무려 42퍼센트가 증가한 액수였다. 뿐만 아니라 최고 경영자의 급여와 그들을 위해 일하는 근로자들이 받는 임금의 격차는 급속하게 벌어지고 있다. 1960년에 주요 기업의 최고 경영자들의 평균 보수는 근로자 평균 임금의 40배에 달했다. 1992년에는 근로자 평균 임금의 157배를 벌었다.

그러나 이렇게 엄청난 보수를 받는 경영자들조차 유가 증권 투자 수익으로 살아가는 사람들이 축적한 부에 비하면 그저 무늬만 부자일 뿐이다. 《포브스》가 선정한 〈미국에서 가장 부유한 4백 명〉의 순자산이 1982년에서 1993년 사이에 920억 달러 증가해 이들의 순자산 총계가 무려 3,280억 달러에 달했다. 이는 인도, 방글라데시, 스리랑카, 네팔에 살고 있는 10억 인구의 1991년도 국민 총생산의 합계보다 많은 금액이었다.

부유한 독자층에게 그들의 행운이 타인의 희생을 바탕으로 한 것이 아님을 확인시켜 주고 싶은 마음이 간절했던 《포브스》는 미국 최고 부자들의 명단을 발표하면서 그 서문에 다음과 같은 속 보이는 단서를 달아놓았다.

아하! 그렇다면 재분배를 하는 것이 마땅하다. 부자는 더욱 부자가 되었다. 그러나 이 말은 일면 사실이지만 일면은 사실이 아니다. 부자들의 자산이 증가한 것이 사실일 수도 있지만, 국가적인 부에서 그들이 차지하는 몫이 늘었다는 어떤 증거도 없기 때문이다. 《포브스》가 선정하는 4백 위의 부자에 들기 위해 필요한 재산은 대충 잡아 다우존스 지수로 측정되는 주가 상승치, 딱 그만큼 늘어났다. 주식 시장의 엄청난 팽창은 분명 초부유층에 적잖은 영향을 미쳤지만 미국 내의 모든 연금 수혜자들과 주주들에게도 그만큼의 수익을 안겨주었다.

　부자들 때문에 눈물 흘리지 마라. 그러나 그들이 우리 남은 자들의
부를 앗아갔다는 어리석은 생각도 하지 마라.

　분명 적당한 재력을 가진 미망인들과 연금 수령자들도 주가 상승
으로 덕을 본 것이 사실이다. 그러나 부의 형평성이 변동 없이 그대
로 유지되었다는 《포브스》(스트라토스 거주자들을 위한 그들만의 잡지)의 주
장은 스트라토스 거주자들의 분리 독립 선언이며, 아울러 그들의 세
계가 바로 세계라는 자신들의 믿음을 드러낸 것이다. 미국 최고 부자
400인은 어쩌면 증시의 주가 총액에서 자신들이 차지하는 지분을 그
리 많이 늘리지 못했을지도 모른다. 하지만 연기금 소유의 주식을 제
외하고도 최고 부유층 10퍼센트는 전 미국 가정이 갖고 있는 증시 총
액의 83.1퍼센트를 소유하고 있으며, 그 중에서도 최고 부유층 0.5퍼
센트의 점유 비율은 무려 37.4퍼센트에 이른다.

　1977년부터 1989년까지 미국 가정의 상위 1퍼센트 계층의 평균 실
질 소득은 78퍼센트나 증가한 반면, 하위 20퍼센트의 평균 실질 소득
은 10.4퍼센트 감소했다. 따라서 이는 우리 중 가장 가난한 사람들이
상대적인 면에서뿐만 아니라 절대적인 면에서도 더욱 가난해졌음을
의미한다. 이 수치가 우리에게 말해 주지 않는 것은 1989년에 고용된
근로자들의 평균 근로 시간이 1977년도보다 더 길어졌고, 더 많은 여
성 인력이 노동 시장에 합류하여 한 가족당 전일제로 일하는 사람이
두 명인 가정이 훨씬 늘어난 상황임에도 불구하고 이 같은 절대 소득
의 감소가 일어났다는 사실이다. 하위 60퍼센트에 해당하는 가정 중

에 대부분은 더 긴 시간을 노동하고 누군가 추가로 돈을 더 벌어왔다 하더라도 임금 하락을 만회하기엔 역부족이었던 것이다.

간단한 진실은 《포브스》 편집자들과 스트라토스 거주자들은, 매번 주요 기업들이 수천 명에 달하는 근로자 해고를 발표할 때마다 스트라토스 거주민들은 더욱 부유해지고 별안간 일자리를 잃게 되는 수천 근로자들의 소득은 줄어든다는 사실을 짐짓 무시하는 경향이 강하다는 것이다. 이는 실제 가치를 생산하는 일에 참여한 자들로부터, 이미 넘칠 정도로 많은 돈을 가졌으면서도 생산에 대한 자신들의 기여도나 필요성 따위와는 상관없이 끝도 없이 재산을 불리는 것이 자신들의 권리라고 믿는 부유층에게로 부와 경제적 힘이 이동하는, 현재 진행 중인 과정의 일부이다.

샴페인 잔에 입술을 대고 술을 홀짝이는 사람이 그 잔의 밑바닥에 가라앉은 보잘것없는 찌꺼기만을 다른 사람들과 나눌 수밖에 없는 거대한 인류 집단의 운명을 진정 이해할 수 있을까? 만약 자신들이 누리는 풍요가 극빈자들이 처한 곤경의 원인이라는 사실을 인식한다면, 과연 누가 그 끔찍스런 도덕적 부담을 감당할 수 있을까? 남은 자들에 대한 불편한 마음을 떨쳐버리게 해주는 스트라토스만의 문화적 환상을 유지함으로써 이 도덕적 모순에 직면하는 것을 회피하는 행위는 그러므로 스트라토스 거주자들에겐 적잖은 득이 되는 것이다.

나와 당신의 세계와는 완전히 다른 세상

—

《포브스》는 1993년 미국에서 가장 부유한 4백 명의 명단을 발표하면서, 그 서두에 미국 최고 부유층이 오늘날의 경제에서 하루하루 근근이 먹고 살기 위해 겪는 고충에 대해 다음과 같이 기술했다. 1993년 일년 동안 벨루가 맬로솔 캐비아 1킬로그램 한 통의 값은 28퍼센트나 올라 1,408달러에 달했고, 풀 옵션의 시코르스키 S-780 헬리콥터 한 대의 가격은 8퍼센트나 올라 7백만 달러나 되었다. 또한 뉴욕 소재 특급 호텔 스위트룸의 하룻밤 숙박료는 15퍼센트나 올라 1,200달러였다. 그들의 세상은 우리가 사는 세상과는 다르다.

미국의 대외 정책 수립에 오래도록 가장 큰 영향력을 행사했던 헨리 키신저가 건강을 위해 자신의 개 아멜리아를 데리고 아침 산책을 나갈 때면 경호원이 그 뒤를 따르며 개똥을 치워야 했다. 키신저가 휴가를 떠날 때면 아멜리아는 리무진에 태워져 메릴랜드 교외에 있는 미세스 피퍼스 개 사육장(휴가 중인 사람들이 애완용 개를 맡기는 시설)으로 보내졌고 거기서 방 하나를 단독으로 사용하며 며칠을 투숙했다. 조지 부시가 잡화점 계산대에 서서 바코드를 읽는 스캐너를 호기심 있게 들여다보는 모습이 언론에 포착되어 세상에 알려졌을 때 많은 미국인들이 즐거워하곤 했다. 그리고 그들은 계산대에서 계산을 하는 일상적인 절차에 추가된 신기술을 조지 부시가 마주칠 일이 거의 없었을 것임을 깨닫는다.

알렉산더 트로트만이 1993년 포드 사의 최고 경영자이자 회장직을 맡았을 때 연간 3백만 대 이상의 자동차를 생산하는 일이 그에게 주어진 책임이었다. 하지만 그는 자기 소유의 차를 갖고 있지 않았고 자동차 딜러에게 자동차를 사본 경험도 전혀 없었다. 포드 사는 자동차 업계의 통상적인 관례에 따라 전체 고위급 임원에게 최신형 승용차를 제공한다. 그래서 그들은 자동차 딜러와 협상을 해본 적도, 자동차를 등록하고, 보험을 들고, 수선 유지를 하느라 소동을 벌이지 않고도 늘 완벽한 상태의 자동차를 소유하게 되는 것이다.

1989년 론스타 인더스트리는 2억 7,100만 달러라는 어마어마한 적자를 기록했다. 그 회사의 CEO 제임스 E. 스튜어트는 일시 휴업을 명령하고, 4억 달러 규모의 회사 자산을 매각하고, 주주들에 대한 배당을 취소해 버렸으며, 이사들에게 출장을 다닐 때 일반석을 이용하라고 말했다. 그러나 그는 190만 달러나 되는 개인 판공비를 그대로 유지했으며, 플로리다에 있는 자신의 집과 코네티컷 주 스탬포드에 위치한 본사 사무실 사이를 회사 제트기로 오가는 것도 여전했다. RJR 나비스코(공격적 인수 합병으로 탄생한 거대 기업으로 델몬트 음료, 오레오 과자, 카멜 담배 등의 브랜드를 보유)의 최고 경영자 로스 F. 존슨은 회사 소유의 비행기 10대를 수용하고 그에 딸린 조종사 26명의 숙소를 마련해 준다는 명목으로 애틀랜타에 대궐 같은 호화 격납고를 건설했다. 격납고 옆에는 3층짜리 VIP 전용 라운지가 건설되었는데 그 라운지의 벽은 마호가니에 상감 세공을 했고 바닥은 이탈리아 대리석으로 마감했으며 건물 중앙의 커다란 안마당에는 일본식 정원이 갖춰져 있었다. 세계적인 자본가 이반 보에스키는 회원제 레스토랑에서 주 요리를 여덟 가지나 주문하고 각각 맛을 본 뒤 어떤 것을 먹을지를 결정하던 것으로 유명하다.

신발류 제조 회사 나이키는 자사를 네트워크 회사로 칭한다. 이는 나이키가 관리, 디자인, 영업, 홍보 분야에 8천 명의 직원을 두고 있으나, 제조 분야는 각각의 독립적인 하청 업체에 소속된 약 7만 5천 명의 근로자들 손에 맡겨 놓았음을 의미한다. 나이키 제품의 생산은 아웃소싱을 통해 인도네시아에서 주로 이루어지는데, 인도네시아에서는 미국이나 유럽에서 73달러에서 135달러에 팔리는 나이키 운동화 한 켤레가 대략 5.60달러의 원가에 시간당 고작 15센트의 임금을 받고 고용된 소녀들과 젊은 여성들에 의해 만들어진다. 노동자들은 회사 막사에서 기거하며 거기엔 노동조합도 없고 시간외 근무도 거의 강제적이다. 뿐만 아니라 만약 근로자들 사이에 파업이라도 일어나는 날이면 그것을 분쇄하기 위해 군대까지 동원된다. 농구 스타 마이클 조던이 나이키 운동화 광고 모델로 활동하는 대가로 1992년에 공식적으로 지불받은 2천만 달러는 그 신발이 만들어지는 인도네시아 공장 근로자들의 연간 임금액을 합한 것보다 많은 금액이다.

제조 공장의 제반 근로 조건에 대해 질문을 받을 때면, 나이키의 인도네시아 총책임자인 존 우드맨은 언제나 스트라토스 거주자 같은 전형적인 대답을 하곤 한다. 그는 나이키 신발을 제조하는 인도네시아 소재 여섯 개 공장에 늘 노동 문제가 있어 왔다는 사실은 잘 알고 있으면서도 무엇이 문제였는지에 대해서는 아는 게 없었다. 심지어 그는 이렇게 말하기까지 했다.

"내가 그런 걸 왜 알아야 하는지 모르겠군요. 조사는 내 영역이 아닙니다."

나이키의 경우는 경제 체제 왜곡의 결정적인 예라고 할 수 있다.

보상은 실제 가치를 생산하는 사람들에게 돌아가지 않고 마케팅 환상을 만들어 내는 사람들, 그러니까 부풀려진 가격에 꼭 살 필요 없는 상품들을 구매하도록 소비자를 설득하는 일이 주 기능인 자들에게로 돌아간다. 인도네시아 근로자들과의 접촉을 피하는 나이키 책임자처럼, 많은 관리자들이 엘리트 집단 외부의 사람들은 별로 만나려 하지 않는 이유를 알 만도 하다.

1993년 한 해 동안 기업의 최고 경영자로서 급여, 인센티브, 복지 혜택을 통틀어 최고의 보수를 받아쥔 승자로 환상의 거장 마이클 아이스너가 손꼽힌 것은 매우 적절해 보인다. 마이클 아이스너는 환상의 세계를 창조하기 위해 전력투구하는 회사 월트 디즈니 사의 회장이다. 아이스너가 가져간 2억 310만 달러의 보수는 그 해 디즈니 사의 총수익 2억 9,980만 달러의 무려 68퍼센트에 달하는 금액으로, 이는 그가 개인적으로 자신만의 환상의 세계를 몇 개쯤 만들고도 남아돌 정도로 충분한 돈이다.

이것이 바로 세계 경제 질서를 입안하는 자들이 살고 있는 구름 위 세계, 즉 이상향이다. 그들 자신과 그들의 기업을 위하여 지역의 시장은 너무 제한되어 있다. 부와 권력은 아무리 소유해도 충분치 않다. 그래서 그들은 끊임없이 새로운 개척지를 찾아 나서야 하고, 새로운 제국을 건설하고, 새로운 시장을 식민화해야만 한다. 자신들의 지배를 받는 사람들의 일상적인 현실로부터 완전히 고립된 자들이 공익이 무엇인지에 대한 정의를 내리는 일에 어설픈 것은 어찌 보면 당연한 일이다.

부자들의 섬, 가난한 자들의 바다

—

거대한 부, 그리고 환상의 세계에 대한 열렬한 수용은 단지 부유한 국가에서만 나타나는 현상은 아니다. 1993년 《포브스》가 선정한 세계 최고 부자들의 명단에는 저소득 혹은 중간 소득 국가의 억만장자가 88명이나 올라 있었고 이는 불과 일년 전의 62명에서 늘어난 수치였다. 그 중 멕시코가 1992년에는 13명을 명단에 올린 데 이어 1993년에는 24명의 억만장자가 그 명단에 포함되어 최고를 차지했다.

동아시아와 동남아시아 기준에 비추어 경제 성적이 좋지 않은 필리핀의 예를 보자. 필리핀의 1인당 국민 총생산은 730달러이고, 대략 국민의 60퍼센트가 자신을 포함한 가족들에게 최소한의 끼니를 제공하기에도 턱없이 부족한 소득을 올리고 있다. 그런데도 1992년에는 두 명의 필리핀 억만장자가, 1993년에는 다섯 명의 억만장자가 《포브스》 명단에 올랐다.

1988년에서 1992년까지 나는 필리핀의 수도 마닐라의 상업과 금융 중심지 마카티의 고층 빌딩 11층에 자리 잡은 사무실에서 일을 했었다. 사무실 창밖으로 나는 가끔 마닐라의 5성급 호텔 세 개와 높이 치솟은 수많은 금융 빌딩들을 바라보곤 했다. 내가 창밖을 바라보는 시간이 하루 중 언제든 간에 마닐라의 전설적인 교통 체증으로 도로마다 꼼짝 못하고 서 있는 차들, 그리고 자욱한 배기가스를 고스란히 뒤집어쓰고 대중교통을 기다리느라 줄지어 서 있는 차 없는 통근자들의 저만큼 위쪽 하늘에, 마닐라의 비즈니스 엘리트들을 고층 빌딩 옥상으로 실어 나르는 개인용 헬리콥터들을 한 대 이상은 꼭 볼 수가 있었다. 다른 한편에서는 운이 별로 없는 수천 명의 필리핀인들이 연기가 피어오르는 쓰레기 더미인 스모키 산(Smoky Mountain, 필리핀 마닐라에 위치한 쓰레기 매립지 혹은 거기에 형성된 슬럼가) 위에 폐자재들로 오두막을 짓고 악취가 나는 쓰레기 산에서 빈 병, 플라스틱 조각 등 팔아서 돈이 될 만한 물건들을 주워 하루하루 힘겹게 살아가고 있었다.

해마다 수십만의 필리핀 사람들이 어떻게든 자신과 가족들을 먹고 살게 해줄 일자리를 찾겠다는 절박한 심정으로 해외로 나간다. 많은 여성들이 일본에 가서 일하거나 중동에서 가정부 일자리를 찾는다. 그리고 그들은 너나 할 것 없이 자신들이 실질적으로 노예나 마찬가지인 조건에서 일하고 심지어 성적 착취의 대상으로 다뤄지고 있다는 사실을 발견한다. 필리핀 정부는 이런 해외 근로자들을 꼭 필요한 외화벌이 원천으로 생각하는데, 그들이 벌어들인 달러는 다른 무엇보다 에어컨 시설을 완비한 호화로운 초대형 쇼핑몰에 최첨단 가전제품들과 디자이너 패션 상품들을 갖춰놓기 위해 수입품을 사들이는데, 그리고 320억 달러에 달하는 필리핀의 외채를 갚기 위해 사용된다. 정작 외화를 벌어들인 자들은 결코 갈 수 없는 쇼핑몰을 위해서 말이다.

경제가 자국의 국경 내에서 이루어지고 심지어는 각각의 지역 내로 한정되었던 초기 시절에는 돈이 많든 적든 간에 한 나라 혹은 한 지역에 같이 사는 한, 국가와 사회 공동체의 이해관계를 모두가 공유했었다. 사람들 사이의 갈등이 크든 적든 상관없이 그들의 운명은 서로 뒤엉켜 있었다. 기업가들은 자신이 고용하는 근로자들을 배출해내는 교육 체제와 자신의 생산적인 사업이 의존하고 있는 수송과 공공 설비의 물리적 하부 구조에 관심이 있었다. 마지못해 받아들였든 어쨌든 간에, 그들은 세금 납부의 의무를 받아들여 꼭 필요한 사회적, 물리적 하부 구조가 유지되는 것을 도왔다.

최근 몇 년에 걸쳐 미국에 나타나고 있는 인구 통계학적 현실 중 하나는 소득에 의한 지리적인 분리가 점차 증가하고 있다는 것이다. 소득이 높은 상류층 사람들은 독립된 정치 관할 구역으로 조성된, 교외의 풍요로운 부촌 지역에 자기들만의 공동체를 이루고 살고 있다. 이 지역의 설비와 시설은 오직 그 구성원들끼리만 공유된다. 따라서 그들은 소득이 낮은 가정들에 그와 유사한 시설을 제공하기 위해 추가로 세금을 납부할 필요 없이, 자기들이 낸 세금으로 상류층 지역의 훌륭한 학교와 공공 서비스를 누릴 수 있는 것이다. 소득이 낮은 가정들은 또 그들대로 저소득 관할 구역에 따로 모여 살게 된다. 이 지역은 부유층 주거지에 비해 사회 복지와 공공사업이 훨씬 많이 필요함에도 세금이 적게 걷히므로 재원도 턱없이 부족하다.

미국에서는 정치적 관할 구역에 따른 이 같은 분리 현상이 연방 정부가 사회 복지를 위한 재원 마련의 책임을 많은 부분 지자체에 전가하기 시작한 1980년대 들어서 더욱 악화되었다. 지방 정부에 대한 연방 정부의 지원이 절정을 이루었던 1978년에는 주와 지방 재정의 거의 27퍼센트가 연방 정부의 보조금이었다. 그로부터 10년 후인 1988년에 이르자 중앙의 재정 지원은 17퍼센트로 감소했다. 이는 민주적 다원주의가 미국을 지배하던 시기에 이전의 행정부들이 정착시켜 놓았던 소득 재분배 메커니즘을 해체하려는 레이건 행정부의 광범위한 노력의 결과였다. 클린턴 행정부의 노동부 장관이기도 했던 경제학자 로버트 라이시는 이를 가리켜 소수의 특권층이 그 나머지 미국으로부터 떨어져 나온 〈분리 독립〉이라고 칭했다. 그 결과 부유층과 빈곤층이 누리는 교육과 공공 서비스의 질적 격차가 더욱 벌어졌다. 계층 간 분리는 여기에 종종 인종 문제까지 겹쳐져 더욱 악화되었고, 부유층이 자기들만의 환상의 세계로 떨어져 나가는 단절 현상은 더욱 심화되었다.

그동안 여러 나라를 방문해 보았지만, 지역적 연고에서 완전히 떨어져 나와 엘리트들끼리만 소집단을 이루고 살아가는 모습을 파키스탄에서만큼 극명하게 본 적은 없었다. 파키스탄의 3대 현대 도시, 즉 카라치, 라호르, 이슬라마바드는 특급 호텔과 현대적인 쇼핑몰, 호화스런 부유층 주거 지역의 모습을 잘 보여주고 있다. 이 주거 지역을 빙 둘러싸고 있는 가난하고 봉건적인 시골 마을들은, 날로 번창하는 약물과 무기 거래에서 벌어들인 돈으로 사병을 유지하면서 그곳에 감히 들어오는 중앙 정부 관료들은 누구든 가리지 않고 죽여 버리고 싶어 하는 지방 영주들의 지배 하에 놓여 있다. 파키스탄의 시골 지역의 보건과 교육 지표는 가장 빈곤한 아프리카 국가들과 쌍벽을 이룰 정도이다.

나는 파키스탄을 몇 번 방문한 적이 있었는데 그 중 두 번은 파키스탄에서 가장 성공한 사업가들의 집에 묵었다. 세계 곳곳을 두루 여행하고 영국과 미국의 최고 대학을 졸업한 그들은 말과 행동에 자신감과 훌륭한 매너가 배어 있었고, 돈으로나 지위로나 어떠한 구애도 받지 않는 코즈모폴리턴적인 귀족의 전형적인 관대함이 느껴졌다. 나를 초대한 주인들은 세계 각국을 수시로 오가며 자신들이 광범위하게 벌여 놓은 사업체의 이해관계를 챙기고, 세계적인 비즈니스 엘리트들과 자유로이 교류했으며, 사업차 뉴욕이나 런던에 체류하는 동안에도 카라치나 라호르, 이슬라마바드의 자기 집에 있는 것처럼 편안함을 느꼈다.

특히 놀라웠던 점은 그들이 나머지 세계에 대해 갖고 있는 지식이나 관심의 수준과는 달리, 자신들의 국가, 자신들이 거주하는 고립된 도시의 경계 너머에서 무슨 일이 일어나고 있는지에 대해서는 별로 아는 것도, 관심도 없다는 사실이었다. 그들에게는 자신들의 거주 지역을 제외한 나머지 파키스탄 지역은 아는 척할 필요도, 언급할 가치도 없는 관심권 밖의 다른 나라인 것 같았다. 그들은 거의 완벽하게 모든 국가적 이해관계로부터 분리되어 있었다. 내가 그 시기에 미처 깨닫지 못했던 점은 이 현상이 특정 저개발국에서 나타나는 이상 현상이 아니라 이 지구촌 곳곳에 나타나는 사회적 정치적 최첨단 경향이라는 것, 즉 세계적인 재계의 엘리트들이 다수의 보통 사람들이 살고 있는 세계로부터 완전히 분리되어 국적도 국경도 없는 구름 위 환상의 세계로 병합되고 있는 현상이라는 점이었다.

우리는 이 세계가 부유한 나라와 가난한 나라로 나뉜다고 오랫동안 생각해 왔다. 그런데 경제적 세계화가 진행됨에 따라 우리는 가난한 나라 안에서 거부들이 차지하고 있는 섬들이 점차 커지고, 부유한 국가 안에 빈곤의 바다가 점점 커져간다는 사실을 발견하게 된다. 이제는 지리적 위치보다 계층에 의해 나뉘는 이 세상의 현실을 인정해야 할 시기가 왔다.

세금 낼 능력이 넘치는 사람들의 세금을,
세금 낼 형편도 못 되는 사람들에게 부담시키는

—

글로벌 경제 체제는 표준 미달의 임금을 지불하며 생산에 박차를 가하는 노동 착취 공장에 외주를 주어 생산을 맡기는 대가로, 원시림을 깡그리 밀어버린 대가로, 수십만 명의 근로자를 해고하는 노동력 절감 방안을 도입한 대가로, 유독성 폐기물을 내다버린 대가로, 그리고 인간의 이해관계보다 기업의 이해관계를 우선하는 정치적 의제를 설정한 대가로 기업과 그 임원들에게 관대한 수익과 그에 따른 여러 혜택을 안겨주어 그들의 수고에 보답한다. 이 경제 체제는 그 결정이 야기하는 피해로부터 그러한 조치를 취한 자들을 보호한다. 그리고 그 피해로 인한 비용은 주로 사회의 힘없는 구성원들, 즉 직장에서 쫓겨나 더 이상 일자리를 찾지 못하는 근로자들, 그리고 그들 대신에 그 자리로 들어갔으나 가족을 부양하기에는 턱없이 부족한 임금을 받고 일하는 근로자들, 숲이 헐려 살던 집이 없어져버린 사람들, 유독성 쓰레기 더미 옆에서 거주하는 빈곤층, 그리고 고지서를 받아들고 세금을 내는 납세자들에게로 돌아간다.

비용과 수익의 연결 고리를 끊어버린 결과로, 세계에서 가장 유력한 정책 결정자들은 자신들이 내린 결정으로 새로운 이익이 창조되고 있다고 말한다. 그러나 이는 사실상 새로운 이익이 생겨나는 것이 아니라, 이 지구의 이용 가능한 부를 나머지 사람들과 지구를 희생시키는 대가로 자기 자신들에게 조금이라도 더 많이 이익이 옮겨가게 하는 행위일 뿐이다.

사회적 긴장감이 고조되고 경제 체제의 실패가 더욱 확실해지면서 이미 형성된 정치 동맹들은 점점 눈에 띄게 부자연스러워졌다. 점차 확산되고 있는 대중의 불안과 공포에 편승해 정치 선동가와 기회주의자들이 제 세상을 만났다. 미국에서 그들은 세금 감면, 정부의 규모 축소, 가정의 가치와 개인의 책임 회복, 천연자원 개발에 대한 규제 철폐, 국방비 증가, 범죄에 대한 강력한 단속, 시장에 대한 규제 철폐와 자유 무역을 요구하면서 큰 정부와 환경주의자들을 공격하고 있다. 그들은 큰 정부의 권력 남용으로부터 평범한 사람들을 보호하기 위해 노력하는 보수주의자로 자처하면서 정부를 불신하는 자립적인 사람들, 경제적 부담을 짊어지고 있어 세금 경감을 바라는 사람들, 환경 규제를 두려워하는 자원 기반의 산업 종사자들, 어떻게든 비용을 외부화하고 수익을 늘리기 위해 더 많은 자유를 열망하는 기업의 이해관계에 이르기까지 다양한 대상에게 동시에 영합한다. 그러나 이들 다양한 집단의 마음을 끌기 위해 그들이 내놓은 제안들은 모순으로 가득 차 있다. 그 제안들 중에 가정과 지역 공동체의 가치를 회복하고 자립심을 고취하는 데 도움이 되는 내용은 거의 없다. 오히려 그들은 세계에서 손꼽히는 대기업들에게 세계 시장과 자원을 더 많이 식민화할 자유를 허락함으로써 이미 많은 것을 가진 사람들에게 더 많은 혜택이 돌아가게 하고, 누구보다 세금 낼 능력이 넘치는 사람들로부터 세금 낼 형편이 전혀 못 되는 사람들에게 그 세금의 부담을 이동시키며, 그로 인한 사회 불안을 저지하기 위해 국가의 경찰력만을 키워놓을 뿐이다.

기업 자유의지론을 설파하는 선동가와 기회주의자들은 인간보다는 기업의 이해관계를 우위에 두는 의제들을 추진하기 위해 기업의 돈과 권력을 대중주의적 이해관계에 결부시켜 왔다. 기업 자유의지론자들이 이 문제를 정의함에 있어 그것이 마치 세금을 내는 자와 쓰는 자의 갈등인 것처럼, 큰 정부를 지향하는 진보주의자와 가정의 가치를 주장하는 보수주의자 사이에 개인의 자유와 책임을 놓고 벌어지는 갈등인 것처럼 규정하는 것을 계속 허용하는 한, 기업의 돈과 권력, 그리고 대중의 이해관계 사이의 모순은 겉으로 드러나지 않을 것이다. 이러한 위장 속에서 그들은 빈곤층을 위한 사회 복지 프로그램을 공격하고, 부유층이 세금망을 교묘히 빠져나가도록 하며, 기업에 더 큰 자유를 부여하는 데 대성공을 거두고 있다. 그 결과 규모가 작은 것과 지역을 희생시킨 대가로 규모가 큰 것과 중앙(구름 위 이상향인 기업의 세계)에 더 많은 권력과 부가 이동된다. 그런데도 많은 보수적 유권자들 스스로가 섬기고 있다고 믿는 명분이 규모가 작은 것, 지역의 권력을 회복하자는 것이라는 사실은 참으로 아이러니하다.

정치 논쟁에서 사용되는 용어들은 실제 문제에서 특정 대상에 명확하게 초점이 맞춰지도록 재정의되어야만 한다. 이를테면 대규모와 소규모 간의 규모 경쟁, 중앙 대 지역의 권력 경쟁은 〈기업 대 평범한 사람들〉의 권력 경쟁으로 재정의되어야 한다. 이제 정치 동맹의 재편성이 일어날 수 있는 시기는 무르익었다. 그러나 자신들의 적이 중앙 집중적인 큰 정부만이 아니라 장소, 사람 혹은 인간의 이해관계에 아무런 충성심도 갖고 있지 않은 거대 기업들이라는 사실을 진정한 대중주의자들이 깨달을 때에야 비로소 이 같은 재편성의 꽃이 완벽하게 만개할 것이다.

경제의 세계화는 새로운 기업 식민주의 제국의 건설에 초석이 된다. 기업 자유의지론자들은 경제의 세계화 과정이 거스를 수 없는 역사적 힘에 의한 것이며, 따라서 우리에게는 아무런 선택권이 없고 단지 이웃과 경쟁하고 현실에 적응하는 방법을 배우는 수밖에 없다고 말한다. 이는 국가 경제를 해체하고 글로벌 시장을 위한 기관들을 설립하겠다는 목적을 지닌 구름 위 스트라토스 거주자들이 풍부한 자금력을 바탕으로 조직적인 노력을 기울여 전파하고 있는 정직하지 못한 주장이다. 3부에서 우리는 그들의 환상과, 그들이 그 환상을 실현하기 위해 어떤 일을 해왔는지를 살펴볼 것이다.

08

피라미드의 어느 층도 안전하지 않다

우리는 인류 역사의 새로운 국면으로, 지구촌 인구를 위한 재화와 용역을 생산하는 데 필요한 인력이 날이 갈수록 줄어드는 그런 시대로 접어들고 있다. - 제레미 리프킨

기업이 주축이 되는 현대 서구의 경제에서 시장은 수동적 기관에 불과하다. 능동적 기관은 기업이다. 기업은 선천적으로 좁은 시야를 갖고 오직 눈앞만을 바라본다. 기업은 그게 누구든 간에, 기업을 지배하지 못하는 자들의 비용으로 기업을 지배하는 자들의 이익에 이바지하도록 진화해 왔다. - 윌리엄 더거

우리는 세계 각지에서 그리고 사회의 모든 계층에서 하나의 패턴이 반복되고 있는 것을 본다. 효율성을 제고한다는 미명하에 이제 더 이상 인간을 필요로 하지 않는 글로벌 경제에 의해 수억 명의 사람들이 추방되고 있다. 멕시코에서는 소규모 농부들이 기계화된 영농에 자리를 내주고 물러났다. 인도에서는 전력 생산을 위한 새로운 대규모 댐 건설에 농민들이 토지를 강제로 빼앗겼고, 공장 노동자들은 보다 효율적인 기계로 대체되었다. 월스트리트에서 컴퓨터 단말기 키를

눌러 국제 금융 시장에서의 거래를 성사시키던 담당자가 이제는 더 효율적인 컴퓨터 프로그램으로 대체되고 있다. 소도시 상인들은 초대형 유통업계에서 운영하는 대형 마트에 의해 밀려나고, 대형 마트들은 이번에는 전자상거래의 위협을 받고 있다. 음성 인식 장치와 자동 응답기가 콜센터 직원을 대체하고, 멀티미디어를 통한 교육이 교사를 대체한다. 기업의 규모 축소는 잉여 노동자와 중간 관리자를 제거하고, 기업의 인수와 합병은 중간 혹은 심지어 최고 경영층까지 날려버린다. 이 현상들은 끝이 보이지 않는다.

그 어느 누구도 면제받지 못한다
—

우리는 지금 2차 산업혁명을 지나가고 있다. 1차 산업혁명 때는 새로 발견한 에너지원에 대한 정복으로 기계에 엄청난 근력이 생기면서 인간의 육체노동에 대한 수요가 크게 감소했다. 그러나 기계는 계산이나 추론이 불가능했고 시각적 패턴을 구별하지 못했을 뿐 아니라 인간의 말을 알아듣거나 해석하지도 못했다. 따라서 어떤 기계든 그것을 조작하면서 두뇌를 제공해 주는 인간이 필요했고, 눈과 귀 역할을 해줄 중개자가 필요했다. 기계가 많아지면 많아질수록 기계의 시중을 드는 데 필요한 사람의 숫자도 늘어났다. 그리고 기계가 복잡해질수록 그것을 다루는 데는 더 많은 기술이 요구되었고 따라서 숙련된 조작자가 요구할 수 있는 보수도 높아졌다. 하지만 2차 산업혁명은 컴퓨터와 전자 감지기를 통해 기계에 눈과 귀와 두뇌를 제공함으로써 그들이 보고 듣고 해석하고 스스로 행동할 수 있도록 정보기술 분야의 굵직한 발전들을 이용하고 있다.

주요 대학에서 종신 재직 교수라는 안정된 지위를 누리고 있는 경제학자들은 걱정할 필요가 없다고 우리를 안심시킨다. 1차 산업혁명 때와 마찬가지로 생산성의 향상이 경제 성장을 촉진시키고, 성장은 더 많은 일자리를 가져다줄 거라고 우리에게 말한다. 그러나 그들은 1차 산업혁명으로 영국 섬유 산업이 기계화되었을 때, 영국인들은 그로 인해 발생한 실업 인구 대다수를 인도로 이주시켰다는 사실에는 주목하지 않는다. 당시 영국은 인도로부터 수입되는 섬유에 대해 수입 금지적 관세를 적용하는 한편, 인도에 주둔하는 영국의 식민지 관리들은 인도로 수입되는 영국 섬유에 대한 관세를 실질적으로 철폐하도록 했고, 인도 국내 판매용으로 인도의 각 가정에서 방적기로 제작하는 의류에도 세금을 징수했다. 뿐만 아니라 유럽 경제의 잉여 노동력인 이민자들까지도 식민지에서 흡수해야 했다. 식민지로 이주한 유럽인들은 가장 비옥한 토지를 점유하고 목화와 같은 수출용 작물을 재배해 모국의 산업을 부양했다.

이에 반해 지역에 의해서보다 계층에 의해 규정되는 식민화 과정을 토대로 한 2차 산업혁명은 역사상 유례없이 많은 세계 인구를 식민지 국민의 대열로 몰아넣고 있다.

적은 투입량으로 더 많은 양을 산출하는 것이 효율성이다. 인간 노동의 시간당 생산량이 증가했을 때 우리는 생산성이 향상되었다고 말한다. 경제학 교과서들이 선호하는 단순한 사례들을 보면 효율성이라는 것이 상당히 좋게 보인다.

농부가 작은 트랙터 한 대를 구입하면 더 넓은 면적의 토지를 경작할 수 있게 되어 가족에게 더 많은 식량과 소득을 제공할 수 있게 되거나, 아니면 농부가 들판에 나가 힘들게 일하는 시간이 줄어든다. 둘 중 어느 쪽이든 간에 농부에게는 이익이고 그로 인해 누구도 손해 보는 자가 없으며 사회는 여러 면에서 풍요로워진다.

하지만 애석하게도 실제 세상은 이와 같은 단순한 교과서적 사례와는 다르다. 위의 사례에서는 관리자, 소유주, 노동자가 동일인이라는 사실에 주목하라. 크고 작은 결정들을 내리고 비용을 지불하며, 생산량을 늘려서 생산성을 향상시킬 것인지 혹은 노동 시간을 줄이는 방향으로 갈 것인지를 결정하는 것도 농부 자신이다. 하지만 실제 세상에서는 농업 관련 기업들이 오로지 수익성에 근거해서 이 같은 결정을 내리는 경우가 대부분이다. 그나마 혜택 받은 일부는 기업으로부터 생산량을 늘리라는 요구를 받을지 모르지만, 나머지 사람들은 거의 아무런 대안도 없이 일자리를 잃는다.

노조도 없고 노동력은 남아도는 세상에서 생산성 증가로 확실한 혜택을 받는 계층은 오직 자본가들뿐이다. 그러나 경영 분석가 윌리엄 더거가 주장하듯이 우리는 그들조차 추방하는 과정에 이미 들어섰는지도 모른다.

자기 파괴를 향해 한 발 더 나아간 글로벌 경제 체제에 대해 부유층들이 노골적으로 펼치는 공식적인 방어벽 이면에, 그 중에서도 가장 엘리트에 속하는 사람들 사이에서조차 불편하고 우려스러운 목소리가 점증하고 있다. 1980년부터 1982년에는 관리자의 79퍼센트가 자신들의 직업 안전도가 양호 혹은 매우 양호하다고 보고했다. 하지만 1992년에서 1994년 사이에 그 수치는 55퍼센트로 떨어졌다. 이는 단지 그들 자신의 위치가 점차 위험해지고 있다는 의미가 아니다. 이는 무언가가 잘못되고 있다는 느낌, 그들의 자식들에게 심히 걱정스러운 세상을 물려주고 있다는 그런 느낌을 준다. 대다수 기업의 관리자들이 자신의 개인적 가치와 기업에서의 자신의 위치가 요구하는 것 사이에 점차 커져가는 갈등에 직면해 있다.

임원에게 주어지는 터무니없이 많은 보수를 정당화할 때 언론은 흔히 기업의 지도자들이 최선의 노력을 다하도록 동기를 유발하는 데는 그런 보상이 매우 중요하다고 강조한다. 제너럴 다이내믹스 사의 윌리엄 앤더스 회장이 자사의 주가를 10일간 45달러 이상으로 유지한 공으로 160만 달러의 보너스를 받았을 때, 회사의 대변인은《워싱턴 포스트》와의 인터뷰에서 회사의 사업 전략을 수정하고 주주의 이익을 극대화한 성과에 인센티브를 주기 위해서는 최고 경영진에 대한 보상 제도가 필요하다고 밝혔다. 하지만 누구보다 많은 특혜를 받고 고액 연봉을 받는 전문직 종사자들이 자기 일을 하도록 동기를 유발하는 데 100만 달러가 넘는 보너스가 필요하다는 것은 너무나 어이없는 주장이다.

하버드 대학의 전 총장 데렉 보크는 이에 대해 상당히 그럴싸한 설명을 하고 있다. 그는 기업의 최고 경영층이 다른 무엇보다 주주들의 단기적 이익을 중시하게 하려면 그 정도 보상은 필요하다고 주장한다. 주주의 단기적 이익을 우선시하지 않아도 된다면 그들은 분명 종업원이나 지역 공동체의 이해관계, 심지어는 기업 자체의 장기적 생존력을 고려하고 싶어질지도 모른다. 간단히 말해 기업의 최고 경영층이 사회적 책임을 향한 자신들의 타고난 본능에 항복하지 않도록 스스로에게 끊임없이 동기를 부여하기 위해서는 그렇게 엄청난 보상이 필요하다는 것이다. 이러한 견지에서 볼 때, 이들의 보수는 최고경영자라는 직업이 기업 구조조정의 시대에 얼마나 역겨운 것이 되었는지를 보여주는 좋은 지표가 된다.

이 같은 유혈 사태가 끝이 보이지 않는 가운데 점점 많은 관리자들이 자신의 일에 대한 열정을 잃어가고 있다. 《포천》은「지쳐빠진 보스들」이라는 커버스토리에 다음과 같은 글을 실었다.

무언가를 쌓아올리도록 훈련받은 관리자들은 이제 그것을 허물어뜨리는 일을 하면서 봉급을 받는다. 그들은 고용하지 않는다. 그들은 해고한다. 그들은 새로운 명령을 좋아하지 않지만 이제 대다수는 이 상황이 바뀌지 않을 것임을 알게 되었다. 이러한 깨달음으로 나날의 일상이 달라지고 있다. 일은 더 이상 그들에게 활력을 주지 못한다. 오직 고갈시킬 뿐이다.

상황이 이러한지라, 일을 하면서 큰 기쁨을 느낀다는 것이 거의 부도덕하게 보일 지경이다. 자연히 그들은 침울하고 소심해지고, 다음 해고의 파도에는 자신이 떠내려가지 않을까 걱정한다. 한편 그들은 이미 떠난 자들의 노역까지 떠안고 더 열심히 더 오랜 시간을 일한다. 쌓이는 것은 피곤과 억울함뿐이다.

인간의 현실과 유리된 컴퓨터 단말기를 통해 수십억 달러를 세계 전역으로 옮기는 금융 투기자들과는 달리, 실질적인 재화를 생산하는 회사의 관리자들은 매일같이 피와 살을 가진, 살아 있는 사람들을 상대한다. 보다 큰 효율성에 대한 자본 관리자들의 요구에 부응해서 자신들의 직장 동료와 친구들에게 거의 사랑하는 사람을 잃은 것과 같은 절망적인 경험을 안겨주어야 하는 사람들이 바로 이들이다. 어떤 최고 경영자가 《포천》에 밝힌 내용은 이렇다.

"처음에 사람들을 해고할 땐 어쩔 수 없는 업무의 일환이라고 여기며 어찌어찌 그 일을 해낸다. 그러나 두 번째부터 나는 이런 생각이 들기 시작했다. '이 일로 인해 얼마나 많은 아기들이 유산될 것인가? 이혼은 얼마나 늘 것이며 자살은 또 어떤가?' 나는 그런 생각을 떨쳐버리기 위해 더욱 열심히 일에 매달렸다."

한 인사 담당 임원이 최근에 자신의 직속 부하들을 몇 번에 걸쳐 해고해야 했던 관리자를 방문했던 일을 회상했다. 한때 리더의 자질이 있는 강인한 사람이었던 그는 지금은 몸무게가 많이 줄었고 담배를 피우고 있었으며, 자신을 방문한 임원의 눈을 똑바로 쳐다보지 못했고 신경이 극히 날카로워 보였다. 전에 수천 명의 직원을 해고한 적이 있었던 또 다른 임원은, 수천 명에 달하는 자신의 동료들을 또다시 길거리로 내몰아야만 한다는 괴로움으로 식욕 상실과 불면증에 시달렸다. 그는 자기도 모르게 발작적인 비명을 터뜨리기 시작했고 결국 어느 날 침대에서 일어나지 못했다.

경제적으로나 직업적으로 성공의 정점에 오른 사람들이 육체적인 안락에서 부족함을 느낄 일은 없다. 그러나 그들은 마음의 평화와 서로 사랑하는 든든한 가족, 서로 배려하는 친구들, 그리고 자신이 의미 있고 중요한 일을 하고 있다는 느낌은 억만금을 주고도 살 수 없다는 사실을 배우고 있다.

심지어 자신들이 몸담고 있는 산업 분야에서 한때 권력과 특권의 절정에 올랐던 관리자들에게도 세상은 변하고 있다. 출판업계에서 가장 유명하고 역량 있는 인물 가운데 한 명으로 손꼽히는 리처드 W. 스나이더는 33년의 경력을 바쳐 사이먼 앤드 슈스터 출판사를 연간 순수입 20억 달러를 기록하는 미국의 주요 커뮤니케이션 회사로 만들어 놓은 주역이다. 그러나 그는 사이먼 앤드 슈스터의 모회사 파라마운트 사를 얼마 전에 인수한 비아콤 사의 최고 경영자와 5분간의 회의를 진행하던 중에 그 자리에서 즉각 회장 겸 CEO 자리를 내놓아야 했다. 그가 들은 이유는 단지 스타일이 다르다는 것뿐이었다.

케이 R. 위트모어 회장의 지휘 하에 이스트먼 코닥은 1992년에 11억 4천만 달러의 수익을 올렸다. 수익은 매출의 대략 5퍼센트였다. 그러나 1993년 8월 6일에 그는 회사의 비용 절감 진행 속도가 너무 더디다는 이유로 외부 이사들에 의해 해고당했다. 그는 1992년에 코닥의 13만 2천 종업원 가운데 단 3천 명만을 해고했던 것이다. 최소 2만 명은 해고해야 한다는 것이 그 회사 기관주주들의 주장이었다. 재무 분석가들은 이 해고 사건을 외부 이사들이 투자자들의 이해관계를 관리자와 종업원들의 이해관계보다 중시하는 추세를 반영하는 명백한 증거라고 발표했다. 코닥 주식은 그날 3.25달러 오른 가격으로 마감되었다.

누구도 면제받지 못한다. 피라미드의 어떤 층에도 더 이상 안전은 없다. 《이코노미스트》는 이런 기사를 싣기도 했다.

미국에서 대기업의 사장이 된다는 것은 지금까지는 이 세상에서 가장 안전하고 풍요로운 보답을 받는 일 중에 하나로 여겨졌다. 최근까지만 해도 이러한 사고가 이어져 왔다. 그러나 바로 지난주에 IBM과 웨스팅하우스, 아메리칸 익스프레스의 사장들이 일자리를 잃었다. 이보다 몇 달 앞서 로버트 스템펠은 제너럴 모터스 회장직에서 조용히 물러났다. 이제 대기업의 우두머리들은 하나같이 다음 차례가 누가 될 것인지를 생각하고 있다.

《이코노미스트》는 주주의 힘이 개인 투자자로부터 실적 지향의 투자 기금으로 이동하고 있는 데서 이 현상의 원인을 찾았다. 투자 기금은 실적이 부진하다고 간주되는 기업의 최고 관리자들을 내쫓기 위해 근육을 다진다. 펀드 매니저들이 실적이 뒤처지는 관리자들을 간단히 해고할 수 있다는 것을 깨달으면서 기업 인수 전쟁의 필요성 또한 대두되고 있다.

아무도 당신을 돌보지 않는다

—

기업의 구조조정은 단순히 일자리의 급격한 감소에만 관련된 것이 아니라, 남아 있는 일자리의 질이 떨어진다는 문제도 낳는다. 사무직 근로자들의 노동 시장은 점점 그날 하루 허탕 치게 생긴 일용직 노동자들이 혹시 일거리가 없나 기웃거리며 모여드는 직업소개소처럼 되어가고 있다. 적기납입just-in-time, 즉 필요한 부품을 필요한 때에 맞추어 납품하는 재고 관리의 개념이 사람에게도 적용되고 있는 것이다.

파견 근로업체에 고용된 근로자의 숫자는 10년 동안 무려 240퍼센트나 증가했다. 7천여 개에 달하는 미국의 파견 근로업체 중에 60만 명의 임시직 근로자를 보유한 맨파워는 이제 미국에서 가장 큰 고용주가 되었다. 일부 근로자들은 자신의 선택에 따라 시간제 혹은 임시직으로 일하고 있지만, 미국의 임시직 근로자 2천1백만 명 중에 3분의 1이 전일제 일자리를 선호한다고 밝혔다. 수많은 해고 근로자들은 그때그때 나오는 일을 개인적으로 위탁받아서 하는 자영업자가 되었다. 이들 중 대다수가 수입이 눈에 띄게 하락했다. 미국인구조사국에서 조사한 통계치는 미국 자영업자의 평균 실질 소득은 3년간 12.6퍼센트 하락했음을 보여준다. 새로이 자영업 근로자가 된 대부분의 사람들이 연간 1만 8천 달러에도 한참 못 미치는 돈을 벌고 있다. 그리고 이 금액으로는 현재 미국 경제에서 한 가족을 부양하기가 매우 어려운 상황이다.

젊은 전문직 종사자들은 회사와 무관하게 자신의 경력을 계획하고 이력을 쌓아나가고 외부와의 접촉을 유지함으로써 새로운 기회가 찾아왔을 때 혹은 회사가 그들을 버릴 때 언제든지 옮길 수 있도록 준비하고 있어야 한다는 적극적인 조언을 듣는다. 이제 막 경력 관리를 시작한 젊은이들에게 해주는 조언이 이런 것이다. "어떤 직업이든 당신이 자영업자라는 마음가짐으로 대하라."

회사가 직원들에게 거의 가족과 같았던 것이 그리 오랜 옛날이 아니다. 인간미 없고 덧없는 세상에서 회사는 매우 중요한 지원을 제공해 주었다. 좋은 직장은 수입 그 이상의 것을 의미했다. 그것은 정체성의 원천이었으며 오래도록 지속되는 소중한 관계의 원천이었다. 이제 그런 세상은 갔고 덕분에 가족 자체에 훨씬 더 많은 부담이 지워지고 있다. 현대의 직업 시장에서는 정규직이냐 아니냐 하는 것이 화이트칼라와 블루칼라의 차이보다 훨씬 중요하다. 이러한 체제는 당신이 체제로부터 무엇인가를 얻어낼 수 있을 때 얻어내야 한다는 자세를 갖게 만든다. 당신 스스로를 돌보라. 누구도 당신을 돌보지 않을 테니까.

미국식 구조조정을 강요당하는 유럽

—

마치 악성 암세포가 퍼져 나가듯이 미국의 기업들과 금융 시장의 특징을 이루는, 제대로 기능하지 않는 가치와 동력이 유럽과 아시아로 확산되고 있다. 전통적으로 유럽이나 아시아의 기업들은 자신의 종업원에 대해, 그리고 자신들이 몸담고 있는 지역 사회에 대해 어느 정도는 책임의식을 갖고 있다고 알려져 왔었다. 1994년 5월까지 유럽에 불어닥친 기업 구조조정(미국에서의 그것과 유사한)은 유럽의 실업률을 10.9퍼센트까지 밀어 올렸다. 그 실업률은 그 자체만으로도 매우 높지만 그 안에 더욱 심각한 역기능이 숨어 있을 수 있다. 지속적인 실업은 사회 불안을 증가시키고, 인종 갈등을 악화시키며, 이민자에 대한 거친 반발을 야기한다. 실업은 특히 젊은 세대에 격심하게 나타난다. 이들의 실업률은 일반의 두 배에 달하고 계속해서 증가하고 있다. 유럽의 10대 청소년 3천 명을 대상으로 한 조사에서, 그들이 "자신의 경제적 미래에 대해 혼란스러워하고, 마음이 약해져 있는 상태이며 괴롭게 생각한다."는 사실을 발견했다.

기업 미디어의 선전 기관들은 기업의 과도한 세계화로 인해 생겨나는 모든 부당함을 그보다 더 극단적인 것으로 돌려막아 먼저 것을 오히려 정당한 것처럼 보이게 하는 데 매우 재빠르다. 《이코노미스트》는 유럽의 실업률이 미국의 실업률보다 평균적으로 3퍼센트 더 높다는 사실을 지적하면서 다음과 같이 경고했다.

"어떤 무역 장벽도 부유한 세계에서 노동을 개혁하고 있는 기술의 변화를 막아내지는 못할 것이다. 또한 무역 전쟁으로 구제되는 일자리보다 파괴되는 일자리가 더 많을 것이 분명하다."

《이코노미스트》는 유럽에 미국을 모방할 것을 조언하면서 "실업자들이 일자리를 구해야 한다는 필요성을 별로 못 느끼게 하는 사회 안전망, 청년들의 일자리를 오히려 앗아가는 최저 임금제, 노동의 수요를 줄이는 고용주들의 사회 보장 부담금, 그리고 일단 채용한 근로자의 해고를 불가능한 것은 아니지만 몹시 어렵게 만들어" 기업들이 신규 고용을 꺼리게 하는 엄격한 〈고용자 보호 규정〉을 없애거나 줄여야 한다고 주장했다. 이 정책을 시행한 결과 미국에서 일자리의 질이 저하되고 있음을 지적하는 사람들에게, 《이코노미스트》는 즉석에서 이렇게 대답했다.

무엇이든 나쁘게 보는 비관론자들은 너무나 많은 사람들이 시간제와 임시직으로 일하며 형편없는 저임금을 받고 있다고 말한다. 비숙련 근로자들의 실질 임금은 지난 10년간 계속해서 하락해 왔다. 그럼에도 유럽과 비교해볼 때 이는 성공의 표시로 간주하는 것이 마땅하다. 이는 실패가 아니라 제대로 기능하고 있는 노동 시장의 한 예로 보아야 한다. 제조업이 쇠퇴하면서 미국과 유럽은 모두 비숙련 노동력에 대한 수요 침체에 직면했다. 미국은 이들 근로자들의 상대적 임금 하락을 용인했고 덕분에 사라진 일자리는 소수에 불과했다. 이와 반대로 유럽 근로자들은 피할 수 없는 운명을 거역하고 자신들에게 너무 지나친 값을 매긴 나머지 그들을 고용할 사람이 아무도 없는 것이다.

간략히 말해서 유럽의 실업 문제는 빈곤층에 과도한 임금을 지불하고, 부유층에 세금을 징수하며, 유럽 기업들의 뼈를 깎는 구조조정의 단행을 제한한 데서 비롯되었다는 뜻이다. 《이코노미스트》 사설은 또한 유럽의 여러 나라들이 최저 임금을 낮추고, 급여세(종업원에게 지급된 임금·급여 총액을 기초로 고용주에게 과하는 세금)를 삭감하고, 고용 보호법을 완화하고 있는 움직임을 희망의 신호라고 지적했다. 《비즈니스 위크》도 이와 비슷한 충고를 했다.

일단 경제가 하강기에 들어선 상태에서 유럽의 경쟁력을 유지하기 위해서는 더 많은 저부가가치 제조업 일자리를 동유럽이나 다른 어딘가로 이전해야 한다. 그리고 높은 임금과 법인세, 짧은 근로 시간, 노동의 부동성, 사치스런 사회 보장 제도에 대해 꾸준히 타협점을 찾으면서 농업에 대한 지원도 줄여 나가야만 한다. 만약 유럽이 이 처방을 따르지 않는다면, 현재 그들이 겪고 있는 경기 후퇴가 단지 순환하는 것이 아니라 아예 그들의 운명으로 정착될 수도 있다. 무역 장벽을 세우는 것은 유럽인이 지켜야 하는 규율로부터 스스로를 격리시킬 뿐이다.

비록 미국보다 조금 뒤처져서 달리고 있기는 하지만 유럽에서 나타나는 이러한 움직임은 유럽의 정부와 기업들이 《이코노미스트》 식의 조언을 귀담아듣고 있음을 보여준다. 그것은 곧 현재 유럽을 좀먹고 있는 실업, 인종 갈등, 사회 불안은 급속히 상승할 것이 거의 확실하다는 뜻이다. 그러면 아마도 《이코노미스트》가 나서서 유럽이 거둔 성공을 치하하리라는 것을 우리는 예상할 수 있다.

기업 제국을 건설하려는 사람들의 꿈이 빠르게 실현되고 있다. 세계적 체제는 한 국가에서 다음 국가로 기준을 일치시켜 나가고 있으며, 최소 공통분모를 향해 밑으로 치닫고 있다. 세계 금융 시장의 절대 명령에 의해 움직이는 글로벌 시스템이 가치를 두는 것은 오직 돈뿐이다. 최저 생활 임금과 번영하는 지역 사회, 건강한 환경에 특별한 관심을 갖고 그것을 끊임없이 요구하는 인간은 경제의 반갑잖은 짐이며 제거해야 할 비효율성의 원천이다.

인간의 행복한 삶은 사람과 지구, 문화와 공동체의 유대를 오로지 현재의 시장 가치로만 판단하는 약탈적 금융 시스템이 요구하는 경제 성장 같은 것으로는 확보될 수 없다. 결국 문제는 우리가 살고자 하는 삶이 어떤 것이냐로 귀결된다. 만일 우리가 돈보다 삶을 중시하는 사회를 원한다면 그에 따라 우리의 제도를 다시 창조해야만 한다.

제3부

새로운
식민주의 제국이
건설되고 있다

09
글로벌 지배를 꿈꾸는 자들

세계 경제는 전보다 좀 더 통합되었다. 하지만 그 방향으로 움직인다는 것
이지 통합이 완료된 것은 아니다. 완전한 통합은 오직 재화와 용역, 자본
과 노동력이 자유로이 이동하고, 각국 정부들이 기업의 국적에 상관없이
그들을 평등하게 대할 때 비로소 달성될 것이다. - 《이코노미스트》

세계적인 기업을 운영하는 사람들은 조직, 기술, 돈, 이데올로기를 가지고
세계를 하나의 통합된 경제 단위로 관리함에 있어 신뢰할 만한 노력을 기
울인 역사상 최초의 인물들로 기록될 것이다. 그들이 근본적으로 요구하
는 바는 국가 차원을 능가하고 그 과정을 통해 국가를 변형시킬 권리를 획
득하는 것이다. - 리처드 J. 바넷과 로널드 E. 멀러

1980-90년대는 인류 역사상 가장 급속하고 광범위하게 제도의 변혁
이 일어났던 시기였다. 이 변혁은 국경도 국적도 없이 비즈니스가 이
루어지는 새로운 세계 경제 질서를 모색하기 위한 의식적이고 의도
적인 것이었다. 거대한 기업 제국에 대한 전 지구적인 꿈, 고분고분
한 정부, 온 세계가 하나가 된 소비문화. 이와 같은 기업 자유의지론
에 대한 세계의 이데올로기적 헌신이 이 변혁을 이끌고 있다. 이 같
은 기업 식민화의 꿈이 세계 곳곳에 초래하고 있는 경제적, 사회적,

환경적 파괴에 맞서기 위해 우리는 우선 기업 자유화의 메시지가 무엇이며 그것이 어떤 식으로 전파되는지를 알아야만 한다.

"더 나은 선을 위해 기업에게 길을 내주어야 합니다."
—

새로운 경제 질서에 대한 비전을 가졌던 사람 중에 자기 생각을 가장 논리적으로 표현했던 인물은 소니 사의 창립자이자 회장였던 고 모리타 아키오이다. 미국의 종합 월간지 《애틀랜틱 먼슬리*Atlantic Monthly*》는 1993년 6월호에 모리타 회장이 당시 G7(선진 7개국) 정상회담의 동경 개최를 준비 중이던 일본의 지도자들에게 보낸 공개 서한을 실었다. 그는 이 편지에서 다음과 같이 말했다.

우리는 북미, 유럽, 일본 사이의 무역, 투자, 법률 등 모든 경제적 장벽을 낮출 수 있는 수단을 찾아보아야 합니다. 그 수단을 가지고 우리는 새로운 세계 경제 질서의 핵심을 만들어 가게 될 것이며, 이 새로운 질서에는 국경을 초월한 합의를 통해 절차와 법규가 통일된 세계적 비즈니스 시스템도 포함될 것입니다.

모리타는 계속해서, 자신이 보기에는 지금 이 시기야말로 지역의 문화와 지역 정체성의 상징들을 포함해 모든 지역적 이해관계가 자유 시장 체제를 가능하게 만들어 주는, 조금 더 나은 선善을 위해 길을 내줘야 하는 시기라는 점을 강조했다.

일본에서 쌀농사를 짓는 농부들은 언제까지나 시장을 닫아 걸어둘 수 없고, 일본의 기업들은 자신들의 생산 체제에서 외국의 부품 공급 업체를 배척하거나 소매점 진열대에 수입품이 올라가는 것을 막을 수 없을 것입니다. 그러나 미국인들 역시 일방적인 관세 장벽과 같은 방법을 동원해 노골적인 불공정 거래를 할 수는 없을 것입니다. 유럽인들 또한 그럴 자격도 없으면서 계속해서 어떤 자동차가 유럽산이니 아니니 하는 판단을 내릴 수는 없을 것입니다.

시간을 두고 우리는 재화, 용역, 자본, 기술, 그리고 인력이 북미, 유럽, 일본을 아무런 규제 없이 진정 자유롭게 이동할 수 있는 환경을 조성할 방법을 찾아야 합니다.

이러한 세계 질서 안에서, 외국인의 시장 접근 규제에 대한 불만은 초국가적 중재 위원회의 신속한 조사를 통해 해결점을 찾게 될 것이다. 이 중재 위원회는 불공정하다거나 불충분한 개방이라고 확인되는 부분에 대해 외국의 진입을 촉진할 구체적인 방안을 제시할 것이다. 반독점법을 통해 경쟁을 유지하려는 정부의 노력은 공동의 연구와 개발, 합작 생산 혹은 서로에게 도움이 되는 다양한 제휴 협력 관계 구축에 대한 기업들의 요구를 정부가 수용함으로써 상당 부분 완화될 것이다. 세계적 기업들이 최대의 이익이 나는 곳이면 세계 어디든지 재화와 자본을 자유로이 이동시키면서 정부는 통화 가치 등락으로 인한 위험성을 줄이기 위해 환율을 조정할 것이다.

이 주장에 담긴 메시지는 분명하다. 정부를 통해 행동하는 지역 주민들에게는 더 이상 그 지역의 이해관계 안에서 자신들만의 경제를 관리할 권리 따위는 없다는 것이다. 그 대신에 정부는 세계적 기업들의 요구에 부응해야만 한다. 모리타의 주장은 당시 미국의 경제 담당 국무차관 조지 볼의 주장과도 일치한다.

현대의 비즈니스 활동과 그 범위를 규정하기에는 국민 국가(nation-state, 국가의 주권이 동일 민족 또는 국민에게 있는 주권 국가로, 민족 국가라고도 함)의 정치적 경계는 너무 좁고 한정적입니다. 대체로 회사를 경영하면서 전 세계적 전망을 갖게 된 기업들은 재화뿐만 아니라 생산의 모든 요소들을 최대한 자유롭게 이동할 수 있는 세계를 선택하는 경향이 짙습니다.

IMF는 재화가 자유롭게 이동하는 것만큼 자본의 자유로운 이동을 보장하는 무역 협정의 중요성을 강조하기 위해 공식 회보에 쉘 인터내셔널 페트롤리엄 사의 수석 경제 분석가 디앤 줄리어스의 연구를 실었다. 이 글에는 다음과 같은 세 가지 제안이 담겨 있었다.

■ 외국 기업들은 그 지역의 산물을 수입함으로써 지역의 시장에 참여할 것인지, 아니면 그 지역에 생산 설비를 세우는 형태로 참여할 것인지에 대해 자유롭게 선택할 수 있어야 한다.
■ 국내의 기업이 자신의 국가 내에서 누리는 것과 똑같은 권리를 외국 기업에게도 부여해야 하며 또한 법 적용도 동일해야 한다.
■ 자신의 국가 내에서 국내 상사가 합법적으로 할 수 있는 일이면 외국 법인에게도 똑같이 허용되어야 한다.

부시 행정부에서 미국 통상 대표로 일했던 칼라 힐스는 이 목표에 자신이 얼마나 전념하고 있는지를 다음과 같이 설명했다.

"우리는 기업들이 현지 파트너를 통할 것을 요구받거나 자신들의 생산품을 정해진 비율만큼 반드시 수출할 것을 요구받는 일 없이, 그리고 열두 가지의 제약 조건을 모두 충족시키지 않고도 해외 투자가 가능하기를 원합니다."

이는 업계에서 광범위하게 공유하는 견해이다. 1990년대 《하버드 비즈니스 리뷰》에서 기업체 임원들을 대상으로 실시한 국제적인 조사에 따르면, 25개국 1만 2천 명의 응답자들은 국가 간에는 자유 무역이 이루어져야 하며 자국의 기업에 대해서는 가능한 한 최소한의 보호 조치만 남겨두어야 한다는 의견에 상당한 표차로 동의를 했다. 해외로 눈을 돌리기보다 자신의 모국에서의 비즈니스에 전념해야 한다거나, 세계의 다른 나라로 설비를 옮기는 것에 대해 장벽을 세워야 한다는 것에 대해서는 그와 비슷하게 반대 의견이 우세했다.

기업 제국을 건설하려는 사람들은 빠르게 자신들의 꿈을 실현해 나가고 있다. 1965년부터 1992년까지, 세계 경제 산출량 중에 국가 간의 교역이 차지하는 비중은 9퍼센트 조금 못 되는 수치에서 19퍼센트 조금 못 되는 수치까지 증가했다. 전반적으로 교역량은 경제 산출량 증가에 비하면 거의 두 배 가까이 증가하는 추세에 있다. 1983년부터 1990년까지 전 세계의 해외 투자는 세계 생산량의 네 배, 세계 무역보다 세 배나 빠르게 증가했다. 그 결과 《이코노미스트》는 1980년부터 지금까지 가장 빠르게 성장해온 분야는 바로 〈해외 투자〉 분야라는 결론을 내렸다. 단 500개의 기업이 세계 무역의 70퍼센트를 지배하고 있으며, 단 1퍼센트의 다국적 기업이 해외 직접 투자액 총액의 절반을 차지한다는 사실을 생각하면, 《이코노미스트》는 몇몇 다국적 기업들이 세계 경제에서 자신들의 지배력을 공고히 하는 정도에 의해 경제 성장을 측정하고 있는 것처럼 보인다.

무용지물이 된 경제 국경
—

기업이 국가적 이해관계를 초월하여 성장해 왔다는 주장은 이제 기업 경영진들에게 자부심과 원칙의 문제가 되었다. "NCR(National Cash Register, 세계 최초로 금전 등록기를 개발한 회사)은 미국 기업이 아니다. 우연히 미국에 본부를 두게 된 세계적 기업이다."라고 《뉴욕 타임스》에 자랑스럽게 밝힌 그 회사의 최고 경영자 찰스 엑슬리의 말은 그런 생각을 보여주는 전형적인 예다. IBM 세계 무역회사(IBM이 전액 출자한 자회사로 범세계적 마케팅 활동을 담당함) 수석 부사장 C. 마이클 암스트롱은 "IBM은 미국 기업으로서의 정체성을 벗는 데 어느 정도는 성공을 거두었다."고 말했다.

이것은 그저 변죽만 울리는 언사가 아니다. IBM 저팬은 1만 8천 명의 일본 근로자를 고용하고 있으며 미국에까지 컴퓨터를 수출하는 일본의 주요 컴퓨터 수출 회사이다. 1993년 미국 제너럴 모터스 사는 일본 도요타 자동차와 협정을 체결했는데, 그 내용은 제너럴 모터스가 도요타의 브랜드를 달고 나올 자동차를 미국에서 연간 최대 2만 대까지 생산해 일본에 수출한다는 내용이었다.

사실, 제품 내용물의 국적이 어디냐 하는 문제는 이제 너무 복잡해져서 확실히 단언한다는 게 거의 불가능한 일이 되었다. 심지어 해당 기업들조차 자기네 생산품의 몇 퍼센트가 어느 나라에서 생산되었는지 알고 있는 것 같지도 않고, 그런 문제에 특별히 신경을 쓰는 것 같지도 않다. 1990년대에 《비즈니스 위크》는 커버스토리에 다음과 같은 기사를 실었다.

자신들의 모국을 완전히 벗어난 기업이 얼마 되지는 않지만 〈국적 불명〉의 기업 형태를 지향하는 흐름은 이제 명백하다. 이 흐름을 따라가는 유럽, 미국, 일본의 대기업들은 현재 다중의 정체성과 다중의 충성심을 최대한 효율적으로 조율하는 방법을 배우고 있다. 이들 세계적 기업들은 자신들이 어디에서 사업을 벌이고 있든 간에, 내부자들을 닮아가는 카멜레온 같은 능력을 개발하는 중이다. 이와 동시에 그들은 자사의 공장과 실험실을 국경에 상관없이 전 세계로 옮기고 있다.

다시 말해 일상적인 회사 경영에서 세계 최대 기업들은 국가적 이익이나 지역의 이해관계와 상관없이 오로지 자신들의 손해와 이익만을 생각하고 거기에 충성을 바친다.

국가national 기업에서 초국가transnational 기업으로 옮겨가는 전이 단계에 많은 기업들이 스스로를 다국적multinational 기업이라고 칭한다. 이는 그들이 각각의 국가에서 비교적 자율적인 생산 체제와 판매 시설을 유지하면서, 동시에 지역에 뿌리를 내려 그 지역 내에서 훌륭한 지역 시민으로 활동하면서 여러 나라들의 정체성을 받아들이는 것을 의미한다. 글로벌화한 기업들은 서로 밀접하게 연결되어 있을 수 있지만 자신들이 사업체를 운영하는 개별적인 지역의 경제에 깊숙이 통합되어 있는 것도 사실이다. 이 시기에는 많은 기업들이 어느 정도 지역의 시민으로 역할을 했다.

하지만 구조조정 프로그램과 자유 무역 협정은 경제적 국경을 점점 더 쓸모없는 것으로 만들었고, 세계적 경영을 하는 대부분의 기업들은 의식적으로 초국가적 성격을 띠게 되었다. 세계적으로 통합된 공급망을 중심으로 기업 경영 전략을 짜는 것도 흔히 여기에 포함된다. 예를 들어 오티스 엘리베이터가 승강기 시스템을 개선하는 일에 착수했을 때 이들은 구동 장치 디자인은 일본과, 출입문 시스템은 프랑스와, 전자 기술 부분은 독일과, 소형 기어 부품은 스페인과 각각 계약을 체결했다. 그리고 각각의 시스템을 통합하는 작업은 미국에서 맡았다. 그들의 목표는 국적에 대한 고려를 떠나서 세계적 차원에서 이루어지는 조달을 한 곳으로 집중시킨 중앙 집중식 경제를 극대화하는 것이었다.

초국가적 기업들이 지역 시민으로서의 자신의 역할을 강조하는 선택을 할지도 모르지만, 이는 그런 입장을 취하는 것이 자신들의 목적에 부합하는 경우에 한해서이며 지역에 대한 충성 맹세는 어디까지나 일시적인 것이다. 그들은 오직 모국 정부에 세금 감면과 연구 지원금을 요구하거나 혹은 글로벌 마케팅과 투자 이익에 영향을 미치는 협상에서 정부의 대표성이 필요할 때만 자신들의 몸을 국기로 휘감고 국가적 경쟁력을 강화하는 데 자신들이 얼마나 깊은 의무감을 갖고 있는지를 고백한다.

개개의 시장에 대한 보호가 클수록 세계적 기업들은 시장에 접근할 권리를 획득하기 위해 각 지역에서 제품을 생산하고 스스로를 지역 경제에 통합시키면서 좀 더 다국적 형태로 기능할 수밖에 없다. 하지만 지역 시장이 세계 경제에 개방되면서 기업은 임금, 시장 잠재력, 고용 기준, 세금, 환경 규제, 설비 및 인적 자원에 관한 지역적 차이를 이용하는 것이 가능해지고 따라서 더 많은 수익을 올릴 수 있게 된다. 이는 각 기업들이 생산 비용이 가장 낮은 곳에서 제품을 생산하고, 가장 많은 수익을 올릴 수 있는 곳에서 제품을 판매하며, 수익은 세금 부담이 가장 낮은 곳으로 이동시키는 글로벌 경영 전략을 수립하는 것을 의미한다. 한 나라에서 다른 나라로 생산 과정을 이동시키는 능력은 특정 지역의 협상 능력을 약화시키며, 권력의 중심 또한 그 지역 사람들의 이해관계에서 세계적 기업의 이해관계로 넘어간다.

기업들이 그러한 이득을 좇아 각 지역 간에 자본, 재화, 용역, 인적 자원을 보다 자유롭고 손쉽게 이동시키게 될수록 기업 투자자를 끌어들이기 위해 지역이 감당해야 하는 경쟁적 압박은 더욱 가중되어 기업의 사회적 비용, 환경적 비용, 여타 생산 비용을 그 지역이 고스란히 떠안게 된다. 시장이 더 커지고 더 개방될수록 그렇잖아도 이미 충분한, 그리고 어떻게든 지역적 차이를 이용해 수익을 늘리는 데 민첩함을 보이는 기업의 수익 창출 기회는 더 커지며, 특정 지역에 여전히 뿌리를 내리고 지역의 법규를 지키는 소규모의 지역 기업에 대한 이들의 경쟁적 우위 또한 더욱 커진다.

미 의회 산하 기술평가국이 실시한 다국적 기업들에 관한 최근의 연구는 다음과 같은 보고를 했다.

다국적 기업들은 국경과 무관하게 광범위하게 걸쳐 있기 때문에 국가적 목표를 추진하기보다 주로 성장, 수익, 기술 특허, 전략적 제휴, 투자 수익률, 시장 장악력과 같은 기업 내적인 목표 추구에 더 관심이 있다. 만일 미국에서 사업체를 운영하고 제품을 판매하는 다국적 기업들이 미국의 연구와 과학 기술 기반, 고용, 생산 능력, 자본 자원에 어떠한 형태로든 기여하지 않는다면 미국(이 점에서는 다른 어떤 나라도 마찬가지지만) 경제는 경쟁력을 유지할 수 없을 것이다.

모든 국가의 이해관계는 꽤나 단순한 것이어야 한다. 양질의 일자리, 생활 수준의 향상, 기술과 산업의 발전, 근로자와 소비자의 권리보장, 그리고 자국뿐 아니라 지구 전체의 환경 보호 등이 그것이다. 하지만 이에 비해 다국적 기업의 이해관계는 상황에 따라 달라지고훨씬 더 기회와 연계되어 있다.

대체로 일본 기업들은 미국 기업에 비해 자국의 이해관계를 좀 더우선시한다. 미국 기업들은 아주 좁게 규정한 자신의 이해관계를 위해 국가의 이해관계를 거부하는 데 선두를 달리며, 유럽 회사들은 미국과 일본 사이 어디쯤 위치한다. 그러나 전체적인 경향은 기업 초국가주의로 향하고 있음이 명백하다.

정부 따윈, 필요 없다

맥킨지 앤드 컴퍼니 저팬의 전무이사를 역임한 오마에 겐이치는 새로운 경제 질서에서 많은 사람들에게 존경받는 또 한 명의 전문가이다. 수많은 사람들이 읽은 그의 책『국경 없는 세계*Borderless World*』에서 오마에는 정부가 국가 경제의 관리자로서 전통적인 역할에 집착하는 것은 전혀 무익하다고 충고했다. 그 이유는 국가 경제란 것이 더 이상 존재하지도 않기 때문이다. 예를 들어 정부가 존재하지도 않는 국가 경제를 활성화한답시고 금리와 통화 공급이라는 전통적인 수단을 사용하려 든다면 아마 수입에 대한 수요가 상승하고 그로 인해 수출이 증가한 다른 나라들에 일자리가 늘어나는 결과가 빚어질 것이다. 또한 만약 정부가 인플레이션을 억제하기 위해 금리를 올리면 외국 자금이 밀려들어와 정책을 의미 없는 것으로 만들어 버린다.

세계화는 정부의 수많은 정치적 역할들을 더 이상 쓸모없는 것으로 만들었다. 경영의 세계화를 이룬 기업들은 국가 경제와 외교 정책의 낡은 전제를 바탕으로 한 정부의 규제들을 일상적으로, 그리고 별로 힘들이지 않고 잘도 피해 나간다. 예를 들어 혼다는 오하이오 주에 있는 자사의 미국 공장에서 혼다 자동차 제품을 선적해 대만, 한국, 이스라엘로 운송함으로써 이들 국가의 일본산 자동차 수입 규제를 피해 갔다. 일본이 새로운 전기 통신 설비에 대한 입찰을 미국 업체에 개방했을 때, 캐나다의 노던 텔레콤 사는 자사의 수많은 생산 설비를 미국으로 이전하여 미국 업체 자격으로 결국 그 입찰을 따냈다. 로널드 레이건이 1986년 1월, 리비아에 대한 경제 제재를 선언했을 때 휴스턴의 엔지니어링 업체인 브라운 앤드 루트 사는 리비아 대수로 공사에 대한 1억 달러짜리 공급 계약을 영국의 자회사로 옮겨 체결했다.

오마에의 견해에 따르면 관료층의 적절한 대응은 불가피한 현실에 양보하는 것, 다시 말해 정부가 아무짝에도 쓸모없는 존재가 되었다는 현실을 받아들이고 길을 비켜주어 재화와 돈이 시장 원리에 의거해 자유로이 이동하게 해주는 것이다.

다국적 기업들은 요구 사항이 많은 전 세계의 소비자들에게 봉사하는 진정한 의미의 하인이다. 과거 정부의 역할은 전 세계에서 생산되는 재화와 용역을 자기네 국민들이 가장 저렴한 가격에 가장 폭넓게 선택할 수 있게 하려는 다른 나라들의 경제적 위협으로부터 자국 국민과 천연자원을 지켜내는 것이었다. 하지만 이제는 그것이 달라졌음을 정부가 제대로 인식하지 못할 때, 다시 말해 정부가 아직도 수세기 전에나 존재했던 무력 과시형 중상주의자처럼 사고하고 행동한다면 그들은 결국 투자를 위축시키고 국민을 빈곤에 몰아넣게 된다. 더욱 심한 경우 그들은 이제 막 떠오르는 세계 경제로부터 자국 국민들을 고립시키며, 그렇게 되면 국민들은 좌절된 희망과 산업 부진 속으로 꼼짝없이 빨려 들어가는 운명에 처하게 된다. 최근 동유럽에서 일어난 사건들이 보여주듯이 사람들은 – 시민으로서, 그리고 소비자로서 – 이제 더 이상 정부의 케케묵은 역할을 참아주지 않을 것이다.

오마에는 그러므로 제품이 어디서 생산되는지 따위에 신경 쓰지 않아도 된다고 소비자를 납득시키는 일에 정부가 좀 더 적극적으로 나서고, 글로벌 기업들과 함께해야 한다고 조언한다. 그는 어떤 제품이든 생산 비용은 최종 소비자 가격의 25퍼센트밖에 안 된다는 점을 자신의 주장을 뒷받침하는 근거로 제시했다. 사실상 오마에는 제품이 설사 다른 나라에서 생산되더라도 국가는 그 제품의 마케팅과 소비에 집중함으로써 고용 수요를 충족시킬 수 있다고 주장한다. 미국은 이미 오마에의 시각을 국가 경제의 구성 원리로 폭넓게 수용했다. 이제 석유를 제외하고 미국 시장에서 팔리는 재화의 30퍼센트를 외국 기업들이 공급하고 있다. 1980년대 초의 15퍼센트에 비하면 상당히 증가된 수치다. 그동안 미국은 실업률 상승과 임금 하락으로 고통받으며 세계의 으뜸가는 국제 채무국이 되었다.

만약 인간이 정녕 소비자에 불과하다면 오마에의 주장에도 일리가 있을지 모른다. 하지만 인간은 그밖에도 다른 가치와 역할들을 가지며, 그것이 우리로 하여금 어떤 제품이 어디에서 생산되고 지역의 경제가 어떤 규칙에 의해 지배되고 있느냐 하는 문제에 타당하면서도 실질적인 관심을 갖게 한다. 인간의 이해관계와 기업의 이해관계는 다르다.

경쟁의 제단에 제물로 바쳐지는 사람들

—

글로벌 경제가 창조한 역동성은 지역 간의 경쟁을 기업 간의 경쟁만큼이나 실재하는 것으로 만들었다. 사우스캐롤라이나 주의 무어 카운티는 세금 감면, 느슨한 환경 규제, 고분고분한 노동력을 약속하면서 노동조합이 결성된 미국 북동부의 산업 도시들로부터 수많은 대규모 제조사들을 꾀어내어 1960년대와 1970년대의 경쟁 입찰에서 대승을 거두었다. 프록터 사일렉스는 이 유혹에 넘어간 회사들 중에 하나였다. 후에 프록터 사일렉스가 이 지역에 생산 공장을 확장했을 때, 무어 카운티는 이 회사가 필요로 하는 하수 시설과 급수관 설비를 갖춰주기 위해 550만 달러의 지방채를 발행했다. 공장 인근에 거주하는 주민들이 그때까지 수돗물을 비롯한 기본적인 공공 서비스 없이 살고 있었음에도 말이다. 그 뒤 프록터 사일렉스는 멕시코가 이에 뒤지지 않는 조건들을 제시하자 다시 공장을 옮겼다. 그러자 무어 카운티에는 800명의 실업자와 땅에 묻은 유독성 폐기물 드럼통, 그리고 회사가 필요로 하는 공공 설비 건설을 지원하기 위해 발행한 공채만이 남았다.

미국인들은 세계적 경쟁력을 위해 자신들이 무엇을 감수해야 하는지에 대한 답을 얻기 위해 멕시코 국경 너머까지 갈 필요가 없다. 마킬라도라maquiladoras가 그에 대한 충분한 답이 되기 때문이다. 마킬라도라는 미국과 국경을 공유하는 멕시코 쪽 자유 무역 지대에 있는 조립 공장들을 일컫는다. 이 지역은 제너럴 일렉트릭, 포드, 제너럴 모터스, GTE 실바니아, RCA, 웨스팅하우스, 하니웰 등 미국 시장에 비해 생산 비용이 낮은 지역을 찾는 수많은 미국의 기업들을 끌어들이는 초강력 자석이 되었다.

성장은 폭발적이었다. 1980년 마킬라도라에 위치한 620개 공장이 고용한 근로자의 수는 모두 11만 9,550명에 달했고, 1992년에는 2,200개의 공장에서 50만 명이 넘는 멕시코 근로자를 고용했다. 많은 공장들은 가장 현대적이고 생산성이 높은 기술과 설비를 갖추고 있었다. 그러나 현대적인 공장에서 일하는 멕시코 근로자의 생산성이 미국 근로자에 비해 뒤지지 않는데도 마킬라도라 공장 근로자들의 평균 시간당 임금은 1.64달러에 불과하며, 이는 미국 내 제조업체 근로자의 시간당 평균 임금 16.7달러와 비교할 때 터무니없이 낮은 금액이다.

초국가적 기업들이 선호하는 조건들을 유지하기 위해 멕시코 정부는 근로자의 독립 노조 결성권을 거부하고, 임금 인상률을 생산성 증가율에 훨씬 못 미치는 수준에서 동결했다. 결국 1992년 여름, 폴크스바겐 공장에서 일하던 1만 4천여 명의 멕시코 근로자들이 어용 노조가 사측과 합의한 내용을 거부하며 농성을 벌였다. 폴크스바겐은 농성에 참가한 근로자 전원을 해고했고 멕시코 법정은 사측의 조치를 지지했다. 1987년 멕시코에서 일어난 두 달간의 격렬한 파업 기간에 포드 사는 노동조합과의 협약을 파기하고 3,400명의 근로자를 해고했으며 임금을 45퍼센트 삭감했다. 근로자들이 이에 반대하는 노조 지도자들을 중심으로 집결하자 정부가 지배하는 어용 노조가 고용한 총잡이들이 공장에 난입해 근로자들에게 무차별 총격을 가했다.

느슨한 환경 규제 또한 또 하나의 매력이다. 미국회계검사원의 한 조사팀은 멕시코에 새로이 문을 연 여섯 개 미국 공장을 조사한 결과, 전부 필수적인 환경 면허 없이 운영되고 있었다고 의회에 보고한 바 있다. 또 다른 조사에서는 마킬라도라 지역에 엄청난 양의 유독성 폐기물이 버려진 채로 발견되었는데 이로 인해 강물, 지하수, 토양이 오염되었으며, 이것이 지역 근로자들 사이의 심각한 건강 문제와 그 지역에서 일하는 젊은 여성들의 기형아 출산을 유발하고 있다고 보고했다.

투자자들은 공장에 대한 재산세를 내지 않아도 되기 때문에 이들 지역에는 도로, 물, 주택, 하수도 등의 사회 기반시설이 턱없이 부족하다. 근로자들은 수 킬로미터 줄지어 늘어선 판자촌에, 폐자재로 얼기설기 엮어 만든 거처에서 하수 시스템도 없이 살아간다. 대부분의 집에는 수도도 없다. 근로자 가족들은 보통 유독성 화학물질을 담았던 용기라고 쓰여 있는 버려진 통에 물을 받아 저장한다.

후아레스에 있는 프론테라 노르테 대학의 발데스 빌랄바 교수는 이렇게 말한다.

공장에는 열네 살짜리 아이들이 조금 더 눈에 띄기 시작했습니다. 무리한 노동으로 인해 아이들은 기력이 소진된 상태였죠. 이들이 3, 4년 정도 그곳에 있었다면 노동의 효율성은 바닥을 칠 겁니다. 또 그들의 시력에도 문제가 생기기 시작했습니다. 알레르기도 생겼고 신장에도 이상이 보이기 시작합니다. 그들의 생산성은 점점 떨어지고 있습니다.

아이들을 포함한 멕시코의 근로자들은 기업 자유의지론자들의 시각으로는 새로운 경제 질서의 영웅들이다. 그들은 세계적 경쟁의 제단에 자신들의 건강과 삶, 미래를 바쳤기 때문이다.

모든 세계적 기업들이 멕시코에 자리 잡은 것은 아니다. 1993년 사우스캐롤라이나 주는 해외 투자자들을 유치하기 위해 기울인 적극적인 노력으로 역시 유력 비즈니스 잡지들로부터 칭송을 받았다. 사우스캐롤라이나가 거둔 가장 큰 승리는 새로운 BMW 생산 공장 건설의 입찰에 성공한 것이었다. BMW 사는 사우스캐롤라이나에 4억 달러에 달하는 생산 설비를 갖춘다는 결정을 내리기에 앞서, 세계 10개국 250개 지역이 제출한 신청서를 검토하는 데만 3년이란 긴 세월을 소비했다. 《비즈니스 위크》에 따르면 사우스캐롤라이나가 BMW 임원들을 사로잡은 것은 온화한 기후, 연중 어느 때나 즐길 수 있는 골프, 만만한 가격에 구할 수 있는 저택이 수없이 많다는 점이었다고 한다. 그 지역의 값싼 노동력과 낮은 세금, 그리고 노동조합 행위가 극히 제한되어 있다는 점도 그들의 마음에 들었다. 수많은 중산층 가정이 이미 터를 잡고 살고 있는 약 400만 평방미터 규모의 토지를 BMW가 마음에 드는 지역으로 손꼽자, 주 정부는 140여 채의 주택을 매입하고 그 지역을 연간 단 1달러의 금액에 BMW에 임대하기 위해 총 3,660만 달러를 썼다. 또한 주 정부는 새 공장에서 일할 근로자의 모집, 선발, 훈련에 드는 비용을 일체 부담했고, 새로이 고용된 엔지니어들을 독일로 연수를 보내는 데 드는 추가 비용 280만 달러까지 민간에서 조달해 부담했다. 사우스캐롤라이나 주의 납세자들이 BMW 사를 유치하기 위해 사용한, 여타 보조금을 포함한 총비용은 약 30년 동안 1억 3천만 달러에 달할 것이었다.

이는 지역 납세자들이 주요 세계적 기업의 생산 비용을 어떻게 부담하고 있는지를 보여주는 아주 전형적인 예다. 1957년에는 지방 재산세 수입의 45퍼센트를 미국의 기업들이 제공했다. 그러나 1987년에 이르자 그들의 지분은 약 16퍼센트로 떨어졌다. 1994년 민주 지도자 회의 진보 정책 연구소에서 실시한 연구 결과에 따르면, 미국 내 기업들에게 주어진 불공정한 보조금과 세금 혜택으로 보이는 금액은 5년에 걸쳐 무려 1,110억 달러에 달했다. 추세는 분명하다. 세계 최대의 기업들이 세금은 전보다 더 적게 납부하고 보조금은 더 많이 받아 챙기고 있는 것이다.

기업의 사적 이윤을 늘리기 위해 지역에 사적 비용의 처리를 떠넘기며 강요하는 것, 이것이 현재 작동 중인 세계적인 경쟁 시장이다. 글로벌 경쟁 게임은 이제 필요한 장비를 다 갖추었다. 이 게임은 기업과 사람들을 경쟁 속에 몰아넣고, 결과는 거의 언제나 사람들의 패배로 끝난다.

금융 관련 잡지들과 글로벌 경제의 입안자들이 체결한 협정문을 진지하게 읽어보면, 세계적 몽상가들이 생각하는 이상적인 세계란 다음과 같은 특징을 갖고 있음을 깨닫게 된다.

■ 세계의 부, 기술, 시장은 거대한 세계적 기업들이 지배하고 관리한다.
■ 세계 공통의 소비문화가 물질적 만족이라는 공동의 목표 아래 모든 사람들을 통합시킨다.

■ 가장 유리한 조건으로 투자자들에게 서비스를 제공하기 위해 근로자들 사이에 그리고 각각의 지역들 사이에는 철저한 글로벌 경쟁이 존재한다.

■ 기업들은 국가적 혹은 지역적 결과에 상관없이 오로지 이윤에 입각하여 자유롭게 행동할 수 있다.

■ 관계는 그것이 개인 간의 관계이든 기업 간의 관계이든 간에 전적으로 시장이 규정한다.

■ 지역과 지역 공동체에 대한 충성심 따위는 존재하지 않는다.

쉽게 얻을 수 있는 무제한의 풍요에 대한 약속으로 꾸며진 글로벌 경제에 대한 전망은 사람을 도취시키는 매력을 지니고 있다. 그러나 우리는 매력적인 표면 아래에서 현대적인 형태의 주술을, 유혹의 말들을 발견한다. 이 말들은 사회를 유혹하여 시장을 자유롭게 하고, 지역 공동체를 약화시키며, 기업의 부를 창조하기 위해 사람들의 생계 수단을 파괴하고, 필요하지도 않고 만족감을 주지도 못하는 소비를 부추기기 위해 삶을 파괴한다. 기업 자유의지론자들은 우리에게 그런 믿음을 심어주려 기를 쓰지만 우리를 부르는 유혹적인 그 멜로디는 인간의 영향력이 미치지 않는, 거스를 수 없는 역사의 힘이 창조해낸 것이 아니다. 그 선율은 스트라토스 거주자들의 잘 훈련된 목소리에서 나오는 것이며, 이들은 대부분의 인류는 절대로 뛰어넘을 수 없는 거대한 간격 저 너머 구름 위 도시에서 우리를 큰 소리로 부르고 있다.

10
엘리트들만의 결탁

우리가 원자재를 쉽게 손에 넣고 값싼 노예들의 노동력을 이용하고 싶으면 새로운 영토를 찾아야만 한다. 그래야 식민지 원주민들을 얼마든지 마음껏 부릴 수 있기 때문이다. 식민지는 또한 우리가 공장에서 생산해낸 잉여 상품들을 처리하는 쓰레기장도 되어줄 것이다. – 로데시아의 설립자, 세실 로즈

서구가 충분한 성장을 유지하려면, 적절한 고용 수준을 유지하려면, 서구 정부들이 긴급한 사회적 문제들을 해결할 수 있으려면, 이 세계의 보다 빈곤한 지역에서 강력한 성장이 일어나야 할 것이다. – 펠릭스 로하틴

기업의 세계화corporate globalization*라는 의제가 어떻게 고안되었고 어떻게 공적 담론의 바깥에서 널리 추진되어 왔는가를 이해하는 것이 우리의 연구에 도움이 될 듯하다. 그것은 그저 극소수 엘리트 집단이 비밀리에 모여 앉아서 세계를 접수하기 위한 종합 계획을 짜내

* 기업이 이익을 극대화하기 위해 경영 활동의 영역을 본국의 기반을 넘어 전 세계적으로 확장하는 것으로, 생산, 판매, 연구 등의 모든 활동들이 세계적 차원에서 계획, 조정, 통합되는 현상을 말한다.

는 그런 문제가 아니다. 그것은 오히려 여럿이 함께 참여하는 문화 형성 과정 혹은 네트워킹과 더 많이 닮아 있으며 이 과정을 통해서 개인들 간의 그리고 집단 간의 제휴가 생겨나고 진화한다. 하지만 실질적으로 보아 음모 같은 건 없었음에도 결과는 마치 음모가 있었던 것만 같다.

이 장에서 우리는 경제 세계화를 지지하는 합의 형성 과정에 기여한 세 개의 주요 포럼을 간략하게 살펴볼 것이다. 즉, 외교협회Council on Foreign Relations, 빌더버그 회의the Bilderberg, 삼각위원회Trilateral Commission가 바로 그것이다. 이 세 가지 조직은 비단 이 과정에서만 중요한 역할을 한 것이 아니다. 정계, 재계, 언론계, 학계의 핵심 인물들을 하나로 모아 우리의 가장 유력한 기관들을 경제 세계화 의제에 발맞추게 한다는 합의를 이끌어내는 과정에서도 이 세 개의 포럼은 매우 두드러진 역할을 했다.

미국을 세계 경제의 운전석에 앉힌 외교협회

—

미국에서 경제 세계화를 향해 나아가는 기류의 뿌리를 찾으려면 제2차 세계대전에 앞서 일어났던 대공황이 남긴 상흔으로 거슬러 올라가야 한다. 미국의 정책을 결정하는 엘리트들은 다시는 그와 비슷한 일이 일어나지 않도록 하는 데 깊은 관심을 가지고 있었다. 그리고 어떻게 하면 이를 성취할 수 있느냐에 관해 두 가지 우세한 견해가 있었다. 하나는, 만일 그 견해를 따랐더라면, 정부의 강력한 시장 개입을 포함해 큰 틀에서의 미국 경제에 대한 개혁을 필요로 하는 것이었다. 다른 하나는 미국의 경제가 해외의 시장과 원자재에 충분히 접근할 수 있게 함으로써 시장 개혁 없이도 완전 고용을 유지하는 데 필요한 경제의 지속적인 팽창을 이뤄낼 수 있다는 생각이었다. 외교 협회와 관련되어 있는, 대외 정책을 입안하는 소수의 엘리트들을 비롯해 권력자들 사이에서 단연코 더 인기 있는 대안은 후자였다.

미국의 기업 및 대외 정책 수립을 담당하는 주요 구성원들이 만나게 되는 외교협회는 자신들의 모임의 성격을 서로 대립되는 의견을 개진할 수 있는 곳, 리더와 아이디어의 산실이라고 일컬었다. 이 조직의 활동은 구성원들 간의 만찬 모임과 연구 프로그램을 중심으로 하는데 종종 세계적으로 영향력 있는 인물들이나 대외 정책 전문가들이 참여하기도 하며, 회합은 구성원들 간에 오프 더 레코드를 전제로 한 솔직한 토론이 장려되는 분위기에서 이루어진다. 자신들이 발간하는 영향력 있는 잡지, 《포린 어페어스Foreign Affairs》역시 이와 유사하게 대외 정책 관련 중요 안건들에 대한 공개 토론의 장이라는 형식을 띤다.

경제 세계화의 뿌리를 찾는 우리의 탐구에 특히 중요한 이 협회의 역사는 제2차 세계대전이 발발한 지 2주가 조금 못 되었던 1939년 9월 12일에 시작되었다. 그날, 협회의 임원인 월터 맬로리와 《포린 어페어스》의 편집자 해밀턴 암스트롱은 국무 차관보이자 협회 일원인 조지 메서스미스와 워싱턴에서 만났다. 그들은 전쟁의 장기적인 문제와 평화 계획에 관해 국무성과 긴밀한 협력 관계를 유지하는 가운데 협회가 수행해야 할 장기 계획의 윤곽을 잡았다. 이 협회 소속의 대외 정책 전문가들로 구성된 전쟁과 평화를 연구하는 몇몇 집단은 기밀에 속하는 전문가 제안서를 작성해 프랭클린 루스벨트 대통령 앞으로 보냈다. 루스벨트는 뉴욕 주 주지사로 재직하는 내내 협회 본부 건물 바로 옆의 주택에서 살았고 루스벨트 대통령과 외교협회는 계속해서 긴밀한 관계를 유지했다. 바로 그 역사의 순간에 미 국무성에는 그러한 연구들을 수행할 자금과 인물이 부족했기에 국무성 지도자들은 협회의 제안을 받아들였다. 전쟁이 끝날 때쯤 이 같은 파트너십을 기반으로 정부에 보내는 682개의 비밀문서가 작성되었고 이들 중에는 록펠러 재단에서 일부 자금을 대서 작성된 보고서도 있었다.

이렇게 해서 장기 계획을 세우게 된 입안자들은 독일과 일본의 패전과 전쟁으로 인한 유럽의 황폐화로 미국은 전후의 경제를 지배하는 확고한 위치에 올라서게 될 거라고 예상했다. 그들은 경제가 무역과 외국 투자에 문호를 개방할수록 미국은 더 손쉽게 세계 경제를 지배할 수 있을 거라고 믿었다. 이 논리에 입각하여 국무성과 협회가 공동으로 수립한 계획들은 개방된 세계 경제를 창조하기 위해 각 기관의 뼈대를 잡아가는 일에 역점을 두게 되었다.

1941년 4월 외교협회의 경제, 금융 소집단이 작성한 비밀문서는 전쟁 기간 중에 미국이 펼치는 선전의 주요 목적을 공식적으로 표명할 때 어떤 식으로 틀을 잡을 것인가에 관해 정부에 다음과 같은 제안을 했다.

만약 전쟁의 목적이 단지 앵글로 아메리카의 제국주의에만 관련된 것처럼 표명하면 이는 세계의 나머지 사람들에게는 아무것도 제공하지 못할 것이고 나치가 내놓는 역선전에 매우 취약할 수 있다. 그러한 목적은 또한 미국과 대영제국의 가장 반동적인 무리들을 강화시킬 것이다. 따라서 다른 사람들, 즉 유럽 국민들의 이해관계뿐 아니라 아시아, 아프리카, 라틴 아메리카 국민들의 이해관계도 강조되어야 한다. 이렇게 하는 것이 훨씬 선전 효과가 클 것이다.

1941년 7월 24일, 외교협회가 작성해서 대통령과 국무성 앞으로 보낸 문서 E-B34호는 〈대영역Grand Area〉의 개념을 강조했다. 이는 미국의 산업에 필요한 원자재를 최소한의 스트레스로 가장 수월하게 확보하기 위해 경제적, 군사적으로 지배해야 하는 세계의 지역을 의미했다. 이를 위해 필요한 최소한의 대영역은 독일을 제외한 대부분의 세계로 구성된다. 이들이 선호 지역으로 손꼽은 곳은 서반구, 영국, 그밖의 영연방 국가들, 네덜란드령 동인도 제도(현재의 인도네시아), 중국, 일본 등이다. 이 문서에서 강조한 개념은 이용 가능한 최대 핵심 지역의 경제 통합을 위해 노력하고, 상황이 허락하는 대로 다른 지역들을 이들 핵심 지역으로 흡수하면서 확장해 나간다는 것이었다.

이 문서는 또한 통화 안정과 후진국 및 저개발국 개발을 위한 자본 투자 프로젝트를 실행할 수 있는 세계적인 금융 기관의 설립을 공식적으로 요구했다. 이 권고안은 미국 재무성의 해리 화이트가 작성한 제안과 맥을 같이 한다. 이는 통화의 안정과 유동성을 유지해 무역을 용이하게 하는 일을 주 임무로 하는 국제통화기금, 즉 IMF와 흔히 세계은행으로 알려져 있는 국제부흥개발은행IBRD의 설립을 선도했다. 국제부흥개발은행의 임무는 후진국과 저개발 지역에 자본 투자를 가능하게 하고 개발을 위해 그들이 문호를 개방하게 만드는 것이다.

경제의 세계화에 관한 미국의 새로운 계획은 두 가지 기본 전제를 바탕으로 한다. 첫째는, 기존의 자본주의 경제 체제를 유지하기 위해서는 미국이 세계의 자원과 시장에 대한 최대의 접근 권한을 가져야 하며 그래야만 미국 국내의 완전 고용을 지탱할 만한 수출 흑자를 창출할 수 있다는 것이다. 그리고 둘째는, 글로벌화한 경제 내에서 미국식 경제 모델을 전 세계에 보급함으로써 세계는 평화와 번영 속에 하나로 통합된다는 것이었다. 만약 미국 스타일의 번영을 유지하는 것이 전 세계 대부분의 자원과 시장에 대한 접근권을 필요로 한다면, 그 권한을 가질 수 없는 다른 국가들이 미국의 경험을 따라하는 것은 애초에 불가능한 일이라는 명백한 모순에 대해서는 전혀 주의를 기울이지 않았다. 또한 저소득 국가의 수출 산업을 지원하기 위해 국제 개발 차관을 제공하는 행위의 모순점에 대해서도 분명 깊이 생각하지 않았다. 왜냐하면 저소득 국가들은 자신들에게 차관을 제공한 국가들을 대상으로 수출 흑자를 달성해야만 비로소 빚을 갚을 수 있기 때문이다.

설사 이런 문제들이 제기되었더라도 전쟁 수행의 위급함과 이 비전이 제시하는 강력한 이해관계가 이 문제들을 보이지 않는 이면으로 재빨리 밀쳐놓았을 것이다. 게다가 미국의 대외 정책 입안자들이 기대했던 것처럼, 미국은 제2차 세계대전이 끝나기가 무섭게 즉각 운전석에 앉았다. 미국의 대외 정책을 수립한 엘리트 집단은 미국이 새로이 발견한 권력과 세계에 대한 책임감에 사로잡혀 있었다. 그러니 다소의 교만은 아마도 불가피했을 것이다.

알려지지 않은 비밀의 회합, 빌더버그 회의

—

전쟁의 잿더미로부터 유럽의 탈출, 유럽 국가들 간에 정치 경제적 연합을 형성하겠다는 결정, 그리고 소련 공산주의 제국과 서구의 대결 등은 주도권을 잡겠다는 미국의 초기 계획을 확대해, 서구가 지배하는 세계 경제 체제에서 리더십을 발휘할 북대서양 지역 공동체에 대한 구상까지 포괄해야 한다는 긴급한 지상 명령을 던져주었다. 이는 또한 북대서양 국가들의 정책들이 조화롭게 조정되고 통합되는 메커니즘에 대한 분명한 필요성을 야기했다. 1949년에 결성된 북대서양 조약기구NATO와 1961년에 설립된 경제협력개발기구OECD와 같은 공식 기구들은 대중에게 이미 잘 알려져 있다.

이에 비해 조금 덜 알려진, 매우 강력하지만 참석자들의 면면이 알려져 있지 않은 비공식적인 집단이 있는데, 이들은 1954년 5월 북미와 유럽의 지도자들이 처음 회합을 가졌던 네덜란드의 우스터빅에 위치한 빌더버그 호텔의 이름을 따서 그냥 〈빌더버그〉라고만 알려져 있다. 그 이후의 빌더버그 회합과 그들이 육성한 관계들은 유럽연합EU을 진전시키는 데, 그리고 대서양 국가 지도자들 사이에 합의를 형성하는 데 결정적인 역할을 해왔다. 이 회합의 참가자들에는 국가 원수, 정치 지도자, 주요 기업가와 금융가, 지식인들, 노동조합원, 외교관, 그리고 이 회합의 취지에 동조를 표한 몇몇 유력 언론사 대표들도 포함되었다. 한 빌더버그 내부자는 다음과 같이 말했다.

"오늘날 대서양 양쪽 연안국 정부의 인물들 중에 이 회합에 한 번도 참여하지 않은 사람은 거의 없습니다."

미국의 아이젠하워 대통령은 백악관 국내 정책 담당이자 외교협회전 임원이며 회계 담당이었던 가브리엘 휴즈를 자신의 사적 위임자로 빌더버그 회의에 정기적으로 참석케 했다. 케네디 대통령은 국무성 내의 사실상의 모든 요직에 빌더버그 출신을 지명했다. 이를테면 국무장관 딘 러스크, 국무차관 조지 볼, 조지 맥기, 월터 로스토우, 맥조지 번디, 아서 딘이 바로 그런 사람들이다.

빌더버그의 창립자로 1960년에 세상을 떠날 때까지 평생 사무총장을 맡았고 유럽 통합의 선도적 지지자였던 조셉 레팅거는, 빌더버그 회의가 공식 토론장에서는 꺼내기 어려운 안건들에 대한 토론의 자유를 보장했다고 말한 바 있다.

참가자가 정부 요원이나 정당 지도자, 국제기구 혹은 상업 기구의 임원이라 하더라도 그가 어떤 말을 함으로써 자신들의 정부나 정당, 기구를 위험에 빠뜨릴 수는 없다. 빌더버그는 정책을 수립하지 않는다. 빌더버그의 목적은 합의까지는 아니라도, 다양한 의견을 청취하고 고려하여 주요 사안에 대한 공통된 입장을 찾으려 노력함으로써 의견의 차이를 줄이고 서로 상반되는 동향을 해결하며 이해를 증진하는 데 있다. 따라서 직접적인 행동은 한 번도 고려된 적이 없다. 빌더버그에서 발견한 것에 대해 책임 있는 위치에 있는 사람들의 주의를 끄는 것, 그것이 이 회의의 목적이다.

세 지역이 뭉친 삼각위원회

—

뒤이어 서구의 세력권 내에서 제3의 세력으로서의 일본의 부상은 북미, 서부 유럽, 일본이라는 세 지역의 경제적 이해관계를 통합하는 3각 동맹의 개념을 탄생시켰다. 이는 빌더버그 회합에서 주요 토론 주제로 종종 등장했던 개념이었다. 그 결과 일본을 포함하면서도 빌더버그보다 좀 더 형식적인 체계를 갖춘 새로운 포럼이 탄생하게 되었다.

1973년에 체이스 맨해튼 은행장 데이비드 록펠러와 즈비그뉴 브르제진스키에 의해 삼각위원회가 창설되었다. 즈비그뉴 브르제진스키는 1977년까지 이 위원회의 임원이자 조정관으로 활약하다가 지미 카터 대통령의 국가 안보 고문으로 발탁되었다. 삼각위원회는 스스로를 다음과 같이 설명했다.

위원회는 이들 세 지역의 리더로서 다양한 책임을 맡고 있는 대략 325명의 특별한 시민들로 구성된다. 삼각위원회가 창설되고 1973년부터 첫 3년 동안 무엇보다 당면한 목표는, 정부 간에 상당한 마찰이 빚어지고 있는 시기에 우리 세 지역이 직면하고 있는 공통의 문제를 함께 생각할 수 있도록 최고위급의 비공식 그룹들을 한데 모으는 것이었다. 그러나 더 깊숙한 곳에는, 미국은 이제 더 이상 제2차 세계대전 종전 초기에 누렸던 단일한 지도자의 위치에 있지 않으며, 이 국제적 체제가 앞으로 다가오는 중대한 도전들을 이기고 성공적으로 나아가기 위해서는 리더십을 보다 공유하는 형태─특히 일본과 유럽을 포함하는─가 필요하다는 인식이 깔려 있었다. 그리고 이 목표들은 위원회의 활동에 계속해서 영향을 미치고 있다.

비밀주의로 유명한 빌더버그와는 대조적으로, 삼각위원회는 공식적으로 구성원 명부와 출판물 목록을 공개하는 투명한 조직이다. 또한 그들의 간행물은 대중에게 판매할 수 있게 되어 있다. 빌더버그에는 수많은 국가 원수와 정부 최고 책임자들, 왕실의 일원들이 포함되어 있는 반면, 정부의 고위직을 맡고 있는 삼각위원회의 구성원들은 재직 기간에는 위원회에서 물러나게 되어 있다.

삼각위원회 구성원들의 집단적인 힘은 상당히 인상적이다. 구성원으로는 세계의 5대 비非금융권 다국적 기업 중 네 개 기업의 총수와 세계 6대 국제은행 중 다섯 개 은행의 최고 간부, 그리고 주요 언론 조직의 회장들이 포함된다.

미 대통령 지미 카터, 조지 부시, 빌 클린턴도 삼각위원회의 구성원이었고, 미 하원의 대변인을 맡았던 토머스 폴리도 그 일원이었다. 부통령 먼데일, 국무 장관 반스, 국가 안보 고문 브르제진스키, 재무 장관 블러멘탈을 포함한 카터 행정부의 수많은 핵심 요원 또한 빌더버그의 일원이자 삼각위원회의 구성원이었다. 삼각위원회의 구성원이었다가 추후에 클린턴 행정부의 요직을 차지한 인물로는 국무 장관 워런 크리스토퍼, 내무 장관 브루스 배빗, 주택 및 도시 개발부 장관 헨리 시스네로스, 미연방준비제도이사회 의장 앨런 그린스펀, 중앙정보국의 국가정보협의회 회장 조지프 나이 주니어, 보건사회복지부 장관 도나 샬랄라, 국무부 부장관 클리프턴 위튼 주니어, 국무부 정치 담당 차관 피터 타노프를 들 수 있다.

위원회가 성명서를 발간하기는 하지만 이들의 견해는 이들과 별 관계가 없는 여러 통로를 통해 세상에 널리 알려진다.《애틀랜틱 먼슬리》에도 실렸고 앞 장에서도 거론한 바 있는 소니의 회장 모리타 아키오의 3자 상호 협력주의에 대한 비전이 그 좋은 예다. 그 글이 출간되었을 때 모리타는 삼각위원회의 일본 측 대표였다.

결국은, 엘리트 그룹의 내부자 거래

—

외교협회, 빌더버그, 삼각위원회가 서로 경쟁 관계의 기업 총수들과 역시 경쟁적인 각국 정치 지도자들을 한데 모아, 대중은 절대 알 길 없는 합의 형성 과정과 비밀 토론을 이어가고 있다는 사실에 주목할 필요가 있다. 구성원들은 자신이 각 부문별로, 심지어는 국제적으로 다양한 스펙트럼을 대표하고 있다고 믿을지 모르지만, 실상 이것은 소수의 스트라토스 거주자에게만 제한된 폐쇄적이고 배타적인 과정이다. 참여자들은 주로 남성이고 부자이며, 삼각위원회의 일본 참가자들을 제외하고는 모두 북부 산업 국가 출신이며 백인이다. 다른 목소리들은 일체 배제된다.

이러한 결과에서 오는 시각의 협소함은 삼각위원회의 발간지에 자명하게 나타난다. 거기에 실리는 기사들은 노련하고 사려 깊은 전문가들이 작성하고 다양한 견해들이 소개된다. 하지만 그들이 내는 모든 간행물은 기업 자유의지론의 이데올로기적 전제를 의심의 여지없이 수용한다. 경제 통합의 이점들과 세금 감면, 법규, 삼각위원회 소속 국가들-궁극적으로는 모든 국가들-의 정책들의 조화는 마치 종교적 신조처럼 여겨진다. 토론은, 할 것이냐 말 것이냐의 여부가 아니라, 어떻게 할 것이냐에 집중된다.

기준을 일치시킨다는 것은 필연적으로 기준을 세우는 것을 의미하며, 오로지 국제적 협상을 통해 이루어질 수 있는 이 과정이 본질적으로 각 정부의 행정부처에 의해 비밀리에 이행되어야 한다는 사실에는 누구도 주목하지 않는다. 따라서 선거에 의해 선출된 국제 의회가 존재하지 않는 상황에서 기준의 일치를 요구하는 것은 민주적으로 선출된 국가의 입법부가 손을 뻗지 못하는 곳에서 비즈니스 운영에 관한 기준을 정하는 것이며, 그 결정권을 국제 협상에서 정부를 대표하는, 그러나 선거로 선출되지 않은 관료들의 손에 넘겨주는 것이다. 이러한 상황에서는, 특히 이들 관료들이 삼각위원회 멤버처럼 소수 엘리트 집단 출신인 경우에는 미리 짜고 치는 내부자 거래가 너무나 쉽게 이루어진다. 예를 들어 조지 부시 대통령 밑에서 통상 대표를 지내며 새로운 세계 무역 기구를 발족시키기 위한 관세 및 무역에 관한 일반 협정에서 핵심적인 역할을 했던 칼라 힐스도 삼각위원회 출신이었다.

조지 부시와 빌 클린턴이 삼각위원회 일원이었다는 사실은 북미자유무역협정과 관세 및 무역에 관한 일반 협정을 통과시키기 위해 미국이 기울인 열정적인 노력을 생각해볼 때, 어째서 공화당인 부시 행정부로부터 민주당인 클린턴 행정부로 넘어가는 과정이 그렇게 끊긴 데 없이 매끄러울 수 있었는지를 이해하기 쉽게 해준다. 북미자유무역협정과 관세 및 무역에 관한 일반 협정에서 많은 진보주의자들이 부시의 의제라고 간주하는 것을 추진한 클린턴의 지도력은 삼각위원회 소속의 동료들로부터는 높은 점수를 받은 반면, 무역 의제에 있어서 재계를 비롯한 대규모 단체들에 의해 국가의 운영이 장악되는 조합주의적인 시각이 그래도 부시보다는 덜할 것으로 기대하던 그의 핵심 지지층을 심각하게 소외시켰다. 이처럼 가장 근본적인 문제에서 선거 제도는 유권자들에게 단지 선택에 대한 환상만을 심어주었을 뿐이다.

엘리트들 간의 합의로 추진되고 있는 정책 행위들은 내부의 엘리트들이 지배 기구들을 장악하지 못하도록 막는 것을 그 목적으로 하는 민주주의 제도에 점점 더 공격을 가해올 것이다. 정책 토론에서 그들이 갖는 지배력은 우세한 이론에 대한 반대 의견을 제기하는 것조차 대부분 차단한다.

기업의 세계화는 인간의 이해관계와 관련이 있는 것도, 또한 불가피한 것도 아니다. 경제력과 정치력의 결탁은 자명한 사실이다. 경제의 단위가 커질수록 그것을 지배하는 참여자의 덩치도 커지며, 대규모의 기업에 더 많은 정치력이 집중된다. 기업과, 기업에 관계된 자들의 정치력이 커지면 커질수록 인간의 정치적인 힘은 작아지며, 민주주의는 더욱 의미를 잃어간다.

하지만 대안은 있다. 그것은 경제를 지역화하고, 경제력을 분산시키며, 민주주의를 인간에게 더욱 가까이 다가가게 하는 것이다. 그러나 스트라토스 거주자들이 자기들끼리 형성한 네트워크와 동맹들은 이런 사실을 명확히 밝히거나 대안을 추구하기를 꺼린다. 오히려, 우리가 다음 장에서 검토하겠지만, 스트라토스 거주자들은 글로벌 기업의 지배를 강화하려는 목적을 가지고 세계 최대의 기업들이 보유한 모든 자산들을 총동원하고 있다.

11
정치는 어쩌다
돈에 팔리게 되었나

비즈니스가 창출하는 자금은 수백만 달러씩 떼 지어 자유를 지원하러 달려가야 한다. 정치적 자유와 경제적 자유의 관계를 이해하는 학자, 사회과학자, 작가 그리고 저널리스트들에게 그들이 절박하게 필요로 하는 자금을 대주어야 한다. - 미국의 전 재무 장관 윌리엄 사이먼

북미자유무역협정이 체결되기 전에 우리는 기업들이 단지 남반구 국가의 정부들만 매수할 수 있다고 생각했다. 하지만 이제는 기업이 북반구 국가의 정부들까지 사들일 수 있다는 것을 안다. - 자유 무역에 관한 멕시칸 액션 네트워크의 이그나시오 피온 에스칼란트

미국 기업들은 소비주의를 반대하는 반항적인 청년 문화와, 우후죽순처럼 퍼져가는 환경 운동과 제품 안전 운동, 그리고 아시아로부터의 심각한 경제적 도전에 완전히 포위되어 1970년대를 맞이했다. 만신창이가 된 것은 세계적 주도권 획득에 대한 그들의 꿈만이 아니었고 그들은 심지어 홈그라운드에 대한 지배력까지 잃을 위험에 처해 있었다. 이에 대응하여 그들은 정치적, 문화적 의제의 지배권을 되찾기 위해 자신들이 가진 집단적 정치 자원을 총동원했다. 그들이 사용

한 방법들에는 여러 가지 정교한 마케팅 전략, 구습적인 표의 매수, 이념적으로 자신들과 보조를 같이 하는 지식인들에 대한 자금 지원, 법적 조치, 그리고 1960년대부터 1970년대까지 환경 및 소비자 운동가들이 기업에 대항하여 사용했던 것과 똑같은 수많은 대중 동원 기법들이 포함되었다. 그들의 캠페인은 막강한 자금력을 바탕으로 정교한 전략을 구사했고 전문적으로 조직화되었다. 그들의 주요 목표는 규제 철폐, 경제의 세계화, 사회에 대한 기업의 책임 제한이었다. 간단히 말해, 기업의 권리는 확대하고 책임은 줄이자는 것이었다. 그리고 그들의 조직적인 운동은 지금도 전력을 다해 계속되고 있다.

후원이라는 이름으로 자행되는 기업의 개입

—

1971년 미국상공회의소는 재계가 직면한 문제들에 대하여 버지니아주 검사이자 훗날 연방 대법원 판사가 된 루이스 파웰에게 자문을 구했다. 이에 대해 파웰은 「미국의 자유 기업 시스템에 대한 공격」이라는 제목의 보고서를 작성했다. 이는 환경론자, 소비자 운동가, 그리고 모르는 사이에 지속적으로 자유 기업 체제의 파괴를 모색하면서 체제 반대 운동을 위한 선전을 펼치는 사람들의 습격을 경고하는 내용이었다. 그는 지금이야말로 이 체제를 파괴하려는 자들에 대항하여 미국의 산업계가 가진 지혜와 능력, 자원을 총집결해야 할 때라고 주장했다. 이는 미국의 기업 집단이 자신들과 이념적으로 사이좋게 공존하는 재단들과 강력한 연합을 결성하여 미국의 정치적, 법적 체제를 자신들의 이념적 비전에 맞춰 조정하는 조직적 노력의 장을 열게 했다.

파월의 권고안에는 기업의 보편적인 이해관계를 증진시키기 위해 기업이 조직하고 자금을 댄 법률 센터를 미국의 사법 체제 안에 만들어야 한다는 제안이 포함되어 있었다. 그 결과 1973년 태평양법률재단이 설립되었다. 새크라멘토 상공회의소 건물에 자리 잡은 이 재단은 기업이 후원하는 수많은 공익 법률 회사들의 선구자 격으로, 이들의 목적은 자신들을 후원하는 기업의 이익 증진에 이바지하는 것이었다. 태평양법률재단은 특히 깨끗한 공기와 물에 관한 법률 제정, 연방의 자연 보호 지역에 대한 석유와 가스 탐사 제한, 노동자의 권리, 법인세 과세 등에 맞서 기업의 이해관계를 보호하는 것을 전문으로 했다. 이들이 올린 소득의 약 80퍼센트는 기업이나 기업이 소유한 재단에서 나온 것이다.

재계는 규제 없는 시장이 가장 효율적이고 그것이 가장 공정한 사회를 창조한다는 전제를 발전시키는 학문 연구를 뒷받침하기 위해 주요 로스쿨 내의 법률과 경제 프로그램에 자금을 제공했다. 그리고 이들은 조지 메이슨이나 예일 대학 같은 유명 대학에서 개최하는 세미나에 일체의 비용을 지원하면서 현직 법관들에게 경제 원칙들과 더불어 그것이 법학에 어떻게 적용될 수 있는지를 소개했다.

1970년대 전까지 기업들의 이해관계를 대변하는 조직들은 기업에서 로비를 하고 영향력을 행사하는, 그 이름만 들어도 대번에 알 수 있을 만큼 정직한 명칭을 가진 구식의 조직들이었다. 예를 들어 맥주연구소, 전국석탄협회, 상공회의소, 미국석유연구소 등이 이에 속했다. 매우 공격적인 공익 집단들이 광범위한 시민들을 동원해 의회를 압박하는 데 성공함으로써 이들이 목적을 이루기가 여의치 않게 되자 업계는 이전과는 다른 방식의 접근이 필요하다고 생각하게 되었다.

결국 기업들은 자신과 그 후원 조직, 그리고 자신들의 진정한 목적을 위장하기 위해 신중히 고안된 이름과 이미지를 내세우며 자신들만의 시민 조직을 결성하기 시작했다. 습지 위를 행복하게 날고 있는 한 마리 오리를 로고로 사용하는 전국습지연합은 석유 회사와 가스 회사, 그리고 부동산 개발업자들의 후원을 받는 단체로, 습지를 원유 시추 장소나 쇼핑몰로 용도 변경하고자 할 때 규제를 완화시키기 위해 노력하는 단체이다. 기업들이 후원하는 컨슈머 얼럿(Consumer Alert, 소비자 경보)이라는 단체는 제품 안전성에 대한 정부의 규제에 맞서 싸운다. 미국을 아름답게Keep America Beautiful는 폐기물 오염 방지 캠페인에 자금을 지원함으로써 자신들의 후원자인 유리병 제조업자들에게 청정 이미지를 부여한다. 하지만 그들은 뒤에서는 재활용을 의무화하는 법률 제정을 막기 위해 적극적으로 싸운다. 그들의 전략은 쓰레기는 소비자의 책임이지 포장재 회사의 책임이 아니라는 점을 대중에게 각인시키는 것이다.

이러한 집단 혹은 이와 유사하게 업계의 후원을 받는 집단의 견해는 시민의 권리를 옹호하는 것으로 정기적으로 언론에 보도된다. 그들의 존재 이유는 단 한 가지, 기업의 이해관계가 곧 공익이라고 믿도록 대중을 설득하는 것이다. 이러한 집단을 후원하는 상위의 기업들로는 다우 케미칼, 엑슨, 셰브런 USA, 모빌, 듀폰, 포드, 필립 모리스, 화이자, 앤호이저 부시, 몬산토, P&G, 필립스 페트롤리움,

AT&T, 아르코 등이 있다.

기업의 이해관계는 헤리티지 재단 같은 보수주의 정책의 싱크탱크가 새롭게 형성되는 데도 돈줄을 댔고, 활동이 거의 없었던 친체제적인 미국기업연구소가 다시 부활하는 데도 자금을 지원했다. 덕분에 미국기업연구소는 전에 비해 예산이 열 배나 늘어나는 경험을 했다. 또한 1978년에는 교육문제연구소가 설립되어, 경제 자유에 관해 기업의 입장을 지지하는 연구 결과를 발표하는 학계 종사자들과 기업 측 후원자들을 연결해 주었다.

1970년에는 《포천》 선정 500대 기업 가운데 워싱턴에 홍보실을 두고 있는 기업이 불과 몇 안 되었다. 그러나 1980년에 이르자 80퍼센트가 넘는 기업이 홍보실을 운영했다. 1974년에는 노조에서 내는 돈이 정치활동위원회(PAC, 미국에서 특정 후보의 당선이나 낙선을 위해 기업, 노조 등의 이익단체가 만든 선거 운동 조직. 합법적인 정치 후원금의 통로가 됨) 후원금의 절반을 차지했었다. 그러나 1980년에 이르자 노동조합이 후원하는 자금은 전체의 4분에 1에도 못 미쳤다. 1981년 레이건 대통령 취임으로, 기업 자유의지론자들의 이념적 동맹은 권력 기관에 대한 자신들의 지배권을 강화했다.

기업의 홍보 활동에 관계된 많은 사람들은 자신들의 행동이 공익을 위한 거라고 진정으로 믿고 있지만, 정작 우리 눈에 보이는 것은 기업 자유의지론의 이데올로기적 의제 추진을 목적으로 벌이는 민주적 다원주의에 대한 정면 공격이다. 비록 자유와 민주주의의 이름으로 진행되고 있지만, 기업 권력의 엄청난 남용은 자유와 민주주의 두 가지 모두를 조롱하고 있다.

그들만의 배타적 단체를 통한 끈질긴 작업

비즈니스 라운드테이블Business Roundtable은 초국가적 거대 기업들의 최고 경영자로만 구성된 전국 연합이다. 전국상공회의소나 미국 제조업자협회 같은 포괄적인 조직들은 여러 다양한 이해관계와 입장을 갖고 있는 크고 작은 기업들을 포함하는 반면, 비즈니스 라운드테이블의 구성원들은 모두 경제의 세계화라는 의제에 확고하게 결속된 초국가적 거대 기업들이다.

최초의 비즈니스 라운드테이블은 1972년 미국에서 결성되었다. 초기 2백 명의 구성원에는 《포천》이 선정한 500대 미국 기업 중 50위 내의 42개 기업과 미국 8대 상업은행 가운데 7개, 미국 10대 보험 회사 중 7개, 미국 7대 소매업자 중 5명, 미국 8대 운송 회사 중 7개, 미국 11대 공익성 회사 중 9개 사의 대표들이 포함되었다. 이 공개 토론회에는 듀폰을 비롯해 그 주요 경쟁사인 다우, 옥시덴탈 페트롤리움, 몬산토 등 3개 기업도 소속되었고 제너럴 모터스, 포드, 크라이슬러 회장 등 각계 주요 산업의 회장들도 함께 자리했다. 미국에 기반을 둔 세계적인 대기업의 총수들은 이 포럼에서 경쟁자로서 각자의 상이성은 한쪽으로 제쳐놓고 미국의 사회, 경제 정책의 주요 현안에 대한 합의를 도출해 냈다. 미국 비즈니스 라운드테이블은 스스로의 성격에 대해 이렇게 기술했다.

비즈니스 라운드테이블은 경제에 영향을 미치는 공적 이슈들을 검토하고, 건전한 경제적, 사회적 원칙들을 반영하고자 노력하는 자신들의 입장을 개진하기 위해 만들어진 최고 경영자들의 모임이다. 1972년에 창설된 본 협회는 업계의 지도자들이 공공 정책에 관한 지속적인 논의에서 점차 더 중요한 역할을 해야 한다는 취지로 설립되었다.

이 라운드테이블은 기업의 기본적인 이해관계가 미국 국민들의 이해관계와 밀접한 유사성이 있다고 믿는다. 국민들은 소비자, 피고용자, 투자자, 공급자로서 직접적으로 기업과 연관을 맺고 있기 때문이다. 이 라운드테이블의 구성원 선정은, 그들이 각 분야의 사업과 다양한 지리적 조건에 대해 대표성을 갖도록 한다는 목표를 반영한다. 따라서 본 협회의 구성원들, 즉 업계 전 분야를 망라한 기업의 최고 경영자 2백여 명은 국가 차원의 이슈에 대한 견해에서 각개 부분의 사고의 단면을 보여준다.

그러나 미국에서 가장 배타적이면서 구성원의 다양성은 가장 떨어지는, 멤버십 중심의 비즈니스 라운드테이블은 국가 차원의 안건들에 관한 각개 부분의 사고의 단면도라는 것에 대해 대단히 협소한 관념을 갖는다. 그 구성원은 연평균 소득과 복지 혜택이 미국의 1인당 국민소득의 170배가 넘는, 나이로는 50세가 넘은 백인 남자로 제한되며, 예외가 있다고 해도 극소수에 지나지 않는다. 구성원들은 대부분 국익에 관계된 의무를 거부하고 경제의 세계화로부터 실질적인 이득만을 취하려는 기업을 책임지고 이끄는 사람들이다. 일단 어떤 사안에 대한 입장이 정해지면 비즈니스 라운드테이블의 최고 경영자 구성원들은 상하원 의원들을 개별적으로 방문하는 것까지 포함해서,

그들에게서 최대한의 정치적 동의를 얻기 위해 공격적인 캠페인을 벌여 나간다.

비즈니스 라운드테이블은 북미자유무역협정에 대한 캠페인에 특히 적극적인 역할을 담당했다. 미국의 200대 초국가적 기업들로 이루어진 배타적인 모임에서 요란하고 끈질기게 선전을 한다면, 대중은 분명 이 협정을 특별한 이익을 지닌 좋은 것으로 받아들일 가능성이 높다는 점을 인식한 라운드테이블은 자신들의 전면에 내세울 유에스에이＊나프타USA＊NAFTA라는 조직을 따로 결성했다. 대략 2,300개의 미국 기업과 협회를 구성원으로 받아들인 유에스에이＊나프타는 스스로가 각 지역과 다양한 계층의 유권자들을 대표한다고 주장했지만 이 조직의 대표자들은 전부 비즈니스 라운드테이블의 기업 측 회원이었다. 단지 네 명을 제외하고 라운드테이블의 전 구성원이 미국 통상대표부 고문위원회 대표 자격으로 북미자유무역협정 협상 과정에 대한 접근권을 누렸다. 라운드테이블 멤버들은 북미자유무역협정이 미국 국민들에게 보수가 높은 일자리, 멕시코인의 이민 근절, 환경 기준의 강화를 가져다줄 거라는 확신을 심어주기 위해 신문 사설과 특별 논평, 보도자료, 그리고 라디오, 텔레비전의 시사 해설, 인터넷 등 가능한 모든 수단을 총동원해 그들을 들볶아댔다.

유에스에이＊나프타의 대표 가운데 아홉 명이 미국의 기업인이었고, 이들 기업은 북미자유무역협정이 통과되기 전 12년 동안 이미 18만 개에 달하는 일자리를 멕시코로 이전했다. 또한 그들 대표들 중 일부는 멕시코에서 노동법을 위반했거나 근로자 안전 기준을 준수하지 않아 법정에 소환되기도 했다. 그들 중 대다수가 미국의 선도적인 오염 유발 업체일 뿐만 아니라 미국 내에서 금지된 제품을 멕시코에서 생산하거나 멕시코로 수출하는 기업들이다.

국가의 독재보다 훨씬 교묘한 시장의 독재

—

현대 사회에서 텔레비전은 문화를 재생산하는 중요한 기관이 되었음에 틀림없다. 텔레비전은 이미 기업의 이해관계에 의해 완전히 식민화되었다. 기업의 목적은 단지 물건을 팔고 소비자 문화를 강화하는 것이 아니다. 그들은 이와 더불어 대중의 마음속에, 기업의 이해관계를 인간의 이해관계와 동일시하는 정치 문화를 형성하고자 한다. 폴 호켄의 말을 빌리면, "기업 스폰서들의 이익을 위해 봉사하는 중독성 있는 매체들은 우리 마음에 말을 걸어 우리가 그것을 바라보는 동안 주변의 세상은 다 잊어버리도록 현실을 재배열하는 것을 목적"으로 한다.

현실의 재배열은 시장 경제 속에서 소비자가 결정하고 시장이 그에 응답한다는 주장에서부터 출발한다. 소규모 판매자와 구매자로 이루어진 세상에서는 이 말이 옳았을지도 모른다. 왜냐하면 어떤 개인 판매자도 자기 제품 구매를 유도하는 새로운 문화를 창조할 수는 없었기 때문이다. 그러나 우리의 현실은 그렇지 않다. 오늘날의 기업들은 꼭 필요하지 않아도 무엇이든 내키는 대로 한다는 통일된 방종의 문화를 만들어 내기 위해 아무런 가책도 거리낌도 없이 전체 사회의 가치를 개조한다. 광고, 그래픽, 매체, 창작물, 소비자 연구, 마케팅, 교육, 그밖의 수많은 분야에 대한 기업의 수요가 점점 늘어나면서, 산업 전체가 나서서 기업이 판매하는 상품에 대한 채워지지 않는 욕구를 창조하고, 기업의 이해관계에 부합하는 정치적 가치를 함양하는 것을 돕고 있다.

기업은 대상이 학교든 대중 매체든 간에, 자신들이 바라는 소비자의 반응을 도출하는 방법이면 그것이 무엇이건 상관없이 기업의 이해관계를 지지하고 이를 증진하는 개인적, 공적 행동을 촉진하기 위하여 광고, 로비, 후원, 홍보 등에 돈을 쓴다.

텔레비전을 장악해서 우리의 문화와 정책을 형성하려는 기업의 노력은, 조지 오웰의 작품 『1984』에서 항상 켜져 있는 텔레비전 모니터로 세상에 대한 시민들의 인지를 조작함으로써 통치되는 독재 사회 이미지를 떠올리게 한다. 그러나 현실은 오웰이 예상했던 것보다 훨씬 포착하기 어렵고 기술은 훨씬 교묘하다. 그리고 모든 수단을 동원해서 전력을 다하는 쪽은 정부보다는 기업이다. 우리는 위압적인 정부가 아니라, 위압적인 시장에 의해 지배되고 있다.

기술은 명확한 단순성을 지니고 있다. 그것은 개개인의 정체성과 가치들이 닻을 내리고 의지하는 문화적 상징들을 조작하는 데 집중한다. 대중 매체가 생겨나기 이전에 이러한 상징들은 서로서로 관계를 맺으며 예술적인 매체를 통해 내적 감정을 표현하는 사람들의 집단적인 창조물이었다. 상징들은 우리가 누구인지에 관한 우리의 집단의식을 보여주었다. 기업이 지배하고 기업이 포장해서 보여주는 텔레비전 세상에 몰입하여 살아가는 시간이 길어질수록 문화적 정체성과 가치관이 전통적으로 표현되고 강화되고 갱신되는, 사람들 간의 직접적인 교류의 시간은 점점 적어진다. 그 결과 대중 매체를 지배하는 사람들이 갈수록 더 우리의 핵심 문화를 지배하게 된다.

　기업의 글로벌 비전을 만들어 내는 사람들은 특정한 지역, 가치, 인간 공동체와 사람들을 연결시켜 주는 독특한 문화 상징들을 몰아 내고, 세계에서 가장 강력한 기업들이 소유하고 창조한 보편화된 상징들로 그것들을 대체하는 세상을 건설하고자 한다. 문화적 상징들은 우리에게 정체성과 의미를 갖게 하는 중요한 원천이다. 상징들은 사회 내에서 우리가 갖는 가치와 위치를 확인해 준다. 이들은 지역 공동체의 건강과 복지, 그 독특한 생태계를 위하여 우리의 책임감과 충성심을 불러일으킨다. 그러나 문화적 상징을 기업이 지배하게 될 때, 우리가 누구인가를 규정할 권리는 필연적으로 그들에게 넘어가게 된다. 그러면 미국인이나 노르웨이인, 이집트인, 필리핀인, 멕시코인이 되는 대신 우리는 단지 〈펩시 세대〉의 구성원이 될 것이다. 그리고 기업이 수익을 올리기에 유익하다고 판단해서 우리에게 허락하는 가치들을 제외하고는, 우리는 모든 장소와 모든 가치로부터 소외될 것이다. 시장의 독재는 국가의 독재보다 훨씬 교묘하겠지만, 소수의 이익을 위해 다수를 노예화하는 목적을 위해서는 그만큼 효과적인 방법이 없다.

"돈 많은 자들이 민주주의를 사갑니다."

—

워싱턴 D. C.의 주요 성장 산업으로는 영리 목적의 홍보 회사와 기업이 후원하는 정책 연구소가 있는데, 이들은 기업 고객의 요구에 따라 시민의 권리 옹호와 공익적 이미지를 구축하는 캠페인을 위해 사실 보도, 논평 기사, 전문가의 분석, 여론 조사, 광고용 우편물과 영상 등을 제작, 생산한다. 윌리엄 그리더는 이를 〈고용된 민주주의 democracy for hire〉라고 일컫는다. 1992년의 광고 수주액이 2억 4백만 달러로, 세계에서 가장 규모가 큰 홍보 회사 중 하나인 버슨 마스텔러는 엑슨 발데즈 석유 유출 사건 당시 엑슨을 위해 일했고, 인도의 보팔 대참사(1984년 인도 보팔에 있는 미국 유니온 카바이드의 공장에서 일어난 유독 가스 누출 사고로, 하룻밤에 3천 명의 사망자와 60만 명의 부상자가 발생한 사건) 당시에는 유니온 카바이드를 위해 일한 바 있다. 1991년에 5대 홍보 회사들이 기록한 광고 매출 총액은 무려 17억 달러가 넘었다.

뉴스와 여론을 조작하고 돈을 주는 의뢰인의 이해관계에 부합하도록 공공 정책에 영향을 미치는 행위에 참여하는 미국 홍보 회사 소속 직원이 현재 17만 명에 달하는데, 이는 실제 뉴스 기자에 비해 4만 명이나 많은 수치이며 이 격차는 점점 더 벌어지고 있다. 이 회사들은 시민 캠페인을 조직하고, 유급 조직원들을 일반 주부인 것처럼 공청회에 참석하게 해서 기업의 입장에서 발언하게 하고, 신문 잡지에 자신들에게 유리한 뉴스와 특집 기사들을 지속적으로 게재한다. 1990년에 시행된 한 연구 결과에 따르면, 대표적인 미국 신문들에 실리는 기사 중 거의 40퍼센트가 홍보 회사에서 배포한 보도자료, 사건 기록, 제안들을 기초로 제작된다. 《컬럼비아 저널리즘 리뷰》에 따르면 《월스트리트 저널》의 뉴스 기사 절반 이상이 보도자료를 근거로 작성된 것이었다. 광고용 지면과 뉴스 지면 사이의 경계는 하루가 다르게 점점 희미해지고 있다.

공화당이 오래전부터 〈돈의 정당〉으로 알려져 온 반면, 민주당은 근로자 계층과 소수 인종이 갖는 이해관계의 강력한 대변자로서 역사적으로 〈서민의 정당〉으로 자처해 왔다. 한때 민주당원들은 돈보다는 강력한 풀뿌리 조직인 국민들이 선거일에 표를 모아줄 것으로 기대하고 그들에게 주로 의존했었다. 이러한 구조로 말미암아 정치인들은 지역 유권자들과 어느 정도 접촉을 유지해야 했고 일정 수준 지역에 대한 의무를 져야 했다. 당에 대한 유대도 강했다. 그러나 생활에서 텔레비전이 차지하는 역할이 점차 커져가고 노동운동이 쇠락하면서 비용이 많이 드는 텔레비전 중심의 언론 캠페인이 점차 선거 결과를 결정하는 데 중요한 요인으로 부각되었다. 그 결과 과거 민주당의 근간을 이루었던 유권자 조직이 해체되어 대중주의적 지지를 상실했고, 한때 민주당의 정치적 기반이 되어주었던 사람들은 이제 자신들을 대표하는 정치 세력이 없다고 느끼게 되었다.

이러한 구조의 붕괴로, 민주당의 기치 아래 공직에 입후보하는 자들은 유권자 조직보다는 자기들만의 정치 자금 후원 조직을 키우는데 점점 더 의존하게 되었다. 이로 인해 그들은 돈이 개입된 이권에 더욱 취약해지고 양당의 정책 의안을 결정하는 과정에서 대기업의 입김은 더욱 강해졌다. 윌리엄 그리더는 민주당의 정책 노선이, 부유층 고객들에게 자신들의 정치적 영향력을 팔고 민주당 정치인들을 위한 기금 조성을 전문으로 하는 워싱턴 소재 여섯 개 로펌에 의해 거의 좌우되고 있다고 주장한다. 공화당과도 역시 긴밀한 관계를 유지하는 이 법률 회사들은 자사에 사례금을 지불하는 사람이라면 누구에게든 상관없이 권력을 연결해 주는 일을 하고 있다. 이는 미국

민주주의의 상당히 유감스러운 상황이다.

이 새로운 상황에 가장 발 빠르게 부응한 것은 물론 공화당이었다. 그들은 매스 마케팅의 복잡한 기법을 선거 승리라는 자신들의 과제에 기막히게 적용시켰다. 이 기법으로 이들은 아무런 권력 없는 시민들의 소외를 이용하여 이들이 소수 엘리트에게 이권을 안겨주는 의제를 옹호하는 대중적 정치 기반을 형성하도록 하는, 일견 불가능해 보이는 과제를 실현하고 있는 것이다.

상업적 인간으로서 공화당원들은 당연히 민주당원들보다 마케팅을 잘 이해했고, 과거에 구식 정치인들이 가졌던 어색한 망설임 따위는 전혀 없이 상품 판매에 대해 자신들이 아는 바를 정치에 응용했다. 그 결과 이제 유권자들은 수동적인 소비자 집단, 엄청난 규모의 잠재적 구매자로 여겨진다. 과학적 표본 작업을 통한 연구들은 소비자들이 무엇을 알고 무슨 생각을 하는지를 보여주고, 더 중요한 것은 심지어 그들 자신도 모르는 그들의 감정까지 알려준다. 따라서 소비자의 태도에 후보자를 연결시키기 위한 캠페인 전략들이 만들어진다. 그 결과 대중의 적극적인 반응을 도출해 내고 판매를 성공시킬 홍보 이미지들이 창조된다.

미국의 민주주의는 단지 미국의 초국가적 기업들에게만 팔리고 내놓아진 세일 상품이 아니다. 멕시코 정부는 북미자유무역협정을 성사시키는 데 도움이 될 만한 워싱턴의 주요 로비스트들을 고용하는 데 2천5백만 달러도 더 되는 돈을 썼다. 1980년대 후반에 일본 기업들은 미국에 대한 정치적 로비에만 연간 대략 1억 달러를 썼고, 여론에 영향력을 행사하기 위하여 대중에 기반을 둔 전국적인 정치 네트워크 형성에 또 3억 달러를 썼다. 일본 정부와 기업들은 워싱턴 소재의 92개 법률, 홍보, 로비 회사를 자신들의 목적 달성을 위해 고용했다. 이는 캐나다의 55개 사, 영국의 42개 사, 네덜란드의 7개 사에 비견된다. 이 회사들의 목적은 외국 기업에 유리하도록 미국 법을 개정하는 것이고 이는 종종 성공을 거둔다.

니코틴은 중독성이 없고 담배를 피워도 건강에 아무런 해가 없다는 담배 회사들의 주장과 약속만큼이나 그릇된 기업 자유의지론이라는 이데올로기는 이제 우리 정치 문화와 우리의 가장 강력한 기관들을 지배하는 철학이 되었다. 이는 매스 마케팅과 대중 조작의 거장들이 개발한 정교한 기법을 사용하여 끈질기게 벌여온 기업의 캠페인이 이뤄낸 업적이다. 이보다 광범위한 캠페인의 한 요소는 시장을 세계화하고 하나가 된 글로벌 문화를 정의하는 가치로 기업 자유의지론과 소비 지상주의를 단단히 심어놓는 것이다.

12
총알 대신,
세계은행과 IMF를 이용한다

귀사와 같은 기업들을 유치하기 위해서 우리는 산을 넘어뜨리고, 정글을
파괴하고, 늪지를 메우고, 강을 옮기고, 도시를 재배치했습니다. 이 모든
노력은 귀하와 귀사가 이곳에서 편안하게 사업을 펼칠 수 있도록 하기 위
함입니다. -《포천》에 실린 필리핀 정부 광고

제2차 세계대전에 뒤이어 세계 기관들이 우후죽순처럼 생겨나던 와
중에 대중의 관심은 유엔에 집중되었다. 유엔은 최소한 총회에서만
큼은 각 국가에게 동등한 발언권을 주었고 세계 모든 국가를 회원국
으로 받아들이도록 되어 있었다. 유엔의 각국 대표들은 공인이고, 이
들이 벌이는 토의는 대중에게 공개되며, 종종 과열되기도 한다. 하지
만 총회는 사실은 힘이 없다. 진정한 행동력은 유엔의 안전보장이사
회에 집중되어 있고 그 중 강대국에 속하는 5개 상임이사국에게는 거

부권이 있다. 지배 구조로 보면 유엔은 토론장으로써의 기능을 위해 설립되었다고 해야 할 것이다.

이와는 대조적으로, 유엔에 비하면 요란한 팡파르 없이 조용하게 탄생한 세 개의 기관이 상대적으로 세간의 이목이 덜 집중되는 상태에서 활동을 시작했다. 흔히 세계은행이라고 알려져 있는 국제부흥개발은행과 IMF, 지금은 세계무역기구가 그 역할을 대신하는 관세 및 무역에 관한 일반 협정이 바로 그들이다. 1944년 1월 1일부터 22일까지 뉴햄프셔 주의 브레턴우즈에서 44개국 대표가 처음 모였다 하여 흔히 브레턴우즈라고 불리는 이 세 개 기관은 제2차 세계대전 이후 세계 경제의 골조를 어떻게 짤 것인지에 대한 광범위한 합의를 그 목적으로 했다. 훗날 〈브레턴우즈 체제〉로 알려지게 된 이 기관들의 공공 목적은, 각국이 자국의 이해관계와 관련해서 무기를 들고 일어서는 것이 불가능하도록 경제 번영과 상호 의존성이라는 거미줄 안에 세계를 하나로 통합하는 것이었다. 그러나 창설자들의 시각으로 본 또 하나의 목적은, 미국이 어떤 도전도 받지 않고 세계 시장과 원자재에 대한 확실한 접근권을 누릴 수 있도록 미국의 지휘 아래 하나로 뭉친 개방된 세계 경제를 창조하는 것이었다. 두 개의 브레턴우즈 기관, 즉 IMF와 세계은행은 실상 브레턴우즈 회합에서 탄생했고 그에 뒤이은 국제 회합을 통해 관세 및 무역에 관한 일반 협정이 탄생되었다.

유엔의 특별 대리 기관으로 공식 지명되었음에도 불구하고 브레턴우즈 기관들은 유엔과 무관하게 자율적으로 기능한다. 이 기관들의 지배 구조와 행정 절차는 비밀에 싸여 있고, 공적인 조사와 민주적 논쟁으로부터도 철저히 가려져 있다. 사실 세계은행의 내부 운영 과정은 완전히 비밀에 부쳐져 있어서 특정 국가의 계획, 전략, 우선순위에 관한 수많은 중요 문서들에 대한 접근은 심지어 관련 국가의 이사들에게조차 허락되지 않는다. 세계은행과 IMF에 참여하는 강대국들에게는 의안의 가결을 거부할 수 있는 거부권이 주어지고, 각국의 출자액 비율에 따라 투표권에 가중치가 부여된다. 그리고 이 가중 투표제는 당사국들에게 의제를 설정하고 지배할 권한을 준다.

이 장에서 우리는 세계은행과 IMF가 자신들의 역할을 수행하면서 어떤 과정을 통해 글로벌 시스템에 대한 저소득 국가의 의존을 심화시키고 뒤이어 기업 식민화를 위해 그들의 경제를 개방하게 하는 데 일조해 왔는지를 검토해볼 것이다. 그리고 세계적인 대기업들이 자신들의 권력을 공고히 하고 공적 책임의 저 너머에 스스로를 위치시키는 데 어떻게 관세 및 무역에 관한 일반 협정과 그 후계자인 세계무역기구를 이용하고 있는지 또한 살펴볼 것이다.

세계은행과 IMF가 숨기고 있는 진짜 목적

—

세계은행의 원래 목적 중에서 가장 주요한 것은 유럽 재건에 재정을 지원하는 것이었다. 그러나 세계은행에 대한 유럽 국가들의 차관 요청은 극히 미미했다. 유럽이 필요로 했던 것은 확산 효과가 빠른 무상 원조와, 경제 재건이 이루어지는 동안 기본적 욕구들을 임시로 충족시켜 줄 수입 물품, 그리고 국제 수지의 균형을 맞추기 위한 양허

성 차관(이자율, 상환 기간, 거치 기간 등 세 요소를 고려하여 채무국에 유리한 조건으로 제공하는 차관) 등이었다. 미국의 마셜 플랜Marshall plan은 이러한 종류의 원조를 유럽에 제공했지만 세계은행은 그렇지 않았다. 창립된 지 9년 후인 1953년까지 세계은행의 전체 대출액은 고작 17억 5천만 달러에 불과했고, 이 가운데 유럽 재건에 사용된 금액은 4억 9천7백만 달러였다. 마셜 플랜의 주도 하에 유럽으로 유입된 413억 달러에 비교하면 형편없는 금액이었다.

1947년과 1948년의 세계은행 연례 보고서를 보면, 세계은행의 대출에 대한 수요가 별로 없는 것이 단지 유럽에만 국한된 현상은 아님을 알 수 있다. 세계은행이 저소득 국가 고객들에게 눈을 돌리기 시작했을 때도 역시 이와 비슷한 상황에 부딪혔다. 저소득 국가들은 세계은행이 받아들일 만한 개발 계획을 제출하지 않았다.

세계은행이 단지 채무국의 수요와 요구에 반응할 뿐이라는 주장은 시장이 단순히 소비자의 수요에 반응할 뿐이라는 기업 자유의지론자들의 주장과 마찬가지로 옳지 않다. 세계은행은 마치 근검절약 문화에 직면해 충분한 소비자를 만들어 내는 데 실패했던 1800년대의 대규모 소매상들이 했던 일들을 하고 있다. 즉 그들은 이제 소비자를 위해 상품을 만드는 게 아니라, 상품을 위해 소비자를 만드는 식으로 가치와 제도를 고치려 하고 있다. 그리고 이러한 진로를 선택했던 기업들과 너무나도 똑같이, 세계은행은 자신의 요구를 우선적으로 충족시키느라 취해진 조치들이 초래해 놓은 더 광범위한 결과에 대해서는 아무런 관심을 기울이지 않았다.

세계은행과 그 자매 격인 지역 은행(아시아개발은행, 아프리카개발은행, 유럽

부흥개발은행 등)들로부터의 대출은 1970년대 후반 석유수출국기구OPEC 회원국들이 초래한 유가 급등으로 남반구 국가들의 외채가 급격히 불어나기 전까지는 상당히 질서 정연한 과정에 따라 진행되었다. 그러나 1970년부터 1980년까지 저소득 국가로 유입된 장기 외채는 210억 달러에서 1천1백억 달러로 증가했고, 중소득 국가의 채무 금액은 4백억 달러에서 3,170억 달러로 증가했다. 실질 금리가 급등하면서 채무국들은 지불 능력 이상으로 빚을 지게 되었고 이로 인해 세계 금융 체제의 붕괴로 이어질 우려가 있는 채무 불이행이 당장이라도 일어날 것 같았다. 세계 금융 체제의 감독자 역할을 하던 세계은행과 IMF는 채무국이 파산하는 경우, 이에 개입해 마치 법원이 지명하는 파산 관재인처럼 파산한 국가와 국제 채권 기관 사이에서 실질적으로 금융 결제를 조정하는 역할을 수행했다.

국제 파산 관재인으로서의 능력 안에서 세계은행과 IMF는 구조조정이라는 명목 하에 채무국에 일괄적인 정책 처방들을 부과했다. 각각의 구조조정안은 채무국에 경제 정책의 전면적인 개혁을 요구했는데 이는 채무국의 자원과 일체의 생산 활동을 채무 변제에 맞춰 조정하고, 공적 자산과 공공 서비스를 민영화하며, 국가 경제의 문호를 글로벌 경제에 맞게 더욱 활짝 개방하게 하려는 의도로 만들어진 개혁안들이었다.

부자들에게 주어지는 장려금 삭감 등의 일부 개혁들은 진작 이루어졌어야 하는 것이었다. 하지만 수출업자와 외국 투자자에게는 또 다른 형태의 장려금이 제공되었다. 반면 빈곤층을 위한 정부의 사회 복지 예산은 삭감되어 한 푼이라도 더 대출금 상환 자금을 마련하는 데에 충당되었다. 구조조정을 당한 아프리카와 라틴 아메리카 국가에서는 1980년에서 1987년 사이에 1인당 정부 지출은 감소했고 정부의 전체 예산에서 이자 상환이 차지하는 몫은 늘었다. 라틴 아메리카에서는 이자 상환에 할당된 정부 예산이 전체의 9퍼센트에서 19.3퍼센트로 증가했고 아프리카의 경우에는 7.7퍼센트에서 12.5퍼센트로 증가했다. 반면 방위비를 포함해 모든 부문의 예산은 감소했다.

세계은행과 IMF는 자신들의 구조조정 프로그램이 상당히 성공적이었고 해당국의 채무 위기가 해결되었다고 주장했다. 그들은 자신들이 요구하는 구조조정을 치른 대다수의 국가들이 이후에 고도의 경제 성장을 이룩했고 수출 부문이 확대되었으며 전체 수출액이 증가했고, 새로운 외국 투자를 유치했을 뿐 아니라 현재 외채를 상환하는 과정이라는 점을 그 증거로 제시했다. 그러나 실상은 외채와 무역 적자는 증가했고 사회 전반적인 상황은 악화되었다.

한편 IMF와 세계은행이 주관하는 구조조정을 받은 정부들은 외국 투자자들을 유치할 목적으로 노동조합 결성을 억압해 임금과 복지 혜택, 노동 기준을 낮은 수준으로 유지하려 한다. 반면 외국 기업들에는 특별 세금 감면과 보조금을 제공하고 환경 규제를 피할 수 있는 꼼수와 편법을 알려준다. 또 그들은 천연자원과 농산물 상품의 수출을 늘림으로써 보다 많은 외화를 확보하려 하는데 이는 국제 시장에서 이 제품들의 가격을 폭락하게 만든다. 따라서 이들 정부는 외화 획득의 수준을 유지하기 위해서는 수출을 더 늘리고 천연자원을 더 많이 채취해야 한다는 압박감을 갖게 된다. 그 결과 수출품의 가격은 하락하고, 외국 투자자들은 수익금을 본국에 송금하고, 관세 장벽이 낮아짐으로써 수입품의 수요는 증가하는 것은 구조조정을 받은 대부분의 국가들에 지속적인 무역 적자를 초래하고 있다. 세계은행과 IMF의 구조조정이 시작되었던 1980년부터 1992년까지 저소득 국가들의 전체 무역 적자액은 65억 달러에서 347억 달러로 늘었다.

세계은행과 IMF는 커져가는 무역 적자를 메우기 위해 더 많은 대출금을 제공하는 것으로 이들 국가들이 치러낸 구조조정에 화답했다. 그 결과 저소득 국가의 국제 부채액은 1980년 1,340억 달러에서 1992년에는 4,730억 달러로 증가했다. 이 부채로 인해 상환해야 하는 연간 이자 또한 64억 달러에서 183억 달러로 늘었다. 세계의 저소득 국가들은 세계은행과 IMF의 안내를 받으며 자립 능력을 키우기는커녕, 한 해 한 해 국제 체제에 자신들의 미래를 조금씩 더 저당 잡히고 있는 것이다.

우리는 IMF와 세계은행의 프로그램과 정책들을 통해, 그들은 가정에서 소비하는 모든 제품을 해외에서 수입하고 외국 금융 기관에서 빌린 돈으로 그 대금을 지불하는 세계를 선호한다고 추론할 수 있을지 모른다. 국내의 모든 생산적 자산이나 천연자원은 외국 기업들의 손에 넘어가고 그나마 남은 것은 외채를 갚기 위한 수출품 생산에 쓰인다. 그리고 모든 공공 서비스는 영리 추구를 기반으로 운영되는 외국 기업들에게 이전된다. 이 모든 과정들이 가난한 사람들을 돕는 것을 목적으로 한다는 것은 말도 안 되는 허튼소리다. 진짜 목적은 바로, 글로벌 기업들의 이익과 권력을 키우는 거라고 말하는 것이 완벽한 정답이다.

3분의 2가 실패, 그러나 책임 지지 않는다

—

바르게 이해한다면 개발이란, 이용 가능한 자원을 활용해 삶의 질을 지속적으로 향상시키는 데 필요한 재화와 용역을 생산하기 위해 인적, 제도적, 기술적 역량을 향상시키는 과정이다. 많은 이들이 이 과정을 〈인간 중심의 개발〉이라고 칭하는 것은 그 과정이 사람에게 이로울 뿐만 아니라 사람을 중심에 두고 있기 때문이다. 빈곤층과 소외 계층을 함께 아울러서 그들이 생산적인 노력을 통해 자신들의 욕구를 충족시킬 수 있도록 하는 것은 특히 중요하다. 인간 중심의 개발 과정에 외부로부터의 작은 도움은 유용할 수 있지만, 외국에서 대규모의 빚을 끌어들이는 것은 진정한 개발을 가로막고 나아가 사람들이 스스로를 지탱하는 능력마저 붕괴시키고 만다.

자, 이 문제를 기본적인 것으로 축소시켜 보자. 일반적으로 필요한 만큼의 돈이 없다는 것으로 정의되는 빈곤은, 사실 문제가 아니다. 문제가 되는 것은 궁핍함, 즉 적절한 음식, 입을 만한 옷, 몸을 누일 거처를 비롯해 사람답게 사는 데 꼭 필요한 것들의 부족과 결부된 〈박탈감〉이다. 이 간단한 사실은 인간 중심의 개발이 수입 대체와 수출 주도라는 개발 모델에 맞서 유일하게 선택 가능한 대안임을 보여 준다. 인간 중심의 개발은 곧, 삶에 대해 박탈감을 느끼는 사람들에게 스스로 필요로 하는 것을 생산할 기회를 줌으로써 더 나은 삶으로 나아가도록 하는 정책을 추진하는 것을 말한다.

여러 면에서 일본, 한국, 대만이 해온 개발이 바로 이런 방식이다. 이 국가들은 성인 문맹률을 낮추고 성인에 대한 기본적인 교육을 위해 상당한 투자를 했고, 근본적인 토지 개혁을 통해 소규모 농업 생산을 기반으로 하는 농촌 경제의 번영을 이루었으며, 소규모 농가가 필요로 하는 물건을 생산하는 농촌 산업의 발전을 지원했다. 그리고 이것이 더 큰 산업의 발판이 되었다. 이 국가들이 이룬 개발은 기업 자유의지론자들의 역사적 수정주의와 반대로, 수출 주도가 아닌 형평성을 앞에 놓은 개발이었다. 이 국가들은 국내 경제의 저변을 폭넓게 발전시킨 이후에야 비로소 국제 경제에서 주요 수출국으로 부상했다.

초국가적인 기업 자본과 세계은행의 입장에서 볼 때 인간 중심적인 개발 전략은 적잖은 문제를 야기한다. 인간 중심 개발 전략으로는 수입에 대한 수요가 매우 적어지고 더불어 외채에 대한 수요가 거의 발생하지 않기 때문이다. 나아가서 이는 자산을 지역에서 소유하는 것을 장려하기 때문에 초국가적 기업들이 수익을 올릴 기회는 거의 없어진다.

외국의 원조는, 심지어 보조금 형태의 무상 원조라 할지라도 만일 그 원조가 추진되는 과정이 외국에서 들여온 기술과 전문가들에 대한 의존도를 높이고, 수입에 의존하는 소비 생활을 부추기며, 낭비와 부패에 돈을 대고, 국내 생산품을 수입품으로 대체하고, 수백만 명의 국민을 그들이 생계를 의존하고 있는 토지와 수자원에서 쫓아내는 데 이용된다면, 이 같은 원조는 극히 반反개발적이다. 그리고 이 모든 것들이 세계은행의 여러 계획들과 구조조정 프로그램이 흔하게 초래하는 결과들이다.

덧붙여서 세계은행에서 추진하는 대부분의 프로젝트들이, 심지어 세계은행 자체에서 좁은 범주의 경제로 한정해서 평가하는 경우에조차 실패한 프로젝트라는 증거가 있다. 윌리 와펜핸스가 이끄는 세계은행 자체 연구팀은 「실질적인 영향: 개발 부담의 단서」라는 제목으로 보고서를 출간했다. 이 보고서는 세계은행이 자금을 지원해서 완료된 계획 중 38퍼센트가 완료 시점에 평가한 결과 실패로 판명되었다는 결론을 내렸다. 이에 앞서 세계은행의 운영 평가부에서는 세계은행이 완료 시점에 성공적이라고 결론지었던 계획안들에 대해 4년에서 10년 후에 재평가를 실시했다. 그 결과 당시 성공적이라고 평가되었던 25개 계획안 가운데 12개가 실패로 판명되었다. 프로젝트의 완료 시점에 성공적이라고 평가되었던 62퍼센트의 계획안 중에 불과 절반만이 그들이 계획한 성과를 낼 수 있었다면, 세계은행의 계획안 가운데 본래의 투자를 정당화할 수 있을 만한 충분한 경제적 수익률을 가져다준 것은 3분의 1이 채 못 된다는 의미가 된다. 하지만 결과가 성공이든 실패든, 구조조정 당사국은 가뜩이나 부족한 외화로 부채를 갚아 나가야 한다. 그리고 세계은행은 자신들의 실수에 대해 아무런 책임도 지지 않는다.

국민 생활의 향상이나 민주적 지배 구조 강화에 기여한 정도에 따라 세계은행과 IMF를 평가한다면, 세계 빈곤층에 엄청난 짐을 지웠고 그들의 개발을 심각하게 방해했다는 점에서 실패도 그런 처참한 실패가 없다. 그러나 세계은행과 IMF를 최초로 창설한 사람들이 애초에 두 기관에게 부여한 권한(경제적으로 강력한 지배 구조를 형성해 경제 세계화를 추진하는 것)의 이행이라는 면에서 볼 때는, 두 기관 모두 굉장한 성공을 거두었다. 세계은행과 IMF는 모두 기업 자유의지론을 지지하는 강력한 정치적 지지층을 형성하는 데 일조했고, 남반구 국가 정부들의 민주적 책임을 약화시켰으며, 민주적으로 선출된 관리들의 역할을 빼앗고, 초국가적 자본에 의한 남반구 경제의 재식민화에 걸림돌이 되는 중요한 법적, 제도적 장벽을 대부분 허물어 버렸다.

사법 기관이자 입법 기관 노릇을 하는 세계무역기구

—

브레턴우즈 협정이 요구했던 세 번째 기구인 국제무역기구International Trade Organization는 이 기구의 힘이 미국의 통치권을 약화시킬지 모른다고 우려한 미국 의회의 반대로 설립 자체가 무산되었다. 그 대신, 관세 및 무역에 관한 일반 협정이 다소 애매한 위치에서 그와 유사한 역할을 수행했다. 관세 및 무역에 관한 일반 협정은 세계 무역을 관장하기 위해 22개국의 조인으로 출범한 지 50년도 넘은 체제였기 때문이었다. 그러다가 관세 및 무역에 관한 일반 협정의 우루과이라운드 협상은 1995년 1월 세계무역기구(WTO, World Trade Organization)를 조용히 탄생시켰다. 이는 기업 자유의지론이 거둔 획기적 승리였다. 세계은행과 IMF가 저소득 국가에 기업 자유주의의 교조적 원칙들을 제도화하는 일을 해왔다면, 이제 세계무역기구는 저소득 고소득을 막론하고 모든 국가들이 이 원칙을 따르도록 하는 권한과 강제력을 갖게 되었다.

　관세 및 무역에 관한 일반 협정이 세계무역기구를 출범시키면서 만든 약 2천 쪽에 달하는 합의서의 핵심적인 조항은 제16조 4항에 숨어 있다.

"가입국들은 자국의 법규, 규정, 행정 절차를 부속 협정에 명시된 의무 규정과 일치시키도록 최대한 노력해야 한다."

이 부속 협정은 재화와 용역의 거래, 지적 소유권과 관련한 다자간의 모든 실질적 합의들을 포함하고 있다. 이 조항은 어떤 나라가 새로운 통상 규칙을 통해 얻을 수 있으리라 기대하는 이득을 타국의 법규가 허용하지 않을 때 정식으로 문제를 제기할 수 있게 해준다. 수입된 물품에 대해 세계무역기구가 인정한 국제 기준보다 까다롭고 엄정하게 지역적으로 혹은 국가적으로 정한 건강, 안전, 노동, 환경 기준을 충족할 것을 요구하는 법규가 있다면 이것들이 모두 여기에 해당된다. 만일 상대국이 그러한 불만을 제기했을 때 자국 정부가 수많은 세계적 규정들을 충족시켰음을 세계무역기구 조사단에게 입증할 수 없다면, 자국의 법규를 국제 기준치에 맞게 하향 조정하거나 아니면 끊임없는 벌금 혹은 무역 제재를 감수해야 한다.

세계무역기구의 목적은 국제 기준을 〈일치〉시키는 것이다. 수입되는 물품에 대해 재활용, 발암성 식품 첨가물의 사용, 자동차 안전 규정, 유독성 물질, 상표법, 육류 검사 등에 관한 자국의 혹은 해당 지역의 기준을 충족하도록 요구하는 규정들은 모두 문제가 될 수 있다. 일치된 국제 기준을 따르지 않는 국가는 자국의 기준이 순수하게 과학적 정당성에 근거한 것임을 입증해야만 한다. 단지 자국 기준치에 비해 더 허술하고 느슨한 세계무역기구의 기준치로 인해 자국민들이 위험에 노출되는 것을 원치 않아서라는 이유는 받아들여지지 않는다.

자국의 자원, 이를테면 임업 생산품, 광물 자원, 어업 생산품 종류에 대한 수출을 제한하는 보전 대책은 불공정 무역 행위로 규제될 수 있다. 지역에서 채취한 목재나 그밖의 자원들은 그 지역에서 처리해서 지역의 고용에 이바지하도록 한다는 조건 또한 마찬가지다. 또한 외국 투자자보다 현지인 투자를 특별 대우하려 하거나, 외국 기업의 지적 소유권(특허권과 저작권)을 보호해 주지 못하는 국가에 대해서도 소송이 제기될 수 있다. 새로운 세계무역기구 체제 하에서 지역의 이해관계는 더 이상 지역 법률이 내세우는 타당한 근거가 되어주지 못한다. 주로 다국적 기업들의 이해관계라고 할 수 있는 국제 무역의 이해관계가 우선권을 쥐고 있기 때문이다.

심지어 주 정부나 지방 정부가 직접 새로운 협정에 조인하지 않았다 하더라도 그들이 속한 국가가 세계무역기구 회원국이라면 지방이나 주의 법규도 제소 대상이 될 수 있다. 주나 지방 정부를 관할하는 중앙 정부는 이들이 반드시 세계무역기구의 규정을 준수하도록 하는 데 필요한 모든 합당한 조치를 취해야 할 의무를 진다. 합당한 조치에는 선제적 입법, 소송, 재정 지원의 철회가 포함된다.

세계무역기구 체제 하에서는 지방법도 이의 제기의 대상이 될 수 있다는 사실이 반드시 그렇게 될 거라는 의미는 아니다. 하지만 이들 법규들은 세계무역기구 설립 이전에 비교적 덜 엄격한 관세 및 무역에 관한 일반 협정 규정에 의해서도 심각하게 문제가 제기된 예가 수도 없이 많다. 심지어 관세 및 무역에 관한 일반 협정과 세계무역기구가 비준되기 이전에도 미국, 캐나다, 유럽 공동체, 일본은 일단 협정이 발효되기만 하면 자신들이 문제를 제기하고자 하는 상대국의 법규에 대해 광범위한 목록을 작성해 놓고 벼르고 있었다.

비록 관세 및 무역에 관한 일반 협정과 세계무역기구가 국가 간의 협정이고 그래서 한 국가가 다른 국가에게 이의를 제기하는 형태임에도, 일반적으로 그 추진력은 특정 국가나 지방법에 의해 불이익을 당했다고 믿는 초국가적 기업에서 나온다. 일례로, 담배 회사들은 흡연으로 인한 건강 손상을 줄이려는 목적으로 제정된 의료 개혁에 맞서기 위해 무역 협정을 끊임없이 이용해 왔다.

어떤 국가의 법규 혹은 지방법이 세계무역기구에 제소되는 경우, 쌍방은 비밀 청문회를 통해 3인의 통상 전문가로 구성된 조사단 앞에서 자신들의 입장을 개진해야 한다. 이들 조사단원들은 일반적으로 통상 문제에 대해 기업 측 대표로 경력을 쌓아온 법률가들이다. 조사단이 요청하지 않는 한 이 청문회에는 이를테면 비정부 기구들의 의견서처럼 대안적 접근 방법에 대해서는 기회가 주어지지 않는다. 조사단에 제출되는 서류는 당사국 정부가 스스로 공개하기로 결정하는 경우를 제외하고는 모두 기밀에 부쳐진다. 또한 특정한 주장이나 결론을 지지한 조사단의 신분을 공개하는 것도 절대 금지된다. 문제의 법률이 관세 및 무역에 관한 일반 협정에서 정한 무역 규제 대상이 아님을 입증할 책임은 제소를 당한 쪽에 주어진다.

어떤 국가의 국내법이 세계무역기구의 규정을 위반했다고 판정되는 경우, 조사단은 위반 국가에 법률 개정을 권고할 수 있다. 세계무역기구가 사실상 세계 최고의 사법 기관이 되는 것이다. 정해진 기간 내에 권고 받은 대로 법률을 개정하지 않는 국가들은 과징금이나 무역 제재, 혹은 양쪽 모두를 감수해야 한다.

회원국의 만장일치 투표로 거부된 경우를 제외하고는, 조사단의 결정은 발표일로부터 60일 후에 세계무역기구에 의해 자동 채택된다. 조사단의 결정을 뒤집기 위해서는 승소한 국가를 포함하여 100여 개 회원국이 모두 반대표를 던져야 한다는 뜻이다. 따라서 항소는 사실상 무의미하다.

세계무역기구는 사법권과 더불어 입법권을 갖는다. 관세 및 무역에 관한 일반 협정은 세계무역기구가 회원국 대표 3분의 2의 찬성이 있으면 무역에 관한 규정을 바꿀 수 있도록 해놓았다. 이 과정을 통해 탄생한 새로운 규칙은 모든 회원국에게 적용된다. 사실상 세계무역기구는 국가의 입법 기구에 회부하지 않고도 강령을 개정할 수 있는 권한을 가진, 선거를 통해 선출되지 않은 세계의 의회인 셈이다.

농부들의 씨앗에도 특허권을 주장

—

세계무역기구의 수많은 조항들은 경쟁적인 시장의 효율적인 기능을 보장하는 데 꼭 필요한 것들이라고 내세워져 왔다. 그럼에도 세계무역기구는 초국가적 기업들이 자신들의 경제력을 이용해 불공정한 방법으로 경쟁자를 축출하는 것에 대해서는 어떠한 제한도 가하지 않는다. 초국가적 기업들은 합병이나 인수를 통해 경쟁자를 흡수하거나 혹은 전략적인 제휴를 통해 기술, 생산 설비, 시장을 공유한다. 사실 세계무역기구가 정부 규제와 기준의 강화를 요구하는 유일한 분야는 지적 소유권, 즉 특허권, 저작권, 상표권에 대한 협약일 뿐이다. 세계무역기구가 이 분야에서 강력한 정부의 개입을 요구하는 것은 정보와 기술에 대한 기업의 독점권을 보호하기 위해서이다.

그 중에서도 특히 불길한 것은 종자와 천연 약재를 비롯한 유전 물질에 대한 권리를 특허를 통해 민영화하기 위해 세계무역기구를 이용하는 것이다. 미국 기업들은 미생물, 동물, 식물을 포함해 모든 유전자 조작 생물(GEO, Genetically Engineered Organism, GMO라고도 함)에 대해서까지 특허권 보호를 확장하도록 정부를 설득하면서 종자와 유전 물질의 특허권 보호를 강력히 주장해 왔다. 특허권 보호에서 제외되는 생물은 오직 유전적으로 변형된 인간뿐이다. 유전자가 종자의 종에 삽입되는 과정에 대한 특허로 몇몇 회사는 전체 종에 대해 그리고 그 연구의 모든 유용한 결과물에 대해서도 유전자 연구의 독점권을 획득하는 데 성공했다. 이 회사들은 세계무역기구 체제 아래 이 특허권을 전 세계적인 독점권으로 확대하기 위해 엄청난 압박을 가하고 있다. 1992년 W. R. 그레이스의 자회사 애그라세터스는 유전 공학적인 혹은 유전자 이식으로 만들어진 다양한 목화 종류에 대하여 미국에서 특허를 받았고 인도, 중국, 브라질을 비롯하여 세계 목화 수확량의 60퍼센트를 생산하는 국가에서뿐만 아니라 유럽에서도 이와 유사한 특허 신청을 냈다. 1994년 3월, 이 회사는 모든 유전 공학적 콩에 대해서도 유럽에서 특허를 얻어냈고 미국에서도 역시 특허 출원을 냈다.

오랜 세월을 통해 농부들은 다음 수확기에 사용할 종자를 보관해 왔다. 현재 미국 특허법에 따르면, 특허가 있는 종자를 보관하거나 이를 다시 심는 행위는 특허법을 위반하는 행위다. 종자를 비롯해 또 다른 종류의 생물 형태에 대한 특허권 보호를 세계화하려는 움직임에 맞서 인도에서는 농부들의 대규모 시위가 발발했다. 이들 농부들은 세계무역기구 체제 아래에서는 초국가적 기업에 로열티를 지불하지 않고는 자신들이 보관한 씨앗을 심지 못한다는 사실을 깨달았던 것이다.

생계 수단에 대한 사람들의 권리라는 측면에서 볼 때 무엇이 옳고 타당한가에 대한 기업 측 견해는 종자 육성과 판매와 관련된 기업들로 구성된 산업협회의 사무국장 한스 린더스에 의해 다음과 같이 확실히 표명된 바 있다.

농부가 자신이 수확한 농산물의 종자를 보관하는 일이 대다수 국가에서 전통이 되어 왔다고는 하나, 농부가 한 푼의 로열티도 지불하지 않고 그 종자를 사용하고 상업적인 작물을 재배한다는 것은 변화하는 상황에서 볼 때 공정하지 못합니다. 좀 더 강력히 종자를 보호받기 위해서는 업계가 맹렬히 싸워야 합니다.

생물 형태에 대한 특허에 반대하는 남반구 세계의 지도자 반다나 시바는 다음과 같이 말한다.

"이는 농업과 식량 체제에 대한 세계적인 독점권이 다국적 기업에 하나의 권리로 이양되어야 한다는 주장을 또 다른 방식으로 하고 있는 것뿐이다."

지금 우리 눈에 보이는 것은 지구 공동의 생물 유산에 대한 독점적 지배권을 획득하기 위하여 소수 기업들이 기울이는 뻔뻔스런 노력이다.

세 개의 브레턴우즈 기관이 이룬 업적에 대한 검토는 그들이 수행하는 실질적인 기능에 명확하게 초점을 맞추게 한다. 세계은행은 북반구에 기반을 둔 거대 기업들을 위한 수출 금융 기구의 역할을 해왔고, IMF는 북반구에 기반을 둔 금융 기관들을 위해 부채 수금원 노릇을 해왔다. 관세 및 무역에 관한 일반 협정은 사람들과 지역 공동체, 민주적으로 선출된 정부에 맞서 전 세계 최대 기업들의 권리를 보호하는 기업의 권리 규정을 창조하고 강화하는 역할을 담당해 왔다.

세계은행과 IMF는 1994년에 창설 50주년 기념일을 축하했다. 전 세계 시민 단체들은 〈50년으로 족하다Fifty Years Is Enough〉라는 슬로건을 내걸고 세계적인 캠페인을 조직하는 것으로 그 행사를 주목했다. 브레턴우즈의 50년은 사실상 충분하다는 표현으로는 부족했다. 세계의 국민과 환경은 이제 더 이상 그들을 감당할 수 없는 지경에 이르렀다.

제2차 세계대전은 강대국에 의한 약소국의 지배를 종식시키지 못했다. 조금 덜 명확하고 더욱 현혹적인 형태로 식민주의를 은폐했을 뿐이었다. 새로운 기업 식민주의는 더 이상 예전의 국가 식민주의처럼 거스를 수 없는 역사적 힘이 빚어내는 결과가 아니다. 이는 소수 엘리트들의 이해관계 추구에 입각한 의식적인 선택의 결과다. 엘리트 집단의 이해관계는 규제 철폐와 경제의 세계화를 추진하려는 기업의 이해관계와 밀접하게 제휴되어 있다. 그 결과 세계 최대의 초국가적 기업들과 글로벌 금융 시스템은 점점 더 인간의 이해관계와 멀어지고 있는 자신들의 이익을 추구하는 과정에서 인간사에 대해 점점 더 엄청난 권력을 휘두르고 있다. 정치적, 경제적 힘이 공적인 우선순위를 좌지우지할 수 있는 몇몇 거대 기업에 집중되면 건강하고 공평하며 민주적인 사회를 만들어 가는 것은 불가능해진다. 우리가 창조한 이 시스템은 이제 그것을 만든 자들마저, 그리고 그에 의해 풍요로운 보답을 받았던 자들마저도 통제할 수 없는 것이 되고 말았다. 4부에서는 이 시스템의 본질과 역학관계에 대해 알아보겠다.

제4부

우리는 지금,
강도를
당한 것이다

13
숙주에 기생하는 약탈자

이 새로운 시장에서는 몇 초 동안 수십억 달러가 경제 안으로 흘러들어왔
다가 빠져나갈 수 있다. 돈의 힘이 너무나 막강한 나머지, 이제 일부 관측
자들은 투기적 자금이 이 세계를 막후에서 움직이는 일종의 〈그림자 정부〉
가 되어가고 있음을 본다. 이 그림자 정부는 국민 국가의 통치력이라는 개
념을 회복할 수 없을 정도로 침식하고 있다. - 《비즈니스 위크》

현대의 금융 시스템은 아무것도 없는 무無에서 돈을 만들어 낸다. 그 과정
은 아마도 지금까지 발명된 모든 것들 중에서 가장 믿기 어려운 교묘한 손
재주일 것이다. 만일 당신이 은행가의 노예가 되기를 원한다면 자신이 노
예가 되는 것에 대해 비용을 지불하라. 그런 다음 은행이 마음대로 돈을
찍어내도록 놔두어라. - 영국은행 전 이사 조사이어 스탬프

매일같이 50만에서 100만의 사람들이 동이 틀 무렵에 일어나 컴퓨터
를 켜 사람과 사물, 자연으로 구성된 진짜 세계를 떠나 세상에서 가
장 수지맞는 컴퓨터 게임인 머니 게임에 빠져든다. 컴퓨터에 연결되
면 그들은 환상의 세계인 사이버 공간으로 들어간다. 이 사이버 공간
은 숫자로 표시되는 돈과 복잡한 규칙들로 건설되며, 돈은 이 규칙들
을 통해 무한정 다양해 보이는 형태로 전환될 수 있다. 그리고 그 각
각의 형태는 저마다 독특한 위험과 재생산적 특징을 갖는다. 게임의

참가자들은 서로 상호작용하면서 다른 참가자가 쥐고 있는 돈을 자신의 계좌로 끌어오기 위한 경쟁적인 거래에 참여한다. 참가자들은 또한 서로 돈을 빌리거나 입찰가를 앞다투어 올림으로써 돈을 피라미드 모양으로 쌓아나간다. 또한 그들은 실제로 돈을 빌리지 않고도 지렛대 효과를 이용해 그들이 가진 자금을 투기하게끔 해주는 엄청나게 다양한 외국의 금융 수단*들을 구입할 수 있다. 이는 마치 게임을 하는 것과 같다. 하지만 결과는 허구가 아니라 실제다.

경제 세계화의 이야기는 단지 그 일부분만이 스트라토스 거주자들이 사는 환상의 세계의 이야기이며 글로벌 제국을 건설한 사람들이 꾸는 꿈이다. 하지만 경제 세계화에는 그것 말고 또 다른 이야기가 존재한다. 그것은 바로 우리의 제도적 시스템에 깊숙이 박힌 채 게임에 참여하고 있는, 인간 외적인 힘의 이야기, 곧 〈돈의 이야기〉이며, 하나의 제도로써의 돈의 진화가 어떻게 인간 사회를 변형시켜 누구도 의도하지 않았던 인간의 이익에 반하는 종말을 향하여 나아가게 하고 있는가에 대한 이야기이다. 그것은 시장의 보이지 않는 손이 갖는 유해한 측면에 관한 이야기이며, 부의 효율적인 생산에서 방향을 바꾸어 부를 억지로 우려내어 한 곳으로 집중시키는, 규제 풀린 시장의 경향성에 관한 이야기이다. 이는 선량하고 사려 깊은 사람들이 어떻게 발목 잡혀서 고삐 풀린 탐욕의 추구에 몰두하는 체제에 봉사하고 심지어는 그것을 창조하게까지 되었는지, 그래서 그들 자신이 원하지도 용납하지도 않는 결과를 낳게 되었는지에 관한 비극적인 이

* 주식, 채권, 선물, 옵션, 양도성예금 증서인 CD, 기업어음인 CP 따위의 총칭으로, 금융 시장을 통하여 자금을 이전할 때 사용하는 도구로, 금융 상품이라고도 한다.

야기이다.

비록 그 결과는 전 세계에 미치는 것이지만 여기서 우리가 주로 미국에 초점을 맞추는 것은 제2차 세계대전 이후 미국이 세계의 경제와 주요 경제 기관들의 형성 과정에 지배적인 역할을 해왔기 때문이다. 이런 이유로 글로벌 시스템의 강점과 역기능이 미국에서 가장 먼저 나타나고 그런 다음 전 세계로 확산되는 경향이 생겨나게 되었다.

돈과 가치의 연계가 끊어지다

세계적인 금융 시스템에 무슨 일이 일어났는지를 이해하려면 우리는 먼저 돈의 본질을 이해해야 한다. 돈은 인간의 중요한 욕구를 충족시키기 위해 창조된, 인류의 가장 중요한 발명품 가운데 하나다. 인류의 아주 초기에는 동등한 가치를 지닌 물건끼리 직접 교환하는 방식으로 시장 거래가 이루어졌다. 이는 상대가 가진 물건과 바꾸고 싶은 물건을 가진 두 개인이 만나야만 비로소 거래가 성립될 수 있음을 의미한다. 따라서 상업의 유용한 확장에는 엄청난 제약이 따를 수밖에 없었다. 따라서 이 제약은 사람들이 실질적 가치를 갖고 있는 어떤 대상, 즉 장식용 조가비, 소금 덩어리, 귀한 금속, 혹은 귀한 돌조각 등을 교환의 매개물로 사용하기 시작하면서 일부나마 해소되었다. 그러다가 금속 주화에 함유된 귀금속, 대개는 금이나 은의 함유량에 입각해 동전이 표준적 교환 단위가 되어주었다. 나중에는 귀금속은 금고에 보관하고, 요구만 하면 언제든지 귀금속과 교환 가능한 지폐를 발행하는 편이 훨씬 편리하겠다는 생각을 하게 되었다. 어떤 의미에서 지폐는 원래 그 소지자가 귀금속을 갖고 있음을 보여주는 영수증과 마찬가지였으나 지폐는 귀금속보다 편리하고 수송이 가능하다는 장점이 있었다.

그러나 이 개혁은 한 단계 한 단계 진행될 때마다 실질적 가치를 지닌 물건과 돈의 연계가 점점 더 끊어지는 방향으로 나아가게 되었다. 그러다가 세계은행과 IMF를 출범시킨 역사적인 1944년의 브레턴우즈 회합에서 여기서 한 단계 더 나아간 조치가 취해졌다. 이 모임의 각국 대표들은 자국의 통화를 정해진 환율에 따라 원하는 만큼 미국 달러로 교환할 수 있도록 보장하는 세계적인 금융 시스템을 만드는 데 합의했다. 반대로 미국 정부는 각국에 금 1온스당 35달러의 비율로 교환을 해주겠다고 했다. 미국 달러화는 35달러당 금 1온스의 가치를 갖도록 고정시키고 기축통화인 미국 달러와 각국 통화 간의 기준 환율을 정하는 고정 환율제의 시행은 미국이 포트 녹스에 엄청난 금(당시 미국은 전 세계 금의 60퍼센트를 보유하고 있었다.)을 갖고 있었기에 가능했다. 따라서 각국 정부는 미국의 달러를 금 보관증서로 받아들이게 되었고 자신들의 국제 외환 보유고를 유지함에 있어 금보다는 달러를 선택하게 되었다.

이 체제는 20년 넘게 그럭저럭 잘 굴러갔다. 미국이 전 세계에 군사적, 상업적으로 팽창해 나가는 데 필요한 자금을 마련하기 위해 자신이 보유한 금으로 보장할 수 있는 양보다 훨씬 더 많은 달러를 발행하고 있다는 사실이 명백하게 드러나기 전까지는 말이다. 그런데 만약 달러를 보유하고 있는 모든 국가들이 동시에 미국에 달러를 갖다주고 금을 찾아오겠다는 결정을 한다면 순식간에 금은 동이 날 것이고, 달러화 가치의 완전무결함을 굳게 믿었던 이들의 손에는 아무 짝에도 쓸데없는 종잇장 밖에는 남지 않게 될 것이었다.

혹시라도 이런 사태가 일어날 것에 대비하기 위해 1971년 8월 15일, 리처드 닉슨 당시 미국 대통령은 미국은 이제 더 이상 달러를 금으로 교환해 주지 않겠다고 전 세계에 선언했다. 그로써 달러는 이제 숫자와 복잡한 도안이 찍힌, 미국 정부가 발행한 고급 종잇조각에 지나지 않게 되었다. 세계의 통화는 실질 재화와 용역의 대가로 다른 나라에서 그것을 받아줄 거라는 공통된 기대를 제외하고는 이제 어떤 가치에도 연계되지 않았다.

컴퓨터가 널리 보급되자 그 다음 단계로 무엇이 올 것인지는 비교적 명확했다. 종이를 배제하고 컴퓨터에 단순히 수치만을 저장하는 것이다. 동전과 지폐는 지금도 계속 유통되지만 세계 금융 거래는 점점 더 컴퓨터 간의 직접적인 전자 이체로 이루어지는 상황이다. 돈은 이제 실질 가치를 갖는 어떤 것과도 연계되지 않은, 순수 추상에 가까워졌다.

금융 시스템의 이 같은 탈바꿈은 다음 네 가지 발달 단계를 기초로 한다.

■ 미국은 자국의 세계적 팽창을 달러로 재정 지원했고 이제 외국 은행들과 미국 은행 해외 지점의 대차대조표 상에 그 많은 부분들이 드러나고 있다. 그러나 이렇게 공급되는 달러는 미 연방준비제도의 지불 준비율을 지키지 않아도 되며 규제도 받지 않는다.

■ 전산화와 세계화는 전 세계 금융 시장을 세계적으로 단일한 체제로 통합시켰다. 이 체제 내에서는 개인들이 컴퓨터 단말기 앞에 앉아 전 세계 모든 주요 시장의 가격 동향을 계속 주시할 수 있고, 그중 어떤 시장과도 혹은 모든 시장과 거의 즉각적으로 거래를 할 수 있다. 그리고 인간의 개입 없이도 눈 깜짝할 사이에 수십억 달러의 거래를 자동으로 성사시키도록 컴퓨터에 프로그램을 설정할 수도 있다.

■ 수많은 개인들이 일단 투자를 하겠다고 결정하면 이제는 그 다음 단계로 비교적 소수의 투자 전문가의 손에 집중되었다. 개인 투자자들이 직접 개별 주식을 매수하거나 보유하기보다 투자 전문가가 관리하는 자산 운용사에 맡기는 방식을 선택함에 따라 투자 회사에서 관리하는 자금의 전체 규모는 불과 3년 만에 두 배로 늘어났다. 그러는 동안 금융 산업계에는 거대한 합병이 일어나 1992년 9월부터 1993년 9월 사이에 미국에서만 5백 개 이상의 은행이 다른 곳에 흡수되거나 문을 닫았다. 이 대대적인 합병으로 거대한 투자금의 관리는 몇 군데 주요 머니 센터 은행(money center bank, 국제 금융에 초점을 둔 대형 은행으로 주로 뉴욕에 있음)에 집중되었다. 자산 규모가 총 4조 달러에 달하는 것으로 평가되는 연기금은 대부분 거대 금융사의 신탁 부서에서 관리하며, 이것이 그 거대 금융사의 재정력을 엄청나게 증대시킨다.

■ 투자 기간이 극단적으로 단기화하고 있다. 자산 운용사 관리자들은 자신들이 창출할 수 있는 수익에 입각해 투자자의 자금을 유치하기 위해 경쟁을 벌인다. 뮤추얼 펀드의 투자 실적은 매일같이 발

표되고 투자사별 월별, 연별 수익률을 비교해 주는 서비스도 무수히 많다. 개인 투자자들은 이러한 실적을 참고해 전화기의 버튼을 누르거나 컴퓨터 마우스를 움직여 자신의 돈을 이 투자 회사에서 다른 투자 회사로 간단히 옮길 수 있다. 이들 투자 회사의 관리자들에게 단기라고 하는 것은 하루 혹은 그보다 짧은 시간을 의미할 수 있고, 장기는 주로 한 달을 의미한다.

개인 저축은 이제 순간적으로 금융 수익을 올리려는 엄청난 경쟁적 압력 하에서 전문가들이 관리하는 거대한 투자 풀 속으로 합병되고 있다. 투자 행위와 관련해서 정해진 시간은 생산적인 투자가 무르익기에는 너무 짧고, 생산적인 투자가 이루어질 수 있는 기회에 비해 투자할 돈은 훨씬 많으며, 심지어 장기간에 걸친 투자라고 해도 시장이 기대하는 수익은 최고로 생산적인 투자가 올릴 수 있는 수익을 훨씬 초과한다. 결과적으로 금융 시장은 생산적인 투자를 버리고 억지로 수익을 뽑아내는 투자를 선택하고 있으며, 이 과정은 인간에게 어떤 영향을 미치는지에 대한 고려 없이 자동 조종 장치에 의해 기계적으로 진행되고 있다.

금융 시스템은 점점 따로 떨어진 하나의 세계로 기능하면서 세계 경제의 생산 부문을 심히 위축시키고 성장을 방해할 정도가 되어 버렸다. 세계 경제 자체도 이제 머니 게임의 참여자들이 시시각각 전 세계로 이동시키는 돈의 거대한 흐름에 꼼짝없이 몸을 맡기는 신세가 되어가고 있다.

《뉴욕 타임스》의 비즈니스 섹션 편집자였고 현재 《하버드 비즈니스 리뷰》의 편집자로 있는 조엘 커츠먼은, 비록 누구도 그 비율을 정확히 알 수는 없지만, 만일 생산적인 세계 경제에 1달러가 유통된다고 가정하면 순수 금융 경제에는 대략 20달러에서 50달러가 유통되고 있다고 추정했다. 국제 환율 시장 하나만 보더라도 8천억 달러에서 1조 달러(2000년 기준)에 대해 매일같이 손바뀜이 일어난다. 이는 하루 동안 재화와 용역의 교역에 200억에서 250억 달러가 필요하다는 점을 생각하면 엄청나게 큰 금액이다. 커츠먼의 주장을 들어보자.

통화 시장에서 거래되는 8천억 달러의 대부분은 투기 목적의 단기 투자에 이용된다. 투자 기간은 두세 시간이나 2-3일, 최대한 길게 잡아야 2-3주일이다. 이 돈은 주로 수익을 올리는 데만 개입한다. 8천억 달러면 일본전신전화주식회사NTT와 일본의 7대 금융사, 도요타 모터스를 포함해 일본의 9대 대기업(기업 가치가 심하게 부풀려져 있기는 하지만)을 즉각 사들이고도 남을 만한 돈이다. 이 돈은 옵션 거래와 주식 투기, 금리 차익을 노린 거래에 이용된다. 이 돈은 또한 투자자가 채권이나 외환 등의 상품을 환율에 따라 더 싼 지역에서 사서 더 비싼 지역에서 팔아 차익을 남기는 재정 거래에 이용되기도 하며 이 거래는 전자기기를 사용하여 동시에 이루어지기도 한다.

이 돈은 실질 가치와 아무런 연관이 없다. 그럼에도 고속도의 단기 거래로 수백만 달러를 움직이는 사람들은 현재 시중 금리보다 훨씬 높은 수익률로 돈을 불리는 능력에 자신들의 경력과 명성을 건다. 이렇게 돈을 불릴 수 있는 이유는 거래되는 금융 자산의 시장 가치를 실제 재화와 용역의 생산과는 아무 상관없이 끝없이 부풀릴 수 있는 현재의 금융 시스템 덕분이다. 그리고 이에 따라 부풀려진 자산을 관리하는 자들의 경제력 혹은 구매력은 팽창하며, 이에 반해 실질 가치를 창조하는 사회의 다른 구성원들에게 돌아가는 실질적이고 상대적인 보상은 점점 감소한다.

오직 풍선이 부풀어 있는 동안에만

—

가치를 창조하지 않고 돈을 만드는 방법으로는 흔히 두 가지가 있다. 하나는 빚을 지는 것이고, 나머지 하나는 자산 가치를 올리는 것이다. 글로벌 금융 시스템은 이 두 가지 방법을 모두 사용해서 실질 가치 창조로부터 분리된 부를 창출하는 데에 매우 능숙하다.

:: 부채

금융 시스템이 부채를 피라미드형으로 만듦으로써 부를 창출하는 방식은 경제학 입문 강의를 들어본 사람이라면 누구든 익숙할 것이다. 미국에서는 이것이 연방준비은행FRB이 정부채를 공개 시장에서 사들이면서부터 시작된다. 예를 들어 연방준비은행(이하 연준이라고 칭함)이 A라는 사람에게서 1천 달러짜리 채권을 사고, A는 M이라는 은행에 있는 자신의 계좌에 그 수표를 넣는다고 치자. 연준은 M은행의 지불 준비 계정에 1천 달러를 넣어 채권 구입 비용을 메운다. M은행은 10퍼센트의 지급 준비율만 유지하면 되므로 B라는 사람에게 9백 달러를 대출해줄 수 있다. B는 다시 N은행에 있는 자신의 계좌에 그 돈을 저축한다. 이제 A라는 사람은 M은행에 1천 달러의 현금 자산을 보유하고 있고, B는 N은행에 9백 달러의 현금 자산을 보유하고 있다. 10퍼센트의 지급 준비율을 유지하면 N은행은 C라는 사람에게 다시 810달러를 대출해줄 수 있고, C는 F은행에 그 돈을 저축하고 F은행은 D에게 729달러를 대출해줄 수 있다. 이런 식으로 계속 예금과 대출이 이루어진다. 최초에 연준이 A에게서 1천 달러짜리 채권을 구입한 것이 금융 시스템으로 하여금 9천 달러의 대출을 새로이 실행할 수 있게 함으로써 은행에는 9천 달러의 신규 예금이 생성된다. 실질 가치를 지닌 것을 단 하나도 생산할 필요 없이 돈이 창조된 셈이다.

위에서 우리는 연방준비제도가 요구하는 평균 10퍼센트의 지급 준비율을 기준으로—실질적인 지급 준비율은 은행의 규모와 계정의 성격에 따라 0퍼센트에서 14퍼센트까지 다양하다—은행들이 어떤 과정을 통해 돈을 만드는지에 대한 전형적인 교과서적 사례를 살펴보았다. 지급 준비율에 대한 규정이 없다면 금융 시스템은 이론상 무제한으로 돈을 만들어 나갈 수 있을 것이다.

미국이 가진 것 이상으로 소비를 하면서 전 세계에 유통되는 달러 중에 외국 은행이나 미국 은행의 해외 지점 계좌에 누적된 양이 점점 많아지고 있다. 유로 달러(Euro-dollar, 미국을 제외한 유럽 금융 시장에서 유통되는 달러)로 알려진 이 돈은 미 연방준비제도의 지급 준비율 규정을 지키지 않아도 된다. 만일 각 은행들이 정부의 지급 준비 요구가 미치지 않는 곳에 계정을 유지한다면 이들 은행은 예탁금 총액을 몽땅 대출해줄 수 있고, 만일 그들이 이런 선택을 한다면 글로벌 금융 시스템은 달러의 공급을 무제한으로 확장할 능력을 갖게 된다.

:: 자산 가치

주식의 가격 혹은 토지나 예술 작품 같은 유형 자산의 가격은 시장의 수요로 결정된다. 빠른 수익을 찾는 투자자들과 돈에 파묻힌 경제에서 그러한 수요는 다른 투기자들이 계속해서 가격을 올릴 거라는 기대가 적잖은 영향을 미친다. 조지 부시 대통령 밑에서 재무 장관을 지낸 바 있는 니콜라스 F. 브래디는 다음과 같이 말했다.

"만약 자산이 금이나 석유라면 이런 현상을 인플레이션이라고 할 것이다. 그러나 주식에서는 이것을 부의 창조라고 일컫는다."

이 과정은 점점 악순환하는 경향이 있다. 어떠한 자산의 가격이 오르면 더 많은 투기꾼들이 행동에 나서고 가격이 계속 올라가면 더욱더 많은 투기꾼들의 주목을 끌게 된다. 그러다가 멕시코 주식 시장의 극단적 팽창이 1995년 페소화 위기를 불렀을 때처럼 한순간에 거품이 꺼지는 것이다.

이러한 자산을 소유한 사람들의 구매력은 그 자산의 내재 가치에 변화가 없고 사회가 실질 재화와 용역을 생산하는 능력에 아무런 변화가 없는데도 아주 단기간에 엄청난 폭으로 변화할 수 있다. 우리는 구매력의 변화가 진정한 부의 변화와 연관된다는 생각에 완전히 길들여져서 둘의 관계가 착각에 불과할 때가 많다는 사실을 간과하기 쉽다. 부의 창조가 가치의 창조로부터 분리되는 과정을 구체적으로 다룬 조엘 커츠먼의 저서 『돈의 죽음*The Death of Money*』에서 발췌한 다음의 내용을 보자. 커츠먼은 뉴욕 주식 시장의 다우존스 산업지수가 하루 만에 22.6퍼센트나 하락했던 1987년 10월 19일에 대체 무슨 일이 일어났는지를 다음과 같이 묘사하고 있다.

만약 1987년 8월의 주식 시장을 기준으로 하면, 투자자들은 두 달 조금 넘는 기간 동안 뉴욕 증권 거래소에서 1조 달러 이상의 손실을 본 셈이다. 이 손해는 주택, 공장, 업무용 빌딩, 도로, 그리고 주거용이나 업무용 건물이 들어선 토지를 포함해 미국 내 모든 인공물이 지닌 가치의 8분의 1에 해당하는 금액이다. 너무 엄청난 규모의 손실이어서 정신이 혼미해질 정도다. 1조 달러면 전 세계 인구를 2년간 먹여 살릴 수 있을 뿐만 아니라 제3세계의 절대 빈곤층을 중산층으로 끌어올릴 수도 있는 금액이다. 핵 추진 항공모함 1천 대를 살 수 있는 돈이기도 하다.

당시 주식 시장에 돈을 투자했던 사람들은 아닌 게 아니라 정말로 구매력을 상실했다. 하지만 커츠먼이 언급한 주택, 공장, 업무용 빌딩, 도로, 주거용이나 업무용 건물이 들어선 토지는 아무것도 달라지지 않았다. 사실상 이 1조 달러는 단 5초도 세계를 먹여 살릴 수 없다. 이유는 간단하다. 사람은 돈을 먹을 수 없기 때문이다. 사람은 음식을 먹고 사는데 주식 시장 가치의 붕괴 그 자체로는 세계의 식량 공급에서 단 한 톨의 쌀알도 늘거나 줄지 않았다. 단지 특정 회사의 지분을 사고파는 가격이 변했을 뿐이다. 이들 중 어느 회사도 생산 능력에 변화가 없었고 심지어 이들의 은행 계좌에 들어 있는 현금 자산에도 아무런 변화가 없었다.

뿐만 아니라 비록 주식 가치가 개인 투자자들의 잠재적 구매력을 보여주는 것이기는 하지만 이 가치는 시장의 모든 투자자들의 총구매력을 정확하게 반영하지는 않는다. 이유는 간단하다. 증권을 가지고 살 수 있는 것이 별로 없기 때문이다. 예를 들어 당신은 동네 슈퍼마켓에서 식료품을 구입하고 점원에게 그 값으로 증권을 내밀 수는 없다. 그러려면 먼저 주식 시장에서 주식을 팔아서 현금화해야 한다. 그런데 누군가가 현재가로 증권을 매도하고 그 돈으로 물건을 구입할 수 있다 하더라도, 만약 모든 사람들이 슈퍼마켓에 가서 식료품을 구입하려고 동시에 주식을 판다면 1987년 10월 19일 사건과 똑같은 일이 발생할 것이다. 그들이 소유한 주식의 총가치는 마치 바늘에 찔린 고무풍선처럼 순식간에 바람이 빠져 버릴 것이다. 부, 즉 구매력은 그와 동시에 증발할 것이다. 우리가 지금 다루고 있는 것은 시장의 투기가 〈부의 환상〉을 창조하는 상황이다. 이 환상은 그것을 가진 자들에게 실질적인 힘을 부여하지만, 이는 오직 풍선이 부풀어 있는 동안에 한해서이다.

약탈적 시스템 안의 기생적 약탈자
—

전 세계 금융 시장에서 거대한 자금이 오가는 거래의 전체적인 본질이 극적으로 변화하고 있다. 금융 분석가와 거래 담당자들이 수학 이론가들, 즉 퀀츠quants로 대체되고 있는 것이 현재의 경향이다. 이들은 수학 방정식을 토대로 복잡한 가능성 분석과 카오스 이론을 접목

해서 포트폴리오를 구성한다. 인간은 새로운 포트폴리오 관리 전략
이 요구하는 최적의 속도로 계산을 하거나 결정을 할 수 없기 때문
에, 세계 금융 시장을 통하여 이루어지는 거래는 사업 자체와는 아무
런 상관이 없는 추상적 개념에 입각하여 컴퓨터로 이루어지고 있다.
커츠먼의 주장을 다시 한 번 살펴보자.

적어도 주식 거래에 대한 이전의 의미대로라면 이 컴퓨터 프로그램
들은 주식을 거래하고 있는 것이 아니다. 왜냐하면 이 프로그램들은
그 주식을 발행하는 회사에 대해서는 아무 관심도 없기 때문이다.
컴퓨터는 단순히 금융 상품(주식, 통화, 채권, 옵션, 선물 등)을 수학적으
로 정확한 분석 자료를 토대로 거래할 뿐이다. 모든 조건들이 컴퓨
터 프로그램에 포함된 분석 자료와 일치하는 한, 어떤 상품이 그 자
료의 내용과 정확히 부합되는지의 여부는 전혀 문제가 되지 않는다.
주식으로 말하자면, 주식의 변동성, 가격, 교환 규칙, 이익 배당, 베
타(위험 계수)가 컴퓨터의 분석 내용에 부합된다면 누구도 주식 거래
를 할 수 있다. 컴퓨터는 그 주식이 IBM 주식이건 디즈니 주식이건
혹은 MCI 주식이건 전혀 신경 쓰지 않는다. 컴퓨터는 그 회사가 원
자 폭탄을 제조하든 원자로를 만들든 혹은 약을 제조하든 전혀 상관
하지 않는다. 컴퓨터는 그 회사들이 북캘리포니아에 공장을 갖고 있
든 남아프리카에 공장을 갖고 있든 알 바가 아니다.

금융 시스템이 내리는 결정들은 점점 더 소수만이 이해하는 수학
공식을 바탕으로 컴퓨터에 의해 이루어지고 있다. 그리고 그 유일한

목적은 순수한 추상물인 부를 복제하는 것이다. 이 목적은 애덤 스미스가 1776년에 『국부론』을 세상에 내놓으면서 마음에 그렸던 시장의 보이지 않는 손으로부터 너무나 멀어졌다. 그러나 이것이 바로 오늘날 자유 시장의 힘이 지배하는 세계의 현실이다. 세계적 금융 시스템은 그 숙주인 생산적 경제의 살을 먹고 살아가는 〈기생적 약탈자〉가 되어 버린 것이다.

14

불안정해야
그들은 먹고 산다

당신은 이런 식으로는 돈을 벌 수 없다. 달러는 옆으로 움직이고 있고 그 움직임의 폭은 너무나 작다. 달러나 다른 통화로 투기나 거래를 하는 사람은 돈을 딸 수도, 잃을 수도 없다. 당신은 아무것도 할 수 없다. 그것은 공포였다. – 시큐리티 퍼시픽 은행의 외환 딜러, 카민 로톤도

기업 자유의지론의 이데올로기적 전제 가운데 하나는, 투자가 경제 규모를 키우고 사회의 순수 복지를 늘리며 따라서 모든 이에게 잠재적으로 혜택을 가져다준다는 점에서 본질적으로 생산적이라는 것이다. 건강한 경제에서 대부분의 투자는 생산적이다. 그러나 지금의 글로벌 경제는 건강한 경제가 아니다. 글로벌 경제가 부를 창조하지 않고 이미 존재하는 부를 억지로 뽑아내어 한 곳에 집중시키는, 즉 부를 〈채취〉하는 투자자들에게만 보답하는 예는 셀 수도 없을 만큼 많

다. 부를 채취하는 투자자가 얻는 이득은 다른 개인들 혹은 사회 전체를 희생시켜 가며 얻은 것이다.

최악의 경우, 이 같은 투자는 어느 개인에게는 상당한 보답을 안겨 줄지 모르지만 실질적으로는 사회 전체의 부를 감소시킨다. 이 같은 현상은 투자자가 자산의 잠재적 생산성을 유지하는 집단으로부터 토지, 목재, 심지어 기업과 같은 생산적 자산이나 자원의 지배권을 획득하고 즉각적인 수익을 위해 그것을 현금화할 때 발생한다. 이때 투자자는 가치를 창조하는 것이 아니라 가치를 우려내고 있는 것이다. 이를테면 오래된 산림의 경우는 자산이 다른 것으로 대체될 수 있는 성질의 것이 아니다. 어떠한 투자가 실질 가치를 지닌 무언가를 창조하지 않고 토지나 주식의 가치를 부풀림으로써 부나 구매력을 창조하는 것 역시 채취 투자(extractive investment, 생산 활동을 통해 실질 가치를 지닌 것을 창조하지 않고 가격의 변동에 의해 부를 창출하는 투자)의 한 형태다. 투자자는 아무것도 창조하지 않는다. 그런데도 사회적 구매력에서 그들이 차지하는 몫은 증가한다.

투기는 또 하나의 채취 투자다. 금융 투기자들은 자신들이 선택한 가격의 상승과 하락에 돈을 건다는 점에서 세련된 형태의 도박에 참여하는 것과 다를 바가 없다. 투기자가 이 도박에서 이기면 그들은 다른 사람들이 창조한 부를 간단히 손에 넣는다. 그런데 남들에게 빌려서 두둑한 판돈을 손에 쥔 호방한 투기자가 패배를 하면 주요 금융 기관의 생존이 위태로워질 수 있고 이렇게 되면 그 금융 기관을 살리기 위해 구제 금융이 필요한 상태가 된다. 두 경우 모두, 그러니까 투기자가 성공하든 실패하든, 대중은 늘 손해를 본다. 금융 투기자의 행위가 새로운 부의 창조나 사회의 복지에 기여하는 경우는 거의 없기 때문이다.

금융 투기 행위가 시장의 유동성과 안정성을 증가시킨다는 그들의 주장에도 일리가 있을지 모르지만 투기적 자금의 이동이 금융 시장 불안과 경제 붕괴의 주요 원인이 되는, 갈수록 변동성이 커지고 있는 글로벌화한 금융 시장에서 이 같은 주장은 공허하게 들린다. 뿐만 아니라 금융 투기자들이 금융 시장의 효율성을 증가시키기 위하여 어떤 공헌을 하든지 간에, 그들이 채취한 수익과 수수료의 관점에서 보면 상당한 비용이 발생한다.

파생 금융 상품이라고 알려진 교묘한 형태의 금융 수단이 창조한 부가적인 위험과 경제의 왜곡은 특히 우려의 근원이 된다. 현재 경제 매체의 뜨거운 이슈가 되고 있는 파생 금융 상품은 주가, 통화 가격, 금리, 심지어 전체 주식 시장의 지수에도 돈을 건다. 이자율 선물 계약은 1970년대 후반까지만 해도 존재하지 않았다. 그러나 현재는 미결제 계약 총액이 미국 국민 총생산의 절반을 넘어서고 있다. 미결제 파생 금융 상품의 계약 총액은 1994년 중반 대략 12조 달러로 추산되었고 1999년까지 대략 18조 달러로 성장했다.

파생 금융 상품이 특별히 위험스러운 것은 그 거래가 대개 신용매수로 이루어지기 때문이다. 이는 애초에 주식을 매수하는 사람이 재정 위험에 노출될 가능성에 대비하여 아주 작은 금액만을 예탁금으로 위탁하고 주식을 매입하는 것을 의미한다. 그러나 수십만 달러의 재정 위험에 노출될 가능성이 있는 큰손의 투기자들에게는 예탁금에 대한 요구가 전혀 없을 수도 있다.

더욱 정교한 파생 상품들은 너무나 복잡한 나머지 심지어는 거래 당사자들도 그것을 제대로 이해하지 못하는 경우가 종종 발생한다. 《포천》은 그에 대해 이렇게 말했다.

파생 금융 상품들은 현명하게 이용하면 세계를 더욱 단순하게 만들 수 있다. 왜냐하면 이것들이 구매자에게 위험을 관리하고 이전시키는 능력을 부여하기 때문이다. 그러나 금융 투기자, 실책을 자주 범하는 사람, 부도덕한 거래자의 손에 들어가면 이들은 오히려 위험을 창조하는 강력한 투기 메커니즘이 되어 버린다.

도박으로 배 불리는 채취적 투기자들

—

실질 재화와 용역의 생산에 참여하는 기업들 입장에서는 이따금 각각 다른 통화 사이에 환율이 큰 폭으로 오르내리는 것이 심각한 문제일 수 있다. 기업의 이익과 손해를 결정함에 있어 생산의 효율성이나 시장 지분보다 이것이 더 큰 역할을 할 수 있기 때문이다. 그러나 이와 대조적으로 금융 투기자들은 불안정성을 먹고 자란다. 이것이 그들이 수익을 뽑아내는 주된 원천이기 때문이다. 이들이 사용하는 방법은 다음과 같다.

■ 두 시장에 존재하는 동일하거나 유사한 상품 혹은 금융 수단에 대해 일시적인 가격 차이를 노려 매매한다. 차익 거래자는 가격이

낮은 시장에서 매입한 것을 가격이 높은 시장에서 거의 동시에 되판다. 차익은 소폭이고 그 행위에는 근본적으로 위험성이 없으며, 대규모 자금이 개입되는 경우에는 이 기법으로 상당한 수익을 올릴 수 있다. 이 전략의 핵심은 그런 기회를 다른 사람들이 알아차리기 전에 행동하는 데 있다. 따라서 속도가 관건이다. 최근에 한 회사는 동경의 주식 시장의 주가지수 선물 거래에서 단 2초의 우위를 누리기 위하여 슈퍼 컴퓨터를 사는 데 3천5백만 달러를 지불했을 정도이니 그만큼 속도가 중요하다는 뜻이다.

■ 주요 물가나 환율, 이자율, 그리고 주식, 채권, 다양한 파생 상품 등 금융 수단의 가격 변동을 기초로 한 차익을 노린 거래를 한다. 단기적인 물가 변동에 대한 투기도 여기에 포함된다. 이는 특히 차입금을 이용한 레버리지 거래인 경우 심각한 위험을 내포할 수 있다.

■ 다른 사람들에게는 가격 변동으로 인한 위험이 없다는 확신을 심어준다. 파생 금융 상품을 취급하는 사람들은 이를 위험에 대비하는 보험의 한 형태라고 선전한다. 마치 농부들이 몇 달 앞의 곡물 거래를 현재 가격으로 정해서 계약하는 것과 같다고 그들은 말한다. 그러나 좀 더 복잡한 파생 상품들은 위험에 대한 보장 성격의 보험이라기보다는 도박에 훨씬 더 가깝다.

안정적인 금융 시장이라면 이러한 투기적 이익이 들어설 자리가 별로 없을 것이다. 대부분의 경우, 채취적 투자자는 이 가격 변동을 이용해서 실제로 일을 하는 사람들과 생산적 투자자들에 의해 창조된 가치에서 제 몫을 요구한다. 이는 다른 사람들의 생산물에 사적으로 세금을 징수하는 셈이다. 금융 시장의 불안정성이 커지면 커질수록 채취적 투기가 들어설 자리는 더욱 커진다.

1992년 9월 소로스는 영국의 수상 존 메이저가 파운드화의 가치를 유지하기 위해 쏟아부은 모든 노력을 통해 거두어들인 성공에 대항하여 100억 달러에 해당하는 영국 파운드화를 매각했다. 그로써 그는 파운드화의 가치 하락에 중요 역할을 했다고 간주되었다. 그리고 파운드화의 가치 하락은 유럽연합에서 각국 정부들이 정착시키려고 애쓰는 고정 환율 제도를 붕괴시키는 데 큰 공헌을 했다. 사실상 고정 환율 제도는 금융 투기자들에게는 일종의 저주와도 같다고 할 수 있다. 왜냐하면 고정 환율 제도는 금융 투기자들이 의존하고 있는 불안정성을 제거하기 때문이다. 소로스는 투기적 수익 기회를 보호하는 자신의 역할을 다하기 위해 자신의 투자 기금을 운용하는 금융 기관에서 약 10억 달러를 빼냈다. 그 결과 머니 마켓(money market, 자금의 수요자와 공급자 간에 거래가 행해지는 시장)에서 이루어진 자금의 회전은 일본의 엔화에 대한 영국 파운드화의 가치를 11개월 동안 41퍼센트나 하락시켰다. 이런 것이 바로 금융 투기자들이 수익 기회의 원천이라고 여기는 불안정성의 일종이다.

라자드 프레레스 앤드 컴퍼니의 사장 펠릭스 로해틴이 다음과 같은 결론을 내린 데는 그럴 만한 충분한 근거가 있다.

많은 경우에 헤지 펀드와 일반적인 금융 투기 행위는 이제 외환과 이자의 흐름에서 중앙은행의 개입보다도 더 큰 역할을 한다. 파생 금융 상품은 세계 곳곳의 금융 기관과 기업을 위험의 사슬로 연결해

준다. 그 사슬에서 어떤 한 부분이 약해지거나 끊어지면(파생 금융 상품에 막대한 투자를 한 거대 기관의 파산과 같은) 국제 금융 체제에 심각한 균형의 문제가 발생할 수 있다.

많은 주요 기업, 금융, 심지어는 지방 정부들까지도 수익을 팽창시키는 수단으로써의 파생 금융 상품 시장에 적극 참여하고 있다는 사실이 비즈니스 전문 언론의 관심을 끌기 시작했다. 그 거래의 위험이 실질적인 것임에도 파생 금융 상품 거래에 참여하는 주요 기관들은 일반적으로 그 거래를 공식적인 재무제표 상에 노출시키지 않고 그것들을 부외거래(off-balance-sheet, 금융 기관의 대차대조표 상에 자산이나 부채로 기록되지 않은 거래)로 규정짓기를 선호한다. 따라서 투자자와 대중은 파생 금융 상품 투자로 인한 실질적인 위험을 적절히 평가할 수 없게 된다.

진실은 단지 엄청난 손해액이 보고될 때에야 비로소 알려진다. 그 예로 P&G는 이자율이 예상 외로 급등했을 때 파생 금융 상품 거래로 1억 2백만 달러의 손실을 보았다고 발표한 바 있으며, 뉴잉글랜드 은행은 악성 부동산 담보 대출로 인해 연방 구제 금융을 요청한 바 있다. 당시 뉴잉글랜드 은행의 대차대조표 상의 총자산은 대략 330억 달러였는데 대차대조표 상에는 드러나지 않은 다양한 파생 금융 상품 거래액이 360억 달러에 달한다는 사실이 감사 결과 발견되었다.

그밖에도 1995년 2월 25일에는 베어링스 은행 싱가포르 지사의 스물여덟 살짜리 거래자가 대략 4주에 걸쳐 일본의 닛케이 주가지수 선물 거래와 일본의 이자율을 합성한 파생 금융 상품에 290억 달러에 달하는 회사 돈을 걸었고, 그 결과 13억 달러의 손실을 초래했다는 뉴스가 터져 나왔다. 이 손해액은 233년의 유구한 역사를 자랑하는 유서 깊은 은행의 9억 달러에 달하는 자본을 한 방에 날리고 그 은행을 단번에 파산으로 몰고 갔다. 이 사건이 발표되고 처음 네 시간 동안 동경 닛케이 주가지수는 무려 4.6퍼센트 하락했다. 부를 소유하지도, 명성을 갖지도 못한 단 한 명의 거래자가 저지른 행위가 이토록 엄청난 결과를 낳을 수도 있다는 사실은 최신 속보에 대응하여 수천억 달러가 즉각적으로 움직일 수도 있는 글로벌 금융 시스템의 불안정성을 그대로 보여준다.

금융 시스템의 역기능이 초래한 멕시코 위기
—

이제 사적 투기자들이 세계의 단기 금융 시장에서 가지고 노는 재정 자원은 경제 안정과 성장을 유지하기 위해 금리와 환율을 관리하고자 하는 정부의 노력을 무시한다. 중앙은행과 통화 정책에 대한 세계적 권위자인 알렌 메츨러는, 설사 세계의 중앙은행들이 투기적 공격으로부터 자국 통화를 보호하기 위해 공동의 노력을 결의한다고 해도 그들이 매일 움직일 수 있는 돈은 고작 140억 달러 정도일 것이고 이 금액은 통화 투기자들이 매일 거래하는 8천억 달러가 넘는 돈과 비교해볼 때 너무나 빈약한 수준이라고 말했다.

미국의 달러화는 1994년 상반기 동안 일본의 엔화와 독일의 마르크화에 대해 대략 10퍼센트 정도 하락했다. 1994년 6월 24일 미국 연방준비제도이사회와 16개 중앙은행은 이에 공동으로 개입할 것을 결의하고 달러화 하락을 늦추기 위해 30억에서 50억 정도의 달러를 매입했다. 그러나 이는 금융 시장이 알아차리지도 못할 수준이었다. 이제 우리는 이러한 개입으로는 불안정성을 줄일 수 없는 상황에 다다랐다. 이런 방식은 단지 투기자들의 손에 납세자들의 돈을 쥐어줄 뿐이다.

1994년 12월에 발생한 멕시코 페소화 위기의 발단은 금융 시스템의 역기능으로 얼마나 비싼 대가를 치르게 되는지에 대해 새로운 통찰력을 갖게 해주었다. 경제 매체에서는 거의 다루지 않았지만, 멕시코 재정 위기의 배경은 클린턴 행정부가 대기업들과 더불어 북미자유무역협정을 팔기 위한 캠페인을 벌이면서 대중에게 제시했던 경제 기적의 그림과는 달라도 너무 달랐다.

수년간 멕시코는 소비재 수입과 해외로 도피한 자본과 외채 상환액을 메우기 위해 외화 차입을 점점 늘려갔고 따라서 외채가 급격히 증가했다. 외화 차입은 다양한 형태를 띠었는데 고위험의 고금리 채권을 외국인에게 매각하고, 공영 기업을 외국의 사적 이익 집단에 넘기고, 결과적으로 멕시코 주식 시장에 불을 붙인 투기 잔치에 외화를 끌어들인 것도 여기에 포함되었다. 그 이전 5년 동안 멕시코로 유입되었던 외국 투자 자금 약 7백억 달러 중 단지 10퍼센트만이 생산 능력의 확대와 이에 따라 외채 상환 능력을 키울 자본재 창조에 투입되었다. 외국의 소유로 넘어간 많은 자산의 매각 가격은 허위로 부풀려진 대차대조표를 바탕으로 결정되었다. 마침내 멕시코의 그 해 외채 관련 지출 예상액이 예상 수출액을 초과하는 상황이 벌어졌다. 멕시코의 경제 기적은 그저 거대한 규모의 폰지 사기(Ponzi Scheme, 찰스 폰지가 벌인 사기 행각에서 유래된 피라미드식 다단계 사기 수법)에 불과했던 것이다.

그렇다면 이 상황으로부터 이득을 본 자는 누구인가? 몇몇 멕시코 인은 이 기간에 거대한 부를 축적했다. 《포브스》는 1993년도 전 세계 억만장자에 대한 조사에서 멕시코에 14명의 억만장자가 있다고 발표했다. 1994년도 조사에서 이 수치는 24명으로 불어났다.

거품은 1994년 12월에 터졌다. 멕시코 주식 시장은 투기자들이 서둘러 주식을 파는 바람에 페소 가치로 따져서 30퍼센트 이상의 손실을 보았다. 게다가 급속히 해외로 빠져나가는 자금으로 인해 지나치게 과대평가된 페소화에 대한 하락 압력은 멕시코 정부를 심각한 재정 위기 속으로 몰아넣었고, 정부는 마침내 페소화에 대한 평가절하를 단행하지 않을 수 없었다. 이는 미국과 멕시코 사이의 무역에 엄청난 변화를 가져왔으며, 미국에서 들여오는 대부분의 수입품 가격이 멕시코 시장이 허용할 수 있는 수준 이상으로 치솟았다. 멕시코 정부가 외채에 대한 채무 불이행을 선언할 가능성이 있다는 소식에, 멕시코 채권을 소유하고 있던 월스트리트의 투자자들은 미국 정부로 달려가 미국 납세자들이 구제 금융을 제공해 주지 않으면 하늘이 무너질 거라고 호소했다. 클린턴 대통령은 구제 금융을 마땅찮게 생각하고 반대하는 의회에 대해 우회 요법을 쓰는 것으로 대응하면서 미국 납세자들이 낸 세금 가운데 총 5백억 달러가 넘는 돈을 멕시코에 지원하기 위한 계획을 수립했다. 월스트리트의 은행과 투자 회사들이 멕시코에 투자한 돈을 회수할 수 있도록 하기 위해서였다. 그러나 긴급 금융 지원에 반대하는 사람들은 정작 이 위기로 인해 큰 짐을 짊어지게 된 멕시코 빈곤층과 수백만 중산층에게는 이 지원금이 단한 푼도 돌아가지 않을 것이라는 점을 지적했다.

긴급 구제 조치도, 92퍼센트나 되는 멕시코 정부채의 이자율도 1995년 3월 중순까지 계속된 페소화 가치의 하락을 막지 못했다. 멕시코 정부가 실시한 긴축 정책으로 1995년 첫 4개월 동안 75만 명에 달하는 멕시코 사람들이 직장에서 쫓겨났으며, 담보, 신용카드, 자동차 대출에 대한 90퍼센트가 넘는 이자율은 수많은 가족을 파산으로 몰아넣었다. 멕시코에 대한 수출이 급감함에 따라 미국에서 그와 관련된 일자리가 대략 50만 개는 없어진 것으로 추정되었다.

투기자들이 허둥지둥 자금을 더욱 안전한 피난처로 이동시키면서 멕시코 위기 사태에서 출발한 충격의 파도는 금융 시장 연계망을 통하여 전 세계로 퍼져 나갔다. 멕시코 주식 시장의 거품이 폭발했을 때, 다른 라틴 아메리카 국가의 주식 시장에 주식을 갖고 있던 투기자들이 바짝 긴장해 재빨리 자신들의 돈을 빼냈다. 그 결과 한 달 사이에 라틴 아메리카의 대표적 주식 펀드의 주당 순자산이 30퍼센트 이상 하락했다. 미국의 구제 조치로 멕시코에 달러가 유입되면서 하락 중인 페소화에 달러화까지 결부되자 경계심 많은 통화 투기자들은 달러화를 매각하고 대신 독일의 마르크화와 일본의 엔화를 사들였다. 이는 국제 통화 시장의 달러화 약세를 더욱 심화시키는 결과를 낳았다.

구름 위 높은 곳에 사는 스트라토스 거주자들의 눈에는 이것이 어떻게 보였을까? 나는 때마침 멕시코가 한창 페소 위기를 겪고 있을 때 비행기를 타고 뉴욕에서 샌프란시스코로 가게 되었다. 비행기 내부에는 유나이티드 항공사의 잡지인 《헤미스피어*Hemispheres*》가 좌석마다 꽂혀 있었고, 그 안에는 북미자유무역협정의 성공을 찬양하면서 서반구의 나머지 국가들에까지 그 협정을 확대하자고 주장하는 기사가 실려 있었다.

하나의 시장에서 다른 시장으로 거대한 자금을 순식간에 이동시킬 수 있는 능력은 투기자들의 손에 무기를 쥐어 주었다. 이 무기를 가지고 투기자들은 공공 정책을 볼모로 자신들의 이익을 취했고, 이 사실을 숨기기보다 오히려 갈수록 드러내놓고 대중의 관심을 요구하고 있다. 기업 자유의지론의 보급에 전념하는 워싱턴의 싱크탱크, 카토 연구소의 경제학자 폴 크레이그 로버츠는 《비즈니스 위크》의 특집란을 통해 클린턴 대통령에게 다음과 같이 설교했다.

달러화 역시 압박을 받고 있는 이유는 세계의 다른 지역들, 특히 아시아와 라틴 아메리카가 정부의 몸집을 줄이고 그 결과로 빠르게 성장하고 있는 반면, 클린턴은 큰 정부 해법을 선호한다는 것을 투자자들이 이미 알아버렸기 때문이다. 주식 투자자들은 세계에 대한 나름의 전망을 갖고 있기 때문에 정부에서 규모 축소를 이행하고 있고 양호한 경제 성장이 예상되는 시장을 선호한다. 만약 의회가 경제의 전체적 성취를 훼손시키면서 특정한 계층에만 혜택을 주는 수백 가지의 부적절한 법률을 폐지한다면, 또 미 연방 규정의 수천 가지에 달하는 반생산적인 규제들을 제거한다면 그것도 문제 해결에 상당한 도움이 될 것이다.

과정은 간단하다. 만약 수천억 달러를 세계 곳곳으로 이리저리 움직이는 금융 투기자들이 만일 정부가 정책적으로 자신들 금융 투기자들의 이해관계보다 특수 이익 집단, 즉 그들이 말하는 환경론자, 근로자, 빈곤층 같은 집단을 우선적으로 배려하고 그들에게 특혜를 주고 있다고 판단한다면, 자신들의 돈을 다른 곳으로 옮겨버림으로써 그 과정에서 경제의 대혼란을 초래할 것이다. 그들이 보기에 그에 따른 경제의 붕괴는 그들을 불쾌하게 하는 정부의 정책이 적절치 못했다는 자신들의 논지를 확인해 주는 것일 뿐이다. 《워싱턴 포스트》에 실린 뉴욕의 한 외환 분석가의 견해가 그 전형적인 예다.

"수많은 중앙은행들은 그런 문제에 대해 툭하면 금융 투기자들을 탓하길 좋아한다. 나는 공격적인 금융 투기보다, 통화 정책을 관리하는 그들의 총체적 무능함이 오히려 더 큰 문제라고 생각한다."

우리는 은행에 돈을 맡기면서 그 돈이 이 사회에 유익하게 생산적으로 쓰이기를, 그리고 우리에게 안정적이고 장기적인 수익을 돌려주기를 기대한다. 우리는 아직 그런 세상에 살고 있음에도 경제 매체들은 세계적인 투자자들과 국제 자본의 흐름에 어떤 일이 벌어지고 있는지를 연일 자세히도 알려준다. 스트라토스 거주자들이 인정하기 꺼리는 것은 과거에 생산적 투자를 위한 자금을 끌어 모으는 데 전념했던 금융 기관들이 이젠 약탈적이고 위험을 자초하며 투기에 의해 작동되는, 납세자와 생산적 경제로부터 비생산적인 부의 채취로 옮겨와 거기에만 몰두하는 글로벌 금융 시스템으로 변형되었다는 현실이다.

이 시스템은 본질적으로 불안정하고, 통제를 벗어나 제멋대로 움직이며, 경제와 사회 그리고 환경의 파괴를 확산시키고, 지구 위에 존재하는 모든 이들의 온전하고 행복한 삶을 위험에 빠뜨린다. 이보다 더 분명한 죄악은 그렇게 변형된 시스템이 한때 선량한 지역 시민으로 역할을 다했던 기업들을 떼어내서 사회적 책임을 다하는 경영을 사실상 불가능한 것으로 만들며, 생산적 경제로 하여금 경제의 효율성에 걸림돌이면서 많은 비용을 초래하는 〈사람〉을 버리도록 강요하는 것이다.

15
우리는 지금,
강도를 당한 것이다

1988년에 이루어진 인수, 합병, 차입 매수에는 2,660억 달러라는 실로 어마어마한 비용이 들었다. 이 금액에서 단 한 푼도 새 기계의 연결 볼트 값으로 치러지지 않았으며, 새로운 수확을 위한 비료 1온스 혹은 단 한 알의 씨앗 값으로도 지불되지 않았다. 장기적 시각에서 수익을 내다보고 넓은 시야로 기업의 사회적 책임을 바라보는 기업은, 그 기업을 인수해서 좀더 즉각적인 수익을 추구하는 체제로 전환시켜 재정적 수익을 올리려는 투자자 집단의 손에 넘어갈 큰 위험에 처해 있다. - 윌리엄 더거

복잡한 현대 경제에서 새로운 가치를 창조하는 방법을 찾기란 좀처럼 쉽지 않다. 설사 그런 방법을 찾더라도, 생산 경제보다 몇 배나 규모가 큰 약탈적인 금융 시스템이 요구하는 만큼의 속도로 그만큼 많은 수익을 창출한다는 것은 사실상 불가능하다. 금융 시스템이 요구하는 종류의 수익을 가장 빠르게 올릴 수 있는 방법은 비교적 약한 경쟁자에게서 이미 존재하는 가치를 포착하여 이를 빼내는 것이다.

자유 시장에서 더 약한 경쟁자는 흔히 미래를 위한 투자에 충실한

기업이다. 이들은 자신의 근로자들에게 보장된 일자리와 후한 임금을 제공하고, 합당한 만큼의 지방세를 부담하고, 퇴직연금 신탁을 충실하게 운용하면서 퇴직 급여를 꼬박꼬박 적립하고, 환경 자원을 책임 있게 관리하고, 그밖의 다른 부분에서도 장기적 관점에서 인류의 이익을 위해 회사를 경영한다. 이 회사들은 지역 공동체의 매우 소중한 자산이며 건강한 경제 체제에서는 장기간에 걸쳐 자사의 주주들에게 믿을 만하고 알찬, 그러나 과도하지는 않은 배당금을 지급한다. 그러나 이 회사들은 전산화된 포트폴리오 매매 기법이 요구하는 즉각적인 이익을 주주에게 돌려주지는 않는다. 따라서 조엘 커츠먼이 지적한 바와 같이, 그런 기업들은 현재의 시장 논리에 의하면 자산을 매각하고 주주들에게 그 돈을 나눠줘야 한다.

책임 있는 관리자들이 자사의 흡수 합병을 꺼리는 경우, 금융 시스템은 그 회사를 사들이려는 자들에게 자금을 지원하는 일에 힘쓴다. 그 결과 약탈적 금융 시스템은 약탈적 시장과 한 팀을 이루고, 책임 있는 관리자들을 비효율적이라고 낙인찍어 그들을 시스템에서 추방함으로써 사회적으로 책임감 있는 기업을 멸종 위기 종으로 만들어 버린다.

돈 한 푼 없이 기업을 사들이다

—

채취적 투자자 중에서도 별종에 속하는 기업 사냥꾼들은 기존에 설립된 기업을 먹이로 삼는다는 특징을 지닌다. 세부 과정이 복잡하고 권력 갈등이 추잡하기도 하지만 기본 과정은 우아하리만치 단순하고 수익성도 좋다. 기업 사냥꾼은 공식적으로 증권 거래소에 상장된 기업들 가운데 그 기업의 청산 가치(실제로 기업을 청산하여 자산을 처분하고 부채를 변제한 후 남은 주주의 몫)가 현재 주당 시장 가격을 웃도는 기업을 주목한다. 이런 기업들 중에 가끔은 문제가 있는 기업도 있다. 그러나 그보다는 관리 상태가 괜찮고 재무 구조가 건전하며 지역 사회의 선량한 시민으로서 장기적으로 미래를 내다보며 경영해온 기업인 경우가 더 많다. 그들은 경제 침체기에 완충 역할을 해줄 상당한 현금을 보유하고 있으며 또 더러는 지속 가능한 산출이라는 원칙을 지키며 관리해온 천연자원을 보유하고 있다. 기업 사냥꾼들은 이 중 특별히 현금을 보유하고 있거나, 매각할 수 있는 장기적 자산을 보유하고 있거나, 지역 공동체로 비용을 외부화할 수 있는 기업들을 찾는다.

일단 이러한 회사가 확인되면 기업 사냥꾼은 그 기업을 매수하기 위한 수단으로 새로운 회사를 설립한다. 종종 기업 인수가 목적인 이런 회사는 재원이 거의 전적으로 부채로 충당되며 자산이 없는 경우가 허다하다. 이들은 펀드를 모집해서 증권 거래소에서 인수 대상 기업의 주식을 법정 최대한도까지 시장가로 조용히 매수한다. 그러고는 그 기업의 발행 주식수 가운데 자신들이 매집한 지분을 시장가보다 높지만 청산 가격보다는 낮은 가격으로 매수할 것을 해당 회사의 이사회에 제안한다. 만약 공개 매수(경영권 지배를 목적으로 특정 기업의 주식을 주식 시장 외에서 공개적으로 매수하는 적대적 M&A)가 성공을 거두면 회사는 매입된 회사를 흡수 합병하고 그 과정에서 발생한 부채는 인수된 회사에 양도된다. 결과적으로 보면 인수를 당한 회사는 재정적인 교묘한 속임수를 통해 자사의 자산을 담보로 제공해서 얻어진 차입 자금으로 매입된 셈이다.

거래를 책임지고 조율하는 사람들은 그 거래를 성사시키기까지 자신들이 투입한 서비스에 대해 엄청난 수수료를 챙김으로써 사실상 자신들은 어떠한 위험도 무릅쓰지 않고 수익을 얻는다. 이 같은 거래는 주로 은행이나 투자 기금에서 실시한 모금을 재원으로 하기 때문에 위험은 거의 다른 사람들, 이를테면 은행 예금에 대해 지급 보증을 해주고 대여금에 대한 이자를 보조해 주느라 세수입을 포기하는 공적 기관과, 돈을 날릴 위험에 처한 소규모 투자자들, 그리고 연금 수령자들이 떠안게 된다.

따라서 새로운 회사는 이제 상당량의 부가적 부채를 안게 된다. 이 부채를 상환하기 위하여 새로운 경영팀은 회사의 현금 보유고와 퇴직연금 기금을 줄이고, 즉각적인 현금 수익을 위해 수익성이 있는 사업 단위를 매각하며, 임금 삭감을 협상하고, 생산 설비를 해외로 이전하고, 천연자원 보유고를 바닥내고, 회사의 장기적 생존 가능성을 희생시켜 가며 단기 수익 증가를 위해 연구비와 유지비를 삭감한다. 실제로 새로운 소유주가 회사의 퇴직연금 계좌에서 돈을 빼내 이 돈을 초과 자금이라고 발표하고 부채를 상환하는 데 쓴다.

일단 부채를 상환하고 회사의 연 수익이 급속한 성장을 기록하게 되면 회사는 상당한 프리미엄을 얹어 시장에 주식을 공개함으로써 다시 일반에게 팔 수 있다. 기업 사냥꾼은 경제 효율성을 높이고 경제에 부가가치를 창출했음을 자축한 뒤 또 다른 목표를 찾아 나선다. 이것이 기업 사냥의 한 형태인 차입 자본에 의한 회사 매입 행위의 핵심이다.

차입 매수의 핵심은 금융 상품에 투자자를 끌어 모으는 능력이다. 혹자는 책임 있는 은행가와 투자자들이 이런 거래를 꺼리지 않겠느냐고 생각할지도 모른다. 어쨌거나 자산도 없는 신생 회사가 담보도 없이 거액의 대출을 일으키는 것이기 때문이다. 그러나 현실은, 거래 책임자가 담보물이 없는 것을 상쇄하기 위해 이례적으로 높은 금리를 제시하기 때문에 은행과 투자 기관들이 이 거래에 참여할 기회를 얻기 위해 서로 경합을 벌일 정도다. 1970년대에 남반구 채무국들에게 오일 달러를 후하게 쏟아부으면서 자신들 역시 돈이 넘쳐났던 일부 대규모 은행들은 1980년대에 경영권 인수에 대한 소문이 돌자마자 자금을 대주겠다고 제안하면서 거래자들을 찾아 나섰다. 보통 이러한 금융 패키지는 아무런 자산도 없는 껍질뿐인 기업이 발행한다고 해서 흔히들 정크 본드라 일컫는 고금리의 채권을 매각해 마련한 자금과 은행 대출금이 결합된 형태다.

이 모든 과정에는 처음부터 끝까지 도덕적 판단과는 무관한 냉정함만이 존재할 뿐이다. 기업 매수가 종료된 후에 종종 어떤 일이 벌어지는지는 찰스 허위츠라는 기업 사냥꾼이 퍼시픽 럼버 사와 캘리포니아 연안에 있는 삼나무숲에 대한 그 회사의 소유권을 획득하는 과정에 잘 드러나 있다. 허위츠에 의해 적대적 M&A를 당하기 전까지 가족 경영으로 이어오던 퍼시픽 럼버 사는 미국에서 가장 재정이 견실하고 환경적으로도 믿음직한 회사 중 하나로 알려져 있었다. 이 회사는 원시의 삼나무숲에 대한 자사의 소유권을 바탕으로 지속 가능한 수준의 벌채와 개발을 이행해 왔고, 근로자들에게 베푸는 복지 혜택에도 관대했으며, 근로자에 대한 약속을 이행하기 위해 퇴직연금 기금을 항상 여유 있게 운영했고, 심지어 목재 시장 침체기에도 종업원에 대한 일시 해고 없이 회사를 경영해온 모범적인 기업이었다. 이러한 경영으로 퍼시픽 럼버는 기업 사냥꾼들이 노리는 제1의 목표물이 되고 말았다.

회사를 장악하자마자 허위츠는 수천 년 된 삼나무들에 대한 벌채율을 두 배로 높였다. 《타임》의 보도에 따르면, 1990년 퍼시픽 럼버는 헤드 워터스 숲 한복판에 2.4킬로미터 너비의 길을 휑하니 뚫어놓고는 낄낄거리고 윙크를 하면서 그것을 〈야생 동물을 연구하는 우리 생물학자가 지나간 발자취〉라고 불렀다고 한다. 스코샤에 위치한 퍼시픽 사의 제재소를 방문했을 때 허위츠는 근로자들에게 다음과 같이 말했다.

"황금률이라는 게 있지요. 그건 황금을 쥔 자가 지배권을 갖는다는 겁니다."

이런 선언과 함께 그는 9천3백만 달러의 회사 퇴직연금 기금에서 5천5백만 달러를 빼냈다. 나머지 3천8백만 달러는 애초에 정크 본드를 발행해 퍼시픽 럼버의 인수 자금을 마련해 주었던 이그제커티브 생명보험사의 연금보험에 투자했는데 결과는 실패로 돌아갔다.

일부 기업 사냥꾼들이 보이는 위선은 그들의 행동보다 오히려 사람들을 더 분노하게 한다. 세이프웨이 슈퍼마켓 체인 인수에 따른 대량 해고와 임금 삭감에 자신이 했던 역할을 정당화하기 위해 투자가 조지 로버츠는《월스트리트 저널》에서 이렇게 말했다.

"슈퍼마켓 체인의 근로자들은 이제야 비로소 책임을 지고 있는 셈입니다. 그들이 만약 세계의 나머지 사람들과 더불어 경쟁하고자 한다면 이에 대한 방책도 마련해 놓아야 합니다. 우리는 진작 이렇게 했어야 했습니다."

각자 소유 재산이 4억 5천만 달러가 넘는 재산가 로버츠와 그의 주요 파트너는 다른 세 명의 동업자와 함께 세이프웨이를 인수했다. 이들은 이 거래를 성사시키기 위해 모두 합쳐 대략 2백만 달러의 사비를 투입하기도 했다. 《포브스》는, 경쟁할 줄 모르는 나태한 상점들과 성질 못된 노동조합이라는 걸림돌로부터 회사를 해방시킴으로써 세이프웨이를 살린 기업 매수라는 헤드라인으로 그 거래 소식을 전했다. 덴버의 세이프웨이 근로자들의 임금은 15퍼센트 삭감되었고 트럭 운전사들은 16시간씩 교대 근무를 하게 생겼다고 불평을 했다. 세금으로 납부되었을 5억 달러가 이자 상환으로 이동했고, 이전까지 수만 명에 달하는 세이프웨이 직원들이 납부했던 수억 달러의 세금은 그들이 해고되면서 함께 날아갔다. 세이프웨이 슈퍼마켓의 탐욕스런 창고 담당 직원들을 자름으로써 미국을 더욱 경쟁력 있는 나라로 만든 공로로 그들 다섯 명의 동업자는 2억 달러가 넘는 수익을 챙겼다.

이 모든 일이 가능하도록 도운 것은 이자 상환액에 대해 주어지는 세금 공제였다. 원래대로라면 세금이 징수되었을 운영 수익이 세금 공제 대상인 이자 상환액으로 전환되었기 때문에 국가의 생산적인 기업의 자산을 사냥하는 행위에 국민이 장려금을 대어준 셈이다. 이것이 미국의 납세자들에게 끼친 영향은 결코 사소한 것이 아니다. 1950년대에는 미국 기업들이 차입금에 대한 이자를 1달러 갚는다면 그에 비해 세금은 4달러를 냈다. 그러나 1980년대에 들어서자 차입금에 대한 보조 증가로 그 비율이 뒤집혔다. 기업들이 세금을 1달러 낸다면 이자 상환액이 3달러나 되었던 것이다. 매년 920억 달러가 세금에서 이자 상환금으로 이동하고 있다는 조사 결과도 있었다. 1950년대에는 기업이 납부한 세금이 전체 세수의 39퍼센트를 차지했던 반면, 1980년대에는 17퍼센트로 줄었다. 개인이 내는 세금은 전체 세수입의 61퍼센트에서 83퍼센트로 증가되었다. 그런데도 많은 기업들이 심지어 기업 인수가 이루어지기 몇 년 전에 납부한 세금까지 환급받았다!

기업 침략이나 그밖에 다른 형태의 약탈적 채취 투자는 그것을 기꺼이 하려는 자들에게는 상당한 보상을 안겨준다. 1982년에는 《포브스》가 조사한 미국의 400대 재벌에 들려면 자산 1억 달러가 있어야 했다. 그 목록에 오른 사람들 가운데 단 19명만이 금융으로 돈을 번 사람들이었다. 그로부터 단 5년 후인 1987년, 그 목록에 오른 자산가의 최소 자산은 2억 2천5백만 달러였고 4백 명 가운데 무려 69명이 금융 분야에서 부를 축적했다. 대다수가 기업 인수의 파도를 타고 돈을 번 자들이었다.

기업 침략자들은 비효율성을 제거하고 글로벌 경제 속에서 미국의 경쟁력을 회복시킴으로써 자신들이 미국 경제에 중요한 기여를 하고 있다고 감히 단언한다. 이런 논리에 순응하는 매체는 최소한의 반론만을 덧붙여 그들의 주장을 충실히 보도한다. 그에 비해 금융 전문 저널리스트인 조너던 그린버그는 다음과 같이 말한다.

"레이건 시대의 날강도 귀족(The Robber Barons, 19세기 미국의 악덕 실업가들을 경멸적으로 이르는 말)들이 지니고 있던 왜곡된 논리는, 미국 중산층 계급의 최저 임금이 우리 경제를 말아먹었다는 것이다."

그는 다음과 같이 결론짓는다.

"기업 인수 합병 시대의 진실은 경제의 경쟁력과는 아무 상관이 없다. 그것은 아주 간단하다. 우리는 지금 강도를 당한 것이다."

순응하거나, 추방당하거나
—

기업의 인수에 참여한 사람들은 기업의 무절제로 야기되는 문제들은 공공의 감시나 강제적인 법 집행 없이도 기업의 자기 관리를 통해 해결될 수 있다고 주장한다. 이는 범죄를 저지르지 않고는 못 배기는 거리의 범죄자들이 스스로 알아서 치안을 유지하겠다는 말에 넘어가서 경찰과 사법 기관을 해체하는 것과 마찬가지다.

다른 이들은 흔히 보다 많은 이익을 안겨주는 것이 사회적으로 책임 있는 행동이며 그러므로 논리적인 선택은 어디까지나 경제적인 바탕 위에서 이루어져야 한다고 주장한다. 하지만 그들은 책임 있는 행동이 장기적으로 보아서는 더 큰 이익이 될 수 있음에도 금융 시장은 즉각적인 수익만을 요구하고 기업 사냥꾼들은 이에 응하지 않는 기업은 어디든 닥치는 대로 파괴하려고 대기 중인 사람들이라는 사실을 간과한다.

또 다른 사람들은 기업도 결국 사람들이 모인 집합체이므로 그들이 하는 행동이 사회적으로나 환경적으로 어떤 영향을 미치는지에 대해 인식을 높임으로써 문제를 바로잡을 수 있다고 주장한다. 하지만 그들은 이 세상에는 사회적, 환경적으로 의식 있는 관리자도 꽤 많다는 사실을 간과하고 있다. 문제는, "무엇이 옳은 행동인가?"라고 묻기보다 "어떤 일이 즉각적인 수익을 가져다줄 것인가?"라고 묻도록 그들에게 요구하는 약탈적 시스템 안에서 그들이 일하고 있다는 것이다. 사회 안에서 기업의 역할이 무엇인지 진정 사회적 시각으로 바라볼 줄 아는 관리자들에게는 이런 상황이 끔찍한 딜레마가 아닐 수 없다. 그들은 자신의 비전을 굽히고 그에 순응하거나, 아니면 시스템 밖으로 추방당하거나 둘 중 하나를 선택해야 한다.

구두 회사인 스트라이드 라이트 사의 사례를 보자. 스트라이드 라이트는 자선 기금을 후하게 내는 것으로도 유명하지만 공장과 영업 시설을 미국에서 가장 침체되어 있는 도심 지역과 시골 지역에 뿌리 내리게 하는 정책을 편 회사로 널리 알려져 있다. 이 같은 정책의 목적은 그 지역에 사는 소수자들에게 괜찮은 보수의 안정된 일자리를 제공함으로써 이들이 활기를 되찾고 지역 사회가 다시 활성화될 수 있도록 하기 위함이었다. 이 정책은 스트라이드 라이트의 최고 경영자 아놀드 하이아트의 강력한 개인적인 헌신을 바탕으로 이루어졌다. 그는 기업체가 주주들에게 그저 수익을 제공하기보다는 지역 공동체에 더 큰 기여를 할 수 있는 조직이며 또 반드시 그래야만 한다고 믿었다. 최고 경영자로서 하이아트는 1984년까지 회사의 이사회를 장악하고 이사회가 이 정책에 따르도록 할 수 있었다.

그러나 바로 그 해, 회사의 수익이 68퍼센트나 하락했다. 13년 만에 처음 있는 일이었다. 수익이 하락하자 이사들은 회사의 생존이 생산지를 해외로 이전하는 데 달려 있다고 확신하게 되었다. 그들은 다른 무엇보다 만약 생산지를 해외로 옮기지 않으면 회사가 기업 사냥꾼들의 먹잇감이 될 것이라는 점에 주목했다. 하이아트는 그 정책을 놓고 자신이 할 수 있는 한 최선을 다해 이사회와 맞서 싸우다가 결국은 그 자리에서 물러났다. 스트라이드 라이트의 이사이자 전 부회장이었던 마일스 슬로스버그의 주장에 의하면, 그 당시부터 저임금 노동의 추구는 회사를 살리기 위한 성배 같은 것이 되었다.

스트라이드 라이트에 가해지는 체제의 영향력은 실로 엄청났다. 미국 내 근로자들은 임금으로만 당시 월평균 1,200달러에서 1,400달러를 받았고 그 외에도 각종 복지 혜택이 주어졌다. 하지만 도급업체에 고용되어 구두를 제작하는 중국의 숙련공들은 월 100달러에서 150달러의 임금을 받고 주당 50에서 70시간을 일했다. 공장을 해외로 이전하는 것 이외에도 스트라이드 라이트는 전국 영업 센터를 매사추세츠에서 켄터키 주의 루이스빌로 옮겼는데 이는 그 지역의 더욱 값싼 노동력을 이용하기 위해서, 그리고 10년에 걸쳐 총 2천4백만 달러에 달하는 세금 감면 혜택을 주겠다는 켄터키 주의 제안이 있었기 때문이었다.

덕분에 스트라이드 라이트의 영업 실적은 배로 증가했고 주가는 여섯 배나 뛰었다. 회사의 주식은 뉴욕 증권 거래소의 총아가 되었고 주주들 중에는 스트라이드 라이트 사가 올리는 기록에 좋은 인상을 받은, 사회적으로 의식 있는 투자자들도 있었다.

스트라이드 라이트의 이 같은 경험은 약탈적 글로벌 경제의 냉혹한 운영 방식을 보여주는 소름 끼치는 사례이다. 공적 세금 부담이 적은 곳으로 영업 기반을 옮기고 고임금 노동자에게서 보잘것없는 임금을 받는 노동자에게로 고용 기회를 이동시키면서 스트라이드 라이트의 경영자층은 노동자에게서 주주들에게로, 다시 말해 자신들이 가진 기술로 육체노동을 해서 가치를 생산하는 사람들로부터 오직 남아도는 돈을 이용하는 행위에만 기여하는 사람들에게로 부를 〈재분배〉하는 대규모의 〈이동〉에 참여했던 것이다. 하지만 이러한 이동에 대해 경영진을 비난할 수만은 없다.

만약 하이아트가 스트라이드 라이트 사의 최고 경영자로서 자신의 신념을 꺾지 않고 끝까지 밀고 나가 생산지의 해외 이전을 거부했다면, 투자 금융가들로 구성된 공중에 떠 있는 집단은 그가 분명 회사 주주들에게 수익을 안겨줘야 한다는 수탁자로서의 의무를 저버린 것에 주목했을 것이었다. 그들은 적대적 M&A를 통해 회사를 인수했을 것이고, 사회를 배려하는 스트라이드 라이트의 경영진을 단칼에 해고했을 것이며, 생산지를 난데없이 해외로 이전해 근로자와 지역 공동체에는 더 나쁜 결과가 초래되었을 것이었다.

약탈적 금융 시스템은 제조업 분야를 적극적으로 공략하고 있다. 그것은 경제 효율성이라는 미명하에 책임 경영을 더욱 어렵게 만들고 있다. 기업 경영자들에게 보다 큰 사회적 책임감을 발휘할 것을 요구하는 사람들은 이 기본적인 핵심을 놓치고 있다. 기업 경영자들은, 사실상 사회적 책임을 질 줄 아는 사람들을 먹잇감으로 삼는 냉혹하고 약탈적인 시스템 안에서 삶을 영위하고 일을 하고 있는 것이다. 그 시스템은 점점 이중 구조로 변형되면서 특권층과 못 가진 계층, 시장의 힘을 초월하는 권력을 쥔 사람들과 세계 경쟁이라는 제단 위에 제물로 놓인 사람들로 세계를 심각하게 양분하고 있다.

16

차별을 심화시키는
이중 구조

비즈니스 체제는 점차 기업, 정부, 지역 공동체를 비롯한 크고 작은 조직들의 네트워크에 연결된, 가볍고 날쌘 경영 방식을 취하고 있다. 이렇게 네트워크로 연결된 형태의 기업 조직들은 직업과 소득의 역사적 계층화를 강화하고 어쩌면 더욱 악화시키는 경향을 보인다. - 베네트 해리슨

다국적 기업들이 최근 자사의 공장을 사실상 세계 전역으로 이전하면서 보여준 그 능력의 비약적인 발전은 모든 노동자, 지역 사회, 국가들로 하여금 이들 기업의 마음에 들기 위해 경쟁하게 만든다. 그 결과로 나타나는 것이 바로, 가장 위기 상황에 놓여 있는 계층의 수준까지 임금과 사회적 조건이 하락하는 〈밑바닥을 향한 경쟁〉이다. - 제레미 브레커

1993년 9월 14일에 듀폰은 1994년 중반까지 비용 절감을 위해 미국에 근무하는 근로자 가운데 3천4백 명을 해고할 것이라고 발표했다. 미국 경제가 자신들의 가장에게 잉여 노동력이라는 딱지를 붙였다는 사실에 4천5백여 가정이 힘겹게 적응하는 동안, 단기 금융 시장은 쾌재를 불렀다. 전 세계를 통틀어 13만 3천여 명에 달하는 듀폰의 노동력 가운데 총 9천 명의 인력을 감축한다는 계획의 일부였던 이 해고 사태는 연간 30억 달러의 비용을 절감하는 데 그 목적이 있었다. 듀

폰의 주가는 이 계획의 발표 당일 1.75달러나 급등했다. 이러한 발표는 이제 경제 관련 매체에 단골로 등장하는 일상적인 기사가 되었다. 분명 산업의 구조에 중요한 변화들이 생겨나고 있다. 이에 관한 《이코노미스트》의 기사를 보자.

산업계에 불어온 가장 큰 변화는 회사들의 규모가 점점 작아지고 있다는 것이다. 한 세기의 추세가 뒤집히고 있다. 큰 회사들은 위축되고 작은 회사들이 상승세를 타고 있다. 이 흐름은 너무나 명백하지만, 사업가와 정책 입안자들은 목숨을 걸고 이 흐름을 무시하고자할 것이다.

거인과도 같은 대기업들은 몸집이 너무 비대해지고 관료적으로 된 나머지 고도로 경쟁적인 글로벌 시장에서 오히려 경쟁력이 떨어지는 반면, 더 민첩하고 혁신적인 소규모 회사들이 급속히 유리한 고지를 확보하고 있다는 인식이 이제 사회 전반에 널리 퍼지고 있다. 이런 견해를 지지하는 사람들은 대기업들이 수십만 명씩 고용인을 떨어내고 있다는 사실을 지적한다. 이들은 또한 새로운 고용과 기술 혁신은 보다 경쟁력이 있는 중소 규모의 기업에서 창출되고 있음을 보여주는 통계 수치를 자신들의 주장을 입증하는 증거로 내세운다. 하지만 비록 고용 성장과 혁신이 이들 소규모 회사에서 나오고 있는 것은 사실이지만 작은 기업들이 글로벌 시장에서 유리한 입장에 있다는 주장은 오해를 불러일으킬 소지가 다분하다.

경쟁은 무조건 피하고, 독점은 반드시 강화하고

—

자유 시장 경쟁을 침이 마르게 칭송하면서도 대부분의 기업은 기회가 있을 때마다 자신들을 위해서는 그와 같은 경쟁을 피하려고 한다. 애덤 스미스가 1776년에 했던 말을 상기해 보자.

"같은 업종의 사람들끼리는 좀처럼 만나지 않는다. 흥겹게 떠들며 노는 자리라고 해도 마찬가지다. 하지만 혹시라도 만나게 되면 그들의 대화는 대중에게 불리한 음모를 꾸미거나 가격 상승을 획책하면서 끝을 맺는다."

이러한 협동이 반드시 사악한 동기에서 나오는 것은 아니다. 경쟁은 혼란을 야기하고 투기자는 이것을 기회로 받아들인다. 생산적인 사업체를 꾸려나가는 사람들로서는 경쟁으로 인한 불안정 때문에 투자를 계획하기가 본질적으로 어려워지고, 또한 그러한 경쟁은 회사의 질서정연한 기능들을 혼란에 빠뜨리며 심각한 경제적 비효율성마저 초래할 수 있다. 그러므로 경쟁을 줄여 시장 지배력과 예측 가능성을 높이고자 하는 욕구는 시장의 자연 법칙 중 하나로 여겨질 수 있다.

하지만 지금의 기업들은 자신들이 사용해온 수단, 그러니까 자본과 시장, 기술, 그리고 경쟁자들에 대한 자신들의 통제력을 향상시킴으로써 글로벌 경제 속에서의 경쟁을 축소시키려 한다. 그러나 세계화된 경제와 현대 정보 기술의 결합으로 기업들은 예전 같았으면 어림없었을 지배력을 갖게 되었다. 경쟁 전략 또한 익숙하다. 약한 경쟁자들은 파괴되거나 식민화되거나 흡수된다. 강력한 경쟁자들은 전략적 제휴, 합병, 인수, 이사직의 겸임을 통해 협상을 추구한다.

　기업 자유의지론자들이 세계화를 주장하면서 즐겨 사용하는 논거는 국내 시장의 개방이 더 폭넓은 경쟁 체제를 도입하고 그것이 효율성의 향상으로 이어지게 된다는 것이다. 그러나 이 주장이 도외시하는 현실은, 시장이 글로벌화되면 독점의 힘이 한 국가의 국경을 넘어서 세계적 차원으로 강화된다는 것이다. 국경이 개방되자마자 국내 기업들이 글로벌 시장에서 경쟁력을 갖기 위해서는 합병을 통해 보다 강력한 결합체를 이룰 수 있어야 한다는 압력이 서서히 고조되기 시작한다. 그러나 1980년대에 필립스가 인수 합병을 통해 미국 최대의 식품 회사로 거듭났을 때 우리가 보았듯이, 필립 모리스가 크래프트 사와 제너럴 푸드를 인수한다고 해서 미국의 국내 시장이 더욱 활발하고 치열한 경쟁의 장이 되는 것은 아니다. 오히려 인수 합병은 독점력을 세계적인 규모로 확대하고 더욱 강화할 발판이 될 뿐이다.

　경제학자들은 경험으로 보아 상위 4개의 회사가 국내 시장의 40퍼센트 이상의 판매를 차지할 때 그 시장을 〈독점적〉이라고 간주한다. 일련의 합병 작업을 통해 미국의 4대 주요 가전업체는 미국 가전 시장의 92퍼센트를 장악했고, 4대 항공 회사는 미국 내 전체 탑승 수입의 66퍼센트를 차지했다. 4대 컴퓨터 소프트웨어 회사는 미국 내 소프트웨어 시장의 55퍼센트를 점유했고, 그들 중 2개 업체가 합병되었다.

　5개 기업이 세계 시장의 절반 이상을 지배할 때 그 시장은 〈고도로 독점적〉이라고 간주된다. 《이코노미스트》는 최근 12개 산업 분야별로 세계 시장에서 상위 5개 기업의 집중도를 보도한 바 있다. 그 결과 가장 집중화된 분야는 내구 소비재 분야로 밝혀졌다. 이 분야는 상위 5개 기업이 전 세계 시장의 거의 70퍼센트를 장악하고 있었다. 자동차, 항공기, 항공 우주, 전자 부품, 전기 전자 제품, 제철 산업 분야에서 상위 5개 회사는 세계 시장의 50퍼센트 이상을 지배하면서 확실한 독점 기업으로 자리매김했다. 석유, 개인용 컴퓨터, 미디어 분야에서 상위 5개 기업은 판매량의 40퍼센트 이상을 점유했는데 이 수치는 강력한 독점 경향을 보여준다.

세계화가 시장을 더 경쟁적으로 만든다는 주장은 다 거짓일 뿐이다. 오히려 세계화는 세계적 규모의 독점을 강화하는 경향이 있다.

농업은 여태까지 통상 협상의 주요한 주제가 되어 왔다. 미국의 통상 협상가들은 농산물에 대한 무역 장벽을 낮추고, 유럽과 일본이 소규모 농가에 대한 보호 정책을 철폐할 것을 강력하게 주장해 왔다. 미국 농업의 역사를 보면 미국의 농업 관련 회사들이 농업 시장의 자유화를 왜 그토록 열성적으로 부르짖고 있는지를 잘 알 수 있다. 이것은 세계의 농업을 거인들이 지배하는 이중 구조로 재구성하는 과정의 일부다.

1935년부터 1989년까지 미국의 소규모 농가는 680만에서 210만 이하로 감소했다. 이 기간 동안 미국 인구는 대략 두 배가 되었다. 농부들이 농업을 버리자 지역 공급자, 농기구 거래상, 그리고 한때 농업을 지원했던 소규모 업체들도 함께 이탈했다. 농촌의 지역 공동체 전체가 사라져 버린 것이다. 그러는 동안 농업 관련 주요 기업들은 성장을 거듭했고 힘을 통합해 나갔다. 현재 미국에서 상위 10개의 농장은 타이슨 푸드, 콘아그라, 골드 키스트, 콘티넨털 그레인, 퍼듀 팜스, 필그림스 프라이드, 카길 등 국제적인 농업 관련 기업들이 차지하고 있다. 이들 기업의 연간 농산물 판매량은 각각 3억 1천만 달러에서 17억 달러까지 다양하다.

이들 중 2개 곡물 회사 카길과 콘아그라가 미국의 전체 곡물 수출량의 50퍼센트를 관장한다. 또한 3개 회사, 즉 아이오와 비프 프로세서와 카길, 콘아그라에서 판매하는 쇠고기가 전체의 80퍼센트를 차지한다. 미국 수프 시장은 캠벨 사가 단독으로 거의 70퍼센트 가까이를 점유하고 있고, 켈로그, 제너럴 밀스, 필립 모리스, 퀘이커 오츠의 4개 회사가 미국 시리얼 시장의 85퍼센트를 점유한다. 콘아그라, 에이디엠 밀링, 카길, 필스버리 4개 기업은 미국 밀가루의 60퍼센트를 장악하고 있다. 이러한 집중 현상은 1982년부터 1990년까지 미국 내에서 진행된 식품 산업 분야의 4천1백 건에 달하는 합병과 차입 매수의 결과다. 이 같은 합병은 아직도 계속되고 있다.

대중들에게는 일본, 북미, 유럽의 거대 기업들이 국제 시장에서 서로 정면으로 맞붙어 필사적인 싸움을 벌이고 있다고 믿게끔 보여진다. 하지만 이 이미지는 점점 허구가 되어가고 있으며, 몇몇 핵심 기업들이 주요 경쟁사들과 합작 투자 혹은 전략적 제휴를 통해 공동의 독점적 시장력을 강화해 나가고 있는 모습은 제대로 보이지 않는다. 합작 투자와 전략적 제휴를 통해서 기업들은 특별한 전문성, 기술, 생산 설비, 시장에 대한 접근을 공유하고, 연구 및 신제품 개발의 위험과 비용을 분산하며 주요 경쟁 상대들과의 관계를 잘 유지해 나간다.

예를 들어 미국 컴퓨터 업계의 거물인 IBM, 애플, 모토롤라는 상호 제휴를 통해 차세대 컴퓨터 운영 체제와 마이크로프로세서를 개발했다. 애플은 소니 사로 몸을 돌려 파워북 노트북 컴퓨터 가운데 가장 값싼 모델을 생산했다.

도요타는 제너럴 모터스와의 계약을 통해 일본에서 판매할 도요타 자동차를 미국에서 생산하는 데 합의했다. 제너럴 모터스는 일본의 자동차 회사인 이스즈 모터스 지분의 37.5퍼센트를 보유하고 있으며, 이스즈에서 생산하는 자동차는 제너럴 모터스와 오펠의 브랜드를 달고 판매된다. 크라이슬러 사는 미쓰비시, 마세라티, 피아트에 대한 소유권 지분을 유지해 왔다. 포드는 마쓰다의 지분 25퍼센트를 가지고 있고 마쓰다 이사회에 세 명의 외부 이사를 지명했다. 포드와 마쓰다는 일본 자동차 판매상들의 연계망을 공동으로 소유하고 있으며, 신상품 디자인을 위해 서로 협조하며 생산 기술을 공유한다.

경영 컨설팅 회사인 부즈, 알렌 앤드 해밀턴Booz, Allen & Hamilton의 부회장 사이러스 프리드하임은, 앞으로의 경제는 다양한 산업 분야에 걸쳐 있는 기업과 국가들이 마치 한 회사인 것처럼 행동하게 되는 전략적 제휴의 네트워크가 지배할 거라고 내다보면서 이를 〈관계 중심의 산업the relationship-enterprise〉이라고 일컫는다. 그는 보잉 사와 에어버스의 컨소시엄 구성 업체들, 맥도넬 더글라스, 미쓰비시, 가와사키, 후지 사 간에 진행된 새로운 슈퍼 점보제트기의 공동 개발을 위한 협의와, 세계의 주요 통신 회사들이 하나의 그룹을 형성해 광학 섬유 해저 케이블을 이용한 전 세계 통신망을 공급하고 있는 것이 그 예라고 말한다. 프리드하임은, 이렇듯 전략적 제휴와 합작 투자를 통해 거대화한 기업들이 기존의 세계적 대기업들을 위축시킬 것이며 이들이 각 산업 분야에서 거두는 전체 수입이 21세기 초에는 1조 달러에 달할 것으로 내다보았다. 1조 달러면 세계 6대 국가를 제외한 모든 국가들의 경제 규모를 넘어서는 수준이다.

세계의 대기업들은 자신들을 에워싸고 있는 주변의 소규모 회사들과 지역 간에는 맹렬한 경쟁을 부추기는 반면, 정작 자신들끼리는 되도록 경쟁을 제한함으로써 〈관리된 경쟁managed competition〉을 창조하고 있다. 이 과정은 기업이 창출한 가치에서 비용을 조금이라도 더 주변에 전가함으로써 만족을 모르는 자신들의 주인, 즉 글로벌 금융 시스템을 위해 더 많은 이윤이 창출될 수 있게 해준다.

소수 기업들에게 집중되는 경제력
—

경제력의 집중 정도는 세계 100대 경제 주체 가운데 50개가 기업이라는 통계에 잘 드러나 있다. 1991년도 세계 10대 기업의 매출 총액은 세계 하위 100개 국가의 국민 총생산 합계보다 많았다. 제너럴 모터스의 1992년도 판매액은 대략 탄자니아, 에티오피아, 네팔, 방글라데시, 자이르, 우간다, 나이지리아, 케냐, 파키스탄의 국민 총생산을 모두 합친 것과 비슷한 규모다. 이들 국가에는 5억 5천만의 인구가 살고 있으며 이 숫자는 세계 전체 인구의 10분의 1에 해당한다.

세계의 200대 기업은 전 세계 인구의 0.3퍼센트만을 고용하면서 경제 산출량의 25퍼센트를 차지하고 있다. 또 금융 기관을 제외한 300대 다국적 기업은 전 세계 생산적 자산의 25퍼센트를 소유하고 있다. 세계 50대 상업은행과 다양화된 금융 회사들의 자산을 합치면,

《이코노미스트》가 추정한 전 세계 생산 자본 20조 달러의 거의 60퍼센트에 달한다. 세계적인 추세는 분명 시장 지배력과 생산 자산이 몇 몇 소수 기업들의 손에 집중되는 방향으로 나아가고 있고, 세계의 〈고용〉에 대한 이들 기업의 기여는 극히 미미한 정도라는 것이다. 이 거대 기업들은 인력은 떨어낼지언정 돈, 시장, 기술에 대한 지배력은 절대 포기하지 않는다.

상대적으로 몇 안 되는 기업들의 손에 경제력이 집중되는 현상은 흥미로운 모순을 제기한다. 기업 자유의지론자들은 중앙 집중적인 경제 계획이 비효율적이고 소비자의 요구를 반영하는 데 불리하다고 시시때때로 주장해 왔다. 하지만 현재 성공적인 기업들이 유지하고 있는 글로벌 생산 네트워크로 정의되는 경제에 대한 통제권은 과거 모스크바의 중앙 정책 기획자들이 소비에트 경제에 대해 가졌던 지배력을 능가한다. 기업의 중앙 관리자들은 자신들의 선택에 의해 자사의 구성 요소를 매입, 매각, 해체, 폐쇄한다. 또한 이들은 자신들의 의지에 따라 생산 설비를 세계 곳곳으로 이전하고, 모기업 산하의 하위 조직에 대해 어떤 수익을 포기할 것인가를 결정하고, 자회사의 관리자들을 고용하거나 해고하며, 이전 가격(transfer prices, 다국적 기업이 모회사와 해외 자회사 간에 원재료나 제품 및 용역에 대한 거래를 할 때 적용하는 가격)과 조직 간 거래를 좌우하는 조건들을 정하고, 개별 부서가 공개 시장에서 매매 행위를 할 수 있는지 아니면 회사의 다른 부서와 결합해야만 사업을 시행할 수 있는지 등을 결정한다. 최고 경영층에서 반대 의견을 정식으로 요청하지 않는 한 이런 문제에 대한 결정은 이의가 제기되지도 않고 어떤 하위 조직이나 인물에 의해 재검토될 수도 없다.

아직 어떤 글로벌 기업도 예전의 소비에트 경제와 같은 규모로 계획 경제를 실시하는 기업은 없지만 그러한 수준을 향해 가까이 다가가고 있다. 261억 달러의 국내 총생산을 기록한 쿠바는 세계의 중앙 집중식 경제 주체 가운데 72위에 랭크되었다. 71위까지는 모두 세계적인 기업들이 차지했다. 역시 중앙 집중식 경제 체제를 유지하는 북한은 500위 안에도 들지 못했다.

내부의 지배 구조를 보면 기업이 가장 권위주의적인 조직 중 하나이며 어떤 전체주의 국가 못지않게 억압적일 수 있다는 것은 절대 우연이 아니다. 기업에서 일하는 사람들은 깨어 있는 시간의 많은 부분을 자신들의 언어 행위, 가치관, 행동, 수입 정도를 관장하는 규율 아래 살아가고 여기에 대해 이의를 제기할 수 있는 기회도 매우 제한적이다. 소수의 예외를 제외하고 기업의 고용인들은 거의 즉각적인 통지만으로도 무단 해고될 수 있다. 그들에게는 어떠한 청구권도 주어지지 않는다. 현재 일어나고 있는 〈군살 없이 가볍고 날쌘 조직〉으로의 기업의 변신은 기업 자신의 경계를 넘어 훨씬 광범위한 조직의 연계망에까지 이 권위적인 지배를 확대하고자 하는 것이며, 이를 통해 기업은 자신의 지배력을 굳건히 하고 네트워크 구성원들의 복지에 대한 자신들의 책무는 줄이는 방향으로 나아가고 있다.

차별을 심화시키는 이중 구조

—

지역에 따라 조금씩 다르긴 하지만, 세계에서 가장 성공적인 초국가적 기업들은 일본, 유럽, 미국 할 것 없이 모두 복잡하게 서로 연계된 형태의 조직을 통해 자신들의 힘을 더욱 공고히 하면서 자기 자신뿐 아니라 세계적 자본주의의 체계를 변모시키는 과정에 참여하고 있다. 『가볍고 날쌔게Lean and Mean』의 저자 베네트 해리슨은 이 과정을 〈중앙 집중 없는 집적concentration without centralization〉이라고 일컫는다. 아래의 네 가지 변모의 요소들이 우리의 분석과 특별히 연관되어 있다.

:: 인력 감축과 외주

규모의 축소 가운데 가장 눈에 띄는 것은 대폭적인 인력 감축이지만 많은 경우에서 이것은 보다 광범위한 조직적 전략의 한 부분에 지나지 않는다. 큰 계획은 일반적으로 회사의 자체 조직을 그 기업의 경제력의 주요 원천이 되는 재무, 마케팅, 독점 기술 기능 등의 핵심 부서와 역량만 남겨두고 바짝 줄이는 것이다. 이들 기능을 수행하는 인력은 최소한으로 축소되거나 본사 내부로 통합, 정리된다.

대부분의 제조 활동을 비롯한 주변 기능들은 상대적으로 규모가 작은 외주 계약자들의 네트워크에 맡겨지며 이것들은 대개 저임금 국가에서 수행한다. 따라서 고용의 기회는 기업의 핵심 부문에서 주변의 계약 업체로 이동하며, 이들은 시장과 기술에 의존하는 기업의 생산 네트워크의 일부를 형성하고 이 시장과 기술은 기업의 핵심 부서에서 관장한다. 외주를 주지도 않고 자동화할 수도 없는 주변적인 기업 활동은 본사로부터 상당히 멀리 떨어뜨려 놓을 수도 있다. 예를 들어 대형 보험 회사와 은행 등의 지원 부서가 이에 해당되는데 그 인력은 대개 형편없는 임금을 받고 일하는 외주 업체의 여성 사무원 들로 채워진다.

:: 전산화와 자동화를 통한 인력과 재고의 감축

핵심 기업은 자신이 보유하고 있는 생산 기능에, 그리고 생산망의 다양한 활동을 유연하게 조정해 주는 경영 정보 시스템에 전산화와 자동화의 모든 역량을 집중시킨다. 자동화의 핵심 목적은 두 가지다. 하나는 고용인의 수를 최저 수준으로 줄이는 것이고, 나머지 하나는 넓은 범위에 흩어져 있는 공급자들을 하나로 연결하여 부품과 물자가 적시에 수급되도록 함으로써 재고를 최소화하는 것이다.

:: 합병, 인수, 전략적 제휴를 통한 경쟁의 최소화

주요 연계망에서 핵심적 위치를 점유한 기업들은 다양한 전략을 통해 기업들 간의 파괴적일 수 있는 경쟁을 관리한다. 그 중 하나는 합병과 인수를 통해 회사를 병합하는 것이고, 다른 하나는 전략적 제 휴를 통해 기술, 생산 설비, 시장을 공유하고 공동 연구에 참여하는 것이다.

:: 본사의 팀워크와 사기 진작을 위한 투자로 충성심과 직무 수행의 성과 유지

핵심 분야에서 일하는 사람들은 완벽한 복지 혜택, 매력적인 근무 조건과 함께 후한 보상을 받는다. 그들의 업무는 기업 독점력의 다양한 원천을 보호하고 관리하고 확대하는 것이며 여기에는 로고, 이미지, 브랜드명, 지적 소유권, 재정적 및 정치적 자산 등을 관리하는 것과 전략적 제휴 등이 포함된다.

반면 사내의 부속 기구나 그 기업으로부터 하도급을 받는 외주 공급자들이 수행하는 주변적인 기능은 흔히 형편없는 임금을 받는 임시직이나 불안정한 시간제 고용인들이 담당한다. 이들에게는 복지 혜택이 거의 없고 기업으로부터 아무것도 약속받지 못한다.

그 결과, 경쟁 압박이라는 면에서 완전히 차별화되는 이중 구조가 생겨난다. 시장과 기술에 대한 집단적 독점력을 유지하기 위해 주요 네트워크의 핵심을 관장하는 기업들 사이에는 비록 쉽지는 않지만 상당한 정도의 상호 협력이 존재한다. 그러나 핵심에 들지 못하는 주변 요소들은 심지어 그것이 사내에 있다 할지라도 사업을 계속하기 위해 서로 간의 극심한 경쟁 속에 내던져진 소규모 개별 사업자에 지나지 않는다. 그렇기에 그들은 자체 비용을 더 이상 줄일 수 없을 때까지 줄여야만 한다. 이 이중 구조는 미국을 비롯한 세계 여러 나라에서 소득의 격차가 점점 벌어지는 이유를 설명해 주는 중요한 부분이다. 베네트 해리슨은 이렇게 말한다.

"사업 조직의 평균적인 규모가 축소되는 것은 본질적으로 소규모 기업의 눈에 띄는 성장 때문이 아니라, 대기업들의 전략적인 인력 감

축 때문이다."

미국은 100대 기업이 국민 총생산의 60퍼센트 이상을 점유하고, 1천1백만 개의 소규모 업체들이 그 나머지를 나누어 갖는다. 외부 위탁은 규모가 작은 회사들에 새로운 기회를 제공하지만, 권력은 거대 기업에 그대로 남아 있다. 시장에 독립적으로 접근할 수 없는 소규모 기업들은 독립적 사업체라기보다는 의존적인 부속물로서 핵심 기능의 궤도를 맴돌 뿐이다.

이는 세계 최대 기업들이 교육 수준이 높고 충직하며 열심히 일하는 고용인들을 느닷없이 해고할 때, 왜 그 기업들의 경제력이 상승하는지를 설명해 준다. 1980년부터 1993년까지《포천》이 선정한 500대 산업체가 해고한 직원이 거의 440만 명에 달하는데 이는 이전까지 그들이 제공했던 일자리의 4분의 1에 해당한다. 같은 기간 동안 그들의 매출은 1.4배 증가했고 자산은 2.3배 증가했다. 또한 대기업 최고 관리자들의 연평균 보너스는 6.1배 증가해 380만 달러에 달했다.

일부 기업들은 시장의 악화와 방만한 경영으로 말미암아 구조조정을 피할 수 없었다고 하지만, 나머지 기업들은 상당한 힘을 쥔 상태였음에도 구조조정을 단행했다. GTE는 영업 이익이 꾸준히 성장하고 시장의 상황 역시 매우 좋았음에도 이에 아랑곳없이 1994년 1월 13일, 1만 7천 명이 넘는 종업원에 대한 해고 계획을 발표했다. 시장 수요나 수익 면에서도 성장을 구가하던 다른 기업들도 1993년 말과 1994년 초에 상당한 규모의 인력 감축 계획을 발표했는데, 예를 들면 질레트(2천 명), 아르코(1천3백 명), 퍼시픽 텔레시스(1만 명), 제록스(1만 명) 등이다. 일부 회사는 실제로 전체 인력 규모에서 상당 부분을 줄였고, 아웃소싱으로 전환함으로써 인력 감축이 이루어진 경우도 있었으며, 많은 부분 신기술이 인력의 감축을 가능하게 했다. 주요 고용 감축안에는 인수, 합병이 수반되는데 그 목적은 고용 비용을 줄이는 한편 시장의 지분을 공고히 하고 확대하는 것이다. 1984년에 미국 석유 회사 셰브런이 걸프 사를 합병한 이후, 두 회사의 노동력을 합친 숫자에서 거의 절반에 가까운 5만 명의 고용인이 해고되었다. 셰브런은 1992년에서 1993년 사이에도 6천5백 명을 해고했다.

제너럴 일렉트릭은 11년에 걸쳐 10만 명을 해고함으로써 1992년에는 전체 종업원의 수를 26만 8천 명까지 축소시켰다. 이 기간 동안 제너럴 일렉트릭의 매출은 270억 달러에서 620억 달러로 증가했고, 순이익은 15억 달러에서 47억 달러로 증가했다. 제너럴 일렉트릭은 오로지 순이익과 시장 지분의 성장으로 인한 혜택을 공유하는 종업원의 수치 면에서만 회사의 규모가 줄어든 셈이었다. 제너럴 일렉트릭은 무엇보다도 10만 명에 달하는 종업원과 그 가족들에게 생산적인 일자리와 후한 보수를 제공하겠다는 약속을 저버렸다. 그러나 그 회사의 기술력, 재정 능력, 시장에서의 위세는 떨어지지 않았다.

이중 구조의 보다 확실한 사례는 농업 부문에서 발견할 수 있다. 대규모 농업 회사들은 흔히 소규모 생산자들에게 생산을 위탁함으로써 자신들의 위험은 줄이고 수익은 늘리는 방식을 택한다. 작은 농장 소유주들은 주요 자본 투자를 하고 흉작의 위험을 고스란히 떠안는다. 거대 기업이 시장을 지배하고 있기에 영세 농부들은 기업이 일방적으로 제시하는 조건-경작 방법, 생산자가 감당해야 하는 투입 비용, 그리고 작물의 가격까지-들을 받아들일 수밖에 없다. 농부들에게 남은 선택권은 그 조건을 받아들이든가, 그렇지 않으면 농업을 버리고 떠나든가, 그것도 아니면 아직 핵심 기업이 시장을 지배하지 않는 다른 작물을 찾아보든가 하는 것뿐이다. 이러한 농업의 재구성은 소비자의 식생활비에서 농부들이 차지하는 몫을 1910년의 41퍼센트에서 1990년에는 9퍼센트로 하락시키는 데 일조했다.

농업 관련 기업들이 시장을 지배할 때 생산자는 그들 앞에서 속수무책이다. 예를 들어 델몬트 사가 복숭아의 주요 조달처를 북부 캘리포니아에서 이탈리아와 남아프리카로 바꾸는 결정을 내렸을 때, 델몬트와 계약했던 대부분의 농가는 복숭아에 대한 지역적 기호와는 아무 상관없는 이유로 한순간에 자신들의 시장이 사라져 버리는 것을 보고 있어야 했다.

이러한 상황은 경쟁적인 시장은 소규모 판매자와 구매자로 구성된다는 애덤 스미스의 견해를 조롱한다. 이런 환경에서는 진정한 경쟁 아래에서 이루어지는 거래에 비해 농가는 낮은 가격을 받고 소비자는 높은 가격을 지불한다. 농업 관련 주요 기업들은 이러한 시스템을 전 세계로 빠르게 확대해 나가고 있다.

힘없는 경쟁자들의 희생으로 얻은 성장

우리는 이러한 구조조정의 드라마 속에서 이번에는 네트워크의 핵심적 위치를 차지하기 위해 거대 제조업체와 대형 유통업체들이 벌이는 경쟁 속에서 또 하나의 드라마를 본다. 대형 유통업체들이 거두고 있는 성공은 영세 소매업체들의 도산이 늘어나면서 눈에 띄게 드러나기 시작했다. 1989년 한 해에만 대략 1만 1천 개의 소매업체가 파산했으며, 1991년 이래 연간 1만 7천 개가 넘는 소매업체들이 파산하고 있다. 그들 중 대다수는 초대형 소매업체들이 시장을 장악하면서 업계에서 밀려났다. 《비즈니스 위크》는 이렇게 보도했다.

미국 소매업계의 거대한 합병은 거대한 〈파워 유통업체〉를 탄생시켰다. 이 거대 업체들은 정교하게 잘 짜인 재고 관리, 세심하게 갖춘 구색, 그리고 무엇보다도 힘이 약한 경쟁자들을 밀어내는 가격 경쟁을 통해 소비자의 지갑을 더 많이 열게 한다. 그들은 심지어 대형 제조업체들에게도 어떤 색상과 크기로 어떤 제품을 만들어 그것을 얼마만큼 언제 출하할 것인지 일일이 지시한다. 물론 이 흐름을 주도하는 업체는 월마트다. 전체 소매업체들이 운이 좋으면 겨우 4퍼센트 성장을 이어가는 상황에서 미국 제일의 소매업체인 월마트는 25퍼센트 성장률을 보임으로써 매출이 550억 달러를 웃돌 것으로 전망되고 있다.

고작 4퍼센트 아래의 성장을 기록하는 분야에서 25퍼센트라는 월마트의 획기적인 성장률은 그들과 견줄 만한 힘이 없는 경쟁자들의 희생으로 얻어진 것이 분명하다. 대부분의 도시와 마을에서 한때 상업의 중심을 이루고 주요 고용주 역할을 수행하던 영세 소매업체들이 받은 타격이 특히 컸다. 시스템 분석가이자 칼럼니스트인 도넬라 메도우스는 월마트가 소도시에 나타나면 어떤 일이 벌어지는지를 다음과 같이 기술하고 있다.

아이오와에서 월마트는 평균적으로 1천3백만 달러의 수익을 올리고, 다른 소매업체들을 포함한 이 지역 전체 판매량은 연간 400만 달러씩 증가한다. 이 수치는 월마트가 기존의 상점들로부터 9백만 달러에 달하는 가치를 가져가고 있음을 의미한다. 월마트가 생기고 3-4년 안에 반경 32킬로미터 내의 소매업체 판매량은 25퍼센트 감소하며, 반경 32-80킬로미터에 위치한 상점의 판매량은 10퍼센트 감소했다.

매사추세츠의 한 연구 결과는 월마트로 인해 늘어나는 고용 기회는 140개인 반면, 그들보다 임금이 후한 230개의 일자리가 없어진다고 발표했다. 시내 상업 지역을 재건하기 위한 공공 투자가 진행되고 있음에도 불구하고 빈 건물은 점점 늘고 있다. 임대료는 떨어지고, 그나마 남아 있는 업체들은 더 낮은 임금과 적은 세금을 지불한다. 기존의 쇼핑몰에 입점해 있던 체인 상점들이 떠나도 그 자리는 다시 채워지지 않는다.

대형 유통업계의 강력한 실권자인 월마트, 케이마트, 토이저러스, 홈디포, 서킷시티 스토어스, 딜라드 백화점, 타깃 스토어, 코스트코는 거대한 소비재 네트워크의 핵심 기업들이다. 초대형 유통업체들은 제조업체를 서로 반목시켜 중간에서 어부지리를 얻고, 국내 회사에서 공급받던 물품을 갑자기 중국이나 방글라데시 같은 저임금 국가로 돌리는 행위로 악명이 높다. 수많은 소규모 제조업체들은 자신들의 주요 수요처가 갑자기 증발해 버리고 나서야 비로소 자신들이 파산 위기에 처했음을 깨닫는다. 심지어 P&G와 같은, 자신만의 판로를 소유하지 못한 대규모 제조업체들도 거대 유통업체로부터 가격을 낮추고 마진을 줄이라는 거센 압박을 받는다.

대규모 유통업체들이 성장을 거듭함에 따라 이들은 주문 생산과 포장, 컴퓨터 연계망, 특별 수송 체계에 대한 자신들의 요구에 부응할 수 있는 자원과 정교함을 갖춘 대형 공급업체를 선호하게 된다. 이것이 제조업 분야에서 더 많은 합병을 일으킨다. 10년 전까지만 해도 단독으로 시장의 5퍼센트 이상을 점유하는 장난감 제조업체는 한 곳도 없었다. 현재 토이저러스를 비롯해 월마트, 케이마트, 타깃 스토어와 같은 대형 할인점이 지배하는 장난감 산업은 단 6개 제조업체가 주도하고 있다. 기본적으로는 이러한 현상을 더 큰 효율성을 향해 나아가는 한 흐름이라고 찬양하면서도, 심지어 《비즈니스 위크》조차 다음과 같은 경고의 한 마디를 덧붙였다.

"만약 점차 증폭하는 권력적 유통업체들의 영향력이 너무나 많은 소기업을 질식시키고 너무나 많은 대기업들이 위험을 회피하게 한다면 어떻게 될 것인가? 유통업체와 살아남은 공급업체들 간의 밀접한 연계는 최종적으로 소비자가를 올리고 혁신을 줄이는 결과를 낳을 것이다."

결승선도 없는, 밑바닥을 향한 경주

—

핵심에서의 경쟁은 약화되는 반면, 주변에 존재하는 소규모 사업체와 근로자, 지역 간의 경쟁은 이들이 생존을 위한 처절한 싸움에 내던져짐에 따라 더욱 강렬해지고 있다. 기업 자유의지론자가 말하는 세계적인 경쟁력의 향상은, 정확히 말해 밑바닥을 향해 내달리는 경주를 의미한다. 아동 노동력을 이용하지 않고, 시간외 수당 지급에서 근로자들을 속이지 않으며, 무자비한 작업 할당량을 부과하지 않고, 안전하지 못한 환경에서 작업을 시키지 않으면서 초대형 유통업체들로부터 판매 계약을 따내는 일은 갈수록 어려워지고 있다. 위의 조건들을 그대로 준수하는 업체는 그렇게 하지 않는 업체보다 제시 가격이 높아질 수밖에 없다. 글로벌 경제가 제공하는 어떤 일자리라도 마다 않고 구하려고 애쓰는 수십만 명의 사람들이 존재하는 한, 뭐든 하겠다는 경쟁자들이 항상 있게 마련이다. 마진을 최소한으로 줄이라는 유통업체의 압력에 핵심 기업들은 눈을 질끈 감고 온갖 위반 행위를 저지르고 하청업체의 열악한 작업 조건에 대해 자기들은 아무 책임이 없다고 주장한다.

지역적으로 구분하는 남반구와 북반구 국가의 근로 조건 경계선 또한 점점 희미해지고 있다. 미국에 본사를 둔 다국적 기업 레슬리 페이의 온두라스 의류 공장에서 일한 적이 있는 스무 살의 봉제 노동자 도르카 디아즈는 미국 하원 노사 관계 분과위원회에서 이렇게 말했다. 그녀의 말에 따르면, 그녀는 온두라스 공장에서 열두세 살밖에 안 된 소녀들과 함께 일했고, 당시 그들이 일하던 공장 내의 방에는 밖에서 자물쇠가 채워져 있었으며, 방의 실내 온도가 종종 38도까지 올랐고, 깨끗한 식수도 준비되어 있지 않았다. 주당 54시간을 노동한 대가로 그녀는 고작 20달러 조금 넘는 임금을 받았다. 때문에 그녀와 그녀의 세살배기 아들은 거의 기아선상에서 살아야 했다. 1994년 4월 그녀는 노동조합을 결성하려 했다는 이유로 해고당했다.

인도에서는 대략 5천5백만 명의 아동 근로자가 노예와 같은 근로 조건에서 일하고 있다. 빚에 팔려와 정말로 소름 끼치는 조건에서 일하는 아이들도 상당수에 달한다. 그들 중에는 부모의 부채를 대신 갚아 나가거나 양육이 어려운 부모에 의해 팔려온 경우도 많다. 운이 없는 아이들은 단 한 푼도 받지 못한다.

인도의 카펫 제조업체는 매년 3억 달러어치의 카펫을 주로 미국과 독일에 수출한다. 그 카펫은 연간 72주, 일주일에 7일씩 하루에 열네 시간에서 열여섯 시간을 일하는 30만 명이 넘는 아동 노동자들에 의해 제조된다. 이에 대해 제조업체들은 인도의 카펫 산업이 파키스탄, 네팔, 모로코, 그리고 아동 노동자를 고용하는 다른 나라와의 경쟁에서 살아남기 위해서는 아동 노동자 고용이 불가피하다고 주장한다. 세계적인 경쟁력을 유지해야 한다는 요구에 귀를 기울이는 사람들은 결승선도 없는 밑바닥을 향한 경주에서 선두에 서기 위해 우리가 무엇을 내주어야 하는지를 마음에 새겨야 한다.

일반적인 통념에 따르면, 시장이 가진 놀라운 효과는 그것이 전체적인 경제의 효율성을 유지하도록 기업들을 단련시킨다는 것이다. 그러나 글로벌 경제에서 거대 기업들은 다른 이들의 경쟁은 최대화하면서 정작 자신들의 경쟁은 최소한으로 줄이는 방법을 터득했다.

그리고 그것을 하나의 경영 수단으로 활용해서 자신들의 비용을 조금이라도 더 사람들과 지역 사회로 전가하고 있다.

경제의 세계화가 만들어 내는 제도적 변화의 기본적인 모습은, 사람과 지역 공동체로부터 끊임없이 힘을 빼앗아 인간의 이해관계에서 분리되고 인간의 책임으로부터 벗어난 거대 기업들에 그 힘을 몰아 주는 방향으로 나아가고 있다. 우리는 마침내 인간의 통제를 벗어나 저절로 굴러가는 약탈적 시스템의 횡포에 꼼짝없이 사로잡힌 〈포로〉가 되었다. 스스로의 명령에 의해 움직이는 이 체제는 우리 생활의 여러 주요 국면에 대한 지배권을 획득하고는 그 체제의 목적, 즉 돈 버는 일에 우리 자신을 완전히 바칠 것을 끊임없이 요구한다. 우리는 더욱 불길한 전망을 앞에 놓고 있다. 과거에 우리의 욕구를 충족시켰던 기관들에 대한 통제권을 획득하고 수익 향상을 위해 비효율성을 제거하려는 의도를 가진 그 체제는, 우리 〈인간〉들을 비효율성의 주된 원천이라고 생각한다는 것이다.

제 5부

빼앗긴
정치적,
경제적 권리
되찾아오기

17
그럼에도,
민주적 다원주의의 천재적인 면을 보라

그 결과 우리는 민영화의 문제가 경제적 효율성의 문제도 아니고 소비자
에 대한 서비스 향상도 아니며, 결국 (사회적 불평등의 골을 메우기 위해 재분배
될 수 있는) 공공의 지갑에서 개인들의 손으로 부를 이동시키는 것임을 쉽
게 알 수 있다. - 수전 조지

기업 자유의지론을 옹호하는 자들은 1989년 소비에트 제국의 해체
를 쌍수를 들어 환영했다. 그들은 이 사건을 자유 시장의 승리로, 자
신들의 목표를 계속 밀고 나아가라는 명령으로 받아들였다. 프랜시
스 후쿠야마는 인류 진화의 오랜 여정이 마침내 최종 결론에 도달했
다고 공표했다. 그가 말하는 최종 결론이란 다름이 아니라 전 지구적
이고 전 세계적인 소비 사회를 이르는 것이었다. 그는 이것을 〈역사
의 종말end of history〉이라고 일컬었다.

서구의 각국 정부들과 기업들은 동유럽과 옛 소비에트 연방 국가들에 재빨리 손을 뻗어 국경을 개방하고 경제를 자유화하여 자신들의 성공의 교훈을 받아들이라고 촉구했다. 서구의 전문가 군단은 서구의 기업들이 옛 소비에트 연방 혹은 다른 과도 정부들의 경제에 침투하는 길이 되어줄 법규를 만드는 작업을 도왔다.

이와 동시에 서구 산업 국가들은 관세 및 무역에 관한 일반 협정을 통해 세계 경제를 하나로 통합하고, 강력한 세계무역기구를 결성하기 위한 노력을 더욱 강화했다. 그리고 북미자유무역협정, 마스트리히트 조약(유럽 공동체 12개국이 시장뿐 아니라 정치 경제적 통합체로 결합하기 위한 조약), 아시아 태평양 경제협력기구APEC 등을 통해 지역 시장을 구축하려고 노력했다. 기업들의 강력한 이해관계에 부응하고자 하는 열망이 컸지만 달리 실행 가능한 아이디어가 없었던 당시 미국의 빌 클린턴 대통령은 자신의 일자리 만들기 프로그램과 대외 정책 두 가지 모두를 위해 〈경제 세계화〉를 기꺼이 선택했다.

마르크스 사회주의는 비참한 종말을 맞았다. 그렇지만 서구의 정치, 경제적 승리가 속박되지 않은 자유로운 시장 덕분이라고 말하는 것은 소련의 실패를 행동가적인 정부(activist state, 사회 전반에 걸쳐 적극적이고 과감한 역할을 하는 정부로, 자유 시장에 반하는 개념)에 연유한다고 말하는 것만큼이나 정확하지 못한 표현이다. 기업 자유의지론자들의 오만한 주장과는 반대로, 제2차 세계대전 이후의 서구 사회는 시장에 유리하도록 정부의 역할을 거부했기 때문에 번영했던 것이 아니었다. 오히려 그것은 민주적 다원주의democratic pluralism에 맞게 좌와 우양쪽의 극단적 이데올로기를 거부했기 때문이었다. 여기서 말하는 민주적 다원주의란, 정부와 시장, 시민 사회가 갖는 힘이 실질적, 제도적으로 균형을 이루는 지배 체제를 말한다.

불황과 전쟁을 극복해야만 한다는 긴급한 책무를 짊어진 미국은 남북전쟁 이전부터 지금까지 그 어느 때보다도 건강하고 역동적이며 창조적인 균형을 유지하는 가운데 정부, 시장, 시민 사회가 함께 노력하면서 제2차 세계대전을 딛고 일어섰다. 비교적 평등하게 이루어진 소득 분배는 대량 판매 대량 소비의 거대한 시장을 창조했고, 이것은 공격적인 산업 팽창에 동력을 공급했다. 당시 미국은 확실히 사회주의적인 것으로부터 멀리 떨어져 있었으나 그렇다고 진정 자본주의적인 것도 아니었다. 아마도 그것은 다원주의적이라고 부르는 편이 더 정확할 것이다. 이것이 바로 소련이 가한 도전을 잘 견뎌내고 냉전의 승리자로 우뚝 선 미국이다. 자유 시장 미국이 아닌, 민주적 다원주의와 평등의 미국이 공산주의를 꺾은 것이다.

세부 사항은 차이가 있지만, 대부분의 서구 산업 국가들에도 민주적 다원주의와 유사한 양상이 널리 나타나고 있었다. 일부 국가들은 다른 국가에 비해 산업의 소유와 경영을 국유화하는 방향으로 조금 더 기울었지만, 어디까지나 시장과 정부 모두가 강력한 참여자로 상호작용하는 다원주의적 틀을 벗어나지는 않았다.

이와 반대로 소비에트 체제는 너무나 국가주의적 색채가 강한 극단적 이데올로기를 받아들인 나머지 시장과 사유 재산권이 실질적으로 배제되는 결과를 초래했다. 그 이데올로기가 시민 사회에 꼭 필요한 공적 감시 기능을 제거하는 결과를 낳았고, 남은 것은 오직 아무런 책임을 지지 않아도 되는 패권주의적인 국가뿐이었다. 시장과 민간 부문이 주는 다원적 균형과 시민 사회의 역할이 결여된 소련 경제는 대중의 요구에 부응하지 못했을 뿐 아니라 자원의 이용에서도 비효율적이었다. 그 결과로 소련 국민들이 겪은 고통은 행동가적 정부 때문이 아니었다. 그것은 국가를 뺀 모든 것을 배제해 버린 극단주의적인 이데올로기가 불러온 결과였다.

그런데 이제 서구가 이와 비슷한 극단적 이데올로기의 여정에 오르고 있다. 우리가 소련과 다른 점은 우리는 저만큼 떨어져서 아무런 책임도 지지 않는 국가가 아니라, 그와 똑같은 모습을 보이는 기업들에 지배당하고 있다는 것이다. 참 아이러니한 것은 기업 자유의지론자들이 아무 간섭도 받지 않는 자유방임의 자본주의라는 이념적 이상론 쪽으로 우리를 밀어붙일수록 경제는 점점 더 인간과 지구의 진정한 요구에 반응을 보이지 않게 된다는 것이다. 그리고 시장 경제의 실패 원인이 마르크스 경제가 실패한 이유와 사실상 똑같다는 것 또한 아이러니가 아닐 수 없다. 두 경제 체제는 다음과 같은 공통된 이유 때문에 실패한다.

■ 두 가지 모두 어떠한 책임도 지지 않는 중앙 집중화된 기관－마르크스주의의 경우에는 국가, 자본주의는 초국가적 기업－에 경제력이 집중되는 결과를 초래한다.
■ 두 가지 모두 경제적 진보라는 명목으로 지구의 생명 시스템을 파괴하는 경제 체제를 창조한다.
■ 두 가지 모두 초대형 기관들에 대한 무기력한 의존을 낳는다. 이들 초대형 기관들은 시장과 정부, 사회가 의존하고 있는 사회적 자

본을 잠식한다.

■ 두 가지 모두 인간의 욕구를 아주 좁은 경제적 관점으로 바라봄으로써 지구와 사회 공동체에 대한 우리의 정신적 유대감을 손상시킨다. 우리가 지구나 사회 공동체와 정신적으로 연결되어 있다는 인식은 한 사회의 도덕 구조를 유지하는 데 꼭 필요한 것이다.

어떤 경제 체제가 존속하고 발전하려면 국가나 시장 어느 쪽이든 간에 권력이 집중되고 남용되는 것을 저지하는 메커니즘을 사회가 갖고 있어야 하며, 자연 자본, 사회적 자본, 도덕적 자본의 침식에 그 사회가 대항할 수 있어야 한다. 민주적 다원주의가 지배 문제에 대한 완벽한 답은 아니지만, 적어도 불완전한 세계에서 우리가 지금까지 발견해낸 최적의 해답인 것처럼 보인다.

정부가 꼭 있어야 할,
시장의 효율성을 위한 6가지 조건
—

재계가 종종 자신들의 일에 정부가 과도하게 개입한다고 불평을 늘어놓긴 하지만 시장의 자유방임을 요구하는 대개의 주장들은 기본적인 현실을 무시하고 있다. 그것은 바로 시장 경제의 효율적인 기능은 〈강력한 정부〉에 달려 있다는 사실이다. 강력한 정부의 필요성은 현대의 시장 경제 이론에 잘 확립되어 있고 현실에서도 입증된 바 있다. 기업 자유의지론자들을 철저히 파헤친 비평서 『공익을 위하여』에서 허먼 댈리와 존 콥 주니어는 시장의 효율적인 기능을 좌우하는, 그러나 시장 스스로가 가질 수는 없어서 반드시 정부가 개입하여 역할을 해야 하는 조건들의 목록을 작성했다. 그 목록은 다음과 같다.

:: 공정한 경쟁Fair Competition

경쟁은 그 성격상 승자와 패자를 만든다. 승자는 성장하면서 더욱 강력해진다. 패자는 사라진다. 승자가 성장할수록 신입자가 발 디딜 곳을 찾기는 더욱 어려워지고 시장은 더욱 독점적이 된다. 심지어 가족용 보드 게임인 모노폴리를 하는 아이들조차도 그 원리를 알고 있다. 게임이 진행되면서 참가자들은 자산을 취득할 수 있고 그 자산에 대해 임대료를 받을 수 있다. 게임 초기에 자산을 취득한 사람은 결국 자기보다 운이 덜 좋은 사람을 파산으로 몰고 간다. 이 게임은 한 사람만 빼고 모든 참가자가 다 파산했을 때 공식적으로 끝이 난다. 눈치 빠른 사람은 남들이 초기에 자산을 취득한 이후에 뒤늦게 게임에 뛰어든 사람은 가망이 없음을 안다. 누군가 한 명이 상당한 수익을 거두면 대부분의 참가자들은 떨어져 나간다. 아주 명민하거나 운 좋은 참가자가 갑자기 뒤에서 툭 튀어나와 놀라운 승리를 거둘 가능성은 거의 없기 때문이다.

실제 세상의 독점 과정도 이와 아주 비슷하다. 딱 하나 게임과 다른 게 있다면, 다른 사람들보다 많은 것을 가진 참가자가 자기가 가진 자금력을 동원해서 자신에게 이익이 되는 방향으로 〈게임의 규칙〉을 개정하도록 입법자들에게 영향을 미칠 수 있는 권한까지 추가적으로 갖는다는 것이다. 이에 따라 시장은 독점을 향해 더욱 무자비하게 나아가는 경향성을 갖게 된다. 그리고 오로지 정부의 조치만이 이 독점을 제지할 수 있으며, 그러기 위해서는 정치적으로 각성한 시민 조직이 그 뒤를 받쳐주면서 경제적 힘의 집중을 정기적으로 와해시켜야 한다.

:: 도덕적 자본Moral Capital

비록 시장 이론이 이기적인 개인의 양상을 띠고 현실 세계의 시장이 종종 탐욕스럽고 부정직하며 비도덕적인 행위들로 보답하긴 하지만, 효율적인 시장의 일상적 상호작용은 〈신뢰〉에 의존한다. 참여자들이 오직 수단과 방법을 가리지 않고 순간적이고 경쟁적인 이득을 얻으려는 욕망과 탐욕에 의해서만 움직이는 시장, 즉 신뢰, 협동, 측은지심, 개인의 도덕성이 결여된 시장은 단지 비즈니스를 하기에 불유쾌한 장소로만 그치지 않는다. 그러한 시장은 매우 비효율적이며 변호사, 보안 요원, 그밖의 방어 수단에 과도한 비용을 지불하게 한다. 한 마디로 말하자면 사회도, 시장 경제도 도덕적 기초가 없으면 효율적으로 기능할 수 없다.

:: 공공재Public Goods

공익을 위해 꼭 필요한 투자와 용역, 이를테면 기초과학 연구에 대한 투자, 공공의 안전과 정의, 공교육, 도로, 국방에 대한 투자는 시장이 제공하지 않는다. 이러한 것들은 일단 만들어진 후에는 누구나 자유롭게 무료로 이용할 수 있기 때문이다. 심지어 대부분의 기업 자유의지론자들조차 공공재-적어도 사기업이 비즈니스를 하기 위해 꼭 필요한 공공재인 경우–를 제공함에 있어 정부가 담당하는 역할을 인정한다.

:: 전체 비용을 계산한 가격 설정Full-Cost Pricing

시장에서 판매자와 구매자가 자신들이 생산하고 판매하고 소비하는 생산물의 총비용을 부담할 때만이 비로소 자원에 대한 최적의 분배가 이루어진다. 하지만 규제가 없는 시장에서는 총비용을 내부화하는 경우는 있다 하더라도 매우 드물 것이다. 왜냐하면 시장에서의 경쟁적 압박으로 인해 언제든 가능하기만 하면 비용을 외부화할 필요가 있기 때문이다. 사회, 환경 비용의 외부화에 성공한 생산자는 더 높은 수익을 올리고 더 많은 투자자를 유치할 것이며, 따라서 더 낮은 가격을 제시할 수 있게 되고 그렇게 되면 시장 점유율은 더 높아진다. 기업이 낭비 요인을 줄이고 근로자에게 좋은 임금을 지불하는 데에 내재되어 있는 경제적 이익을 발견한다면 더없이 좋은 일이다. 그러나 시장의 고유한 작용에는 사회, 환경 비용이 정부의 적극적인 개입 없이도 내부화되도록 보장해 주는 것이 없음을 우리는 경험을 통해 알고 있다.

:: 공정한 분배Just Distribution

시장 체제는, 특히 경제가 팽창하는 시기에는 노동력을 제공하는 사람의 소득은 정체되거나 감소하는 반면, 자본가의 부와 소득은 증가하는 경향이 강하다. 경제력이 부당하게 분배되는 시장에서 돈 많은 사람들이 사용하는 사치품 생산에는 자원을 할당하면서, 돈 없는 사람들에게는 심지어 생필품조차 허용하지 않는 것은 공정하지도 않고 사회적으로도 효율적이지 못하다. 시장의 효율성과 제도적 정당성은 시장의 힘이 거침없이 무너뜨리는 형평성을 계속해서 회복하려는 정부의 개입에 의존한다.

:: 생태적 지속 가능성Ecological Sustainability

인간의 경제가 성장해 생태 공간을 채우게 되면서, 자연과의 최적의 균형을 유지하도록 경제 하위 체계의 범위를 제한하는 것이 인류의 생존에 꼭 필요한 일이 되었다. 이산화탄소 방출량은 지구가 흡수할 수 있는 수준 이하로 유지되어야만 하고, 어획량은 반드시 어장이 지속 가능한 수준에서 유지되어야만 한다. 그러나 불행하게도 규제가 없는 시장은 그런 다양한 규제에 무감각하다. 그러므로 정부는 한계를 설정해야 하고 시장에 적절한 신호가 보내지고 있는지 확인해야 한다. 심지어 환경 문제 해결을 위해 제시된 시장적 해법, 이를테면 오염 배출권 거래 등의 성공 여부는 한계를 설정하고 허가증을 발부하고 위반 여부를 감시하는 정부의 개입에 달려 있다.

시장이 사회적으로 최적의 결과를 산출하려면 시장의 효율성을 위한 이 여섯 가지 조건들이 지켜지도록 정부와 시민 사회가 제 역할을 할 수 있어야 한다. 정부의 규제로부터 자유로워진 시장은 본래 지속 가능하지 못하다. 규제를 벗어 던진 시장은 자신의 조직적, 사회적, 환경적 토대를 스스로 좀먹기 때문이다.

정부에게 쥐어줘야 할 권한

—

시장의 메커니즘은 현대 사회에서 필수적이다. 그러나 시장이 공익에 부합하려면 기업은 시장의 사회적, 경제적 효율성이 의존하고 있는 일정한 조건들이 유지되는 데 꼭 필요한 정부와 시민 사회의 역할을 인식하고 받아들여야 한다. 설사 그 조건들로 인해 기업의 수익이 감소하고 기업 활동의 자유가 제한되며 일부 소비재의 가격이 오를 가능성이 있더라도 말이다. 그 덕분에 사회가 얻게 되는 것은 최저 생계비를 보장해 주고 근로자와 사회 공동체의 건강과 안전을 지켜줄 훌륭한 일자리, 깨끗한 환경, 경제적 안정, 직업 안정성, 단단하게 결속된 가족과 공동체 등이다.

기업에 비효율적인 면이 있는 것과 마찬가지로 정부에도 비효율성을 보여주는 사례들이 있을 것이다. 그러한 비효율성으로 인한 비용을 줄이는 것은 납세자와 기업 양쪽 모두에게 적절한 일이다. 그리고 소비자 가격의 상승이 소득이 중간 정도 되는 사람들의 기본적인 욕구 충족을 더 어렵게 만들지는 않는다는 사실을 확실히 해두는 것 또한 적절한 일이다. 하지만 공익에 대한 정부의 개입으로 우리에게 꼭 필요하지 않을 수도 있는 소비재의 가격이 상승하거나, 기업의 과도한 수익이 감소하거나, 기업이 사람에 비해 더 적은 자유를 누리게 되는 것에 대해 우리가 걱정할 필요는 없다.

정부가 시장과 관련해서 꼭 필요한 역할을 수행하기 위해서는 자국 국경 내의 경제에 대해 관할권을 갖고 있어야 한다. 또한 정부는 자국의 경제에 필요한 규정을 마련할 수 있어야 하며, 이 규정들이 국제 무역과 투자를 가로막는 장벽이 아님을 굳이 외국 정부와 기업에 증명해 보일 의무 따위는 없어야 한다. 정부는 세금을 부과할 수 있어야 하며, 잃어버린 수익에 대해 소송을 제기하겠다거나 핵심 기술을 제공하지 않겠다거나 외국 기관에 실무를 이전하겠다거나 하는 기업의 위협에 굴하지 않아야 하며, 자국의 관할권 내에서 비즈니스 활동을 하는 기업들의 문제에 관여할 수 있어야 한다. 그러한 관할권이 유지되려면 우선 경제적 영토가 정치적 영토와 일치해야만 한다. 그렇지 않으면 정부는 무능력해지고 민주주의는 속빈 강정이 된다. 경제가 세계화되고 정부가 국가주의(국가의 이익을 개인의 이익보다 절대적으로 우선시하는 사상)적이며 세계적 기업들과 금융 기관의 기능이 공적 책무성으로부터 한참 벗어나 있을 때, 정부는 기업의 부적절한 영향에 더욱 취약해진다. 또한 시민은 그저 기업에서 수익성이 가장 높다고 판단해 생산하는 제품들 중에 하나를 선택하는 소비자의 수준으로 전락하게 된다.

입지를 가리지 않는 투자자들이나 외국 기업들에게는 기대할 수 없는, 지역 사회의 이익을 위해 공헌하는 지역 기반의 기업들을 우선적으로 지원하는 국내 경제는 굳이 수입물품이나 외국인 투자자들을 배제할 필요가 없다. 만약 해외 무역과 외국인 투자를 통해 지역 사회가 이익을 본다면 국내 경제는 분명 외국 자본과 투자를 환영할 것이다. 하지만 사람들에게는 자신들의 기업을 통해서, 그리고 자신들이 민주적으로 세운 정부를 통해 확립한 규칙에 의해 자신들의 경제적 삶을 통제할 권리와 욕구가 있다. 만일 사람들이 자신들의 국경에 경제의 과속 방지턱을 만들어 지역 투자자에게 혜택을 주고자 한다면 얼마든지 그렇게 할 도덕적인 권리가 있다. 그러한 전략으로 서구의 국가들은 제2차 세계대전 이후 경제 붐이 일던 시기에 꽤 짭짤한 재미를 보았고 그로 인한 경제적 이득은 자국의 국내 산업에 널리 돌아갔다.

스웨덴은 20세기 중반에 민주적 다원주의가 무엇을 이룩해 놓을 수 있었는지에 대해, 그리고 몇 안 되는 기업과 경제 엘리트를 편애하는 통치가 결국 시스템의 붕괴로 이어진 역학관계에 대해 매우 교훈적인 연구 사례를 제공해 준다.

스웨덴의 시행착오

—

스웨덴은 서구 산업 국가 가운데 민주적 다원주의의 강력한 틀 안에서 자본주의와 사회주의의 요소를 혼합해 번영과 형평을 이뤄낸 성공적인 국가로 알려져 있다. 스웨덴의 경험은 다원주의의 역동성과 세계화의 결과에 대해 교훈적인 통찰을 제시해 준다.

스웨덴의 산업화가 영국에 비해 100년이나 늦었다는 사실을 아는 사람은 거의 없다. 제2차 세계대전이 끝나고 몇 년 후까지도 스웨덴은 극빈 국가로 남아 있었다. 시골에서는 많은 사람들이 척박한 토양과 열악한 기후 조건으로 인해 간신히 먹고 살 정도의 산출만을 허락하는 소규모 농장에서 삶을 꾸려갔다. 일부는 아사했고 일부는 다른 나라로 떠났다. 그 외 대부분의 사람들은 심지어 20세기에 들어서까지도 드넓은 토지에서 마치 농노처럼 살았다. 문맹률 또한 엄청나게 높았다. 1940년대 후반까지도 달랑 방 한 칸에 부엌이 딸린 아파트(화장실은 다른 집과 공동으로 사용하는)에서 온 가족이 함께 사는 경우가 흔했다. 심지어 스웨덴 왕가조차도 대부분의 유럽 친척들에 비해 빈곤했다.

현대에 들어서 스웨덴이 거둔 성공은 스웨덴 사회민주당의 창당에서 비롯되었다. 스웨덴 사민당은 자신들이 추구하는 정책에 대한 국민적 합의를 이끌어냈고 1932년부터 1976년까지 무려 44년 동안 장기 집권을 하면서 그 정책을 힘 있게 유지했다. 스웨덴의 정교한 사회 복지 체제를 확립한 것이 바로 그들이었다. 그들이 채택한 임금 정책으로 노동자들이 중산층 대열에 합류했고 임금 형평성이 상당한 수준에 이르게 되었으며, 다른 자본주의 국가들보다 남녀의 임금 격차도 많이 줄어들었다. 스웨덴 사회민주당은 완전 고용을 유지하는 것을 가장 중요한 과제로 삼았다. 이들은 볼보나 일렉트로룩스, 사브, 에릭슨과 같은 스웨덴의 초국가적 기업들이 국내 사업에 집중하게 하기 위해 이들이 해외에서보다 국내에서 거둬들인 수익에 대해 훨씬 낮은 세금을 적용해 주었다.

스웨덴의 주요 산업체들과 노동 조직 사이의 협약은 사민당의 정치적 기반을 형성했고, 사민당은 임금과 근로 조건을 놓고 전국 노조와 고용주 단체들 사이에 중앙 집중적이고도 평화로운 협상이 진행될 수 있도록 지원을 아끼지 않았다. 이러한 관계는 대규모 노동조합과 대규모 자본 양쪽 모두에게 중요한 이득을 가져다주었다.

그러나 이러한 타협에는 중대한 구조적 결함이 있었고 그것이 결국 전체 구조를 불안정하게 만들었다. 그 중 하나는 소규모 회사와 가족 기업들의 희생을 바탕으로 그보다 덩치가 큰 회사들이 투자를 더 늘리고 사업을 더 키워나갈 수 있도록 특혜를 주는 조세 제도였다. 이로 인해 스웨덴 경제는 점차적인 소유권 집중과 독점화가 진행되는 방향으로 나아갔다. 임금 정책은 노동자 계층 내에서의 임금의 형평성을 강조했지만 노동자 계층과 자본을 쥔 사람들의 격차는 심각하게 벌어졌다. 당시에는 이러한 격차가 기업가들이 노사협정을 깨지 않고 계속 열심히 유지해 주는 대가라고 간주되었다. 그러나 급기야는 산업체와 노동자들의 동맹이 파괴되는 상황이 오고 말았다.

1973년에서 1974년 사이에 원유 가격 급등으로 제1차 오일 쇼크가 일어나자, 이로 인한 경기 후퇴로 스웨덴은 재정 위기를 맞이했고 과중한 세금 징수에 반대하는 대중적 저항이 일어났다. 이 시기에 스웨덴은 경제 국경을 개방했고 국제 경제에 보다 적극적으로 참여하게 되었다. 이로 인해 자본과 지역의 노동력을 묶어주던 유대가 느슨해지고 전국 규모의 노동운동 또한 약화되었다.

세계화 초기 단계에 스웨덴 기업들의 외적 팽창은 국내의 고용을 창출했고, 협정의 양쪽 당사자들의 목표도 그다지 심각하게 충돌하지는 않았다. 하지만 일단 스웨덴의 초국가적 기업들이 국내보다는 해외에서의 기업 활동이 자신들에게 이익이 된다고 규정하기 시작하면서 블루칼라 노동자와 자본가 사이의 협약은 붕괴되기 시작했다. 이때까지도 스웨덴에는 고학력 화이트칼라 노동자의 수가 블루칼라 노동자의 수보다 많았고 더 아랫세대는 고마운 줄 모르고 복지 국가를 당연한 것으로 받아들였고, 이러한 현상은 스웨덴 사민당의 정치적 기반을 더욱 약화시켰다.

초국가적 기업의 세계적 팽창에 대한 스웨덴 정부의 후원과, 국내에서 고용을 창출하고 실질 임금을 높이려는 요구 사이에서 점차 커져가던 모순은 더 이상은 지속될 수 없는 수준에 이르렀다. 1976년 선거에서 사회민주당은 3개 당의 힘을 합친 중도우파 정부에 결국 정권을 내주었다.

1982년에 사회민주당이 권력을 되찾았을 때, 그들은 스웨덴 기업가들이 국내 투자에서 충분한 마진을 보장받을 수 있도록 하는 정책을 추진함으로써 그들이 계속해서 스웨덴을 믿도록 하겠다는 각오를 다졌다. 〈스웨덴을 믿도록!〉이라는 말은 볼보 사의 길렌 하마르 회장이 남긴 말로, 스웨덴에 대한 믿음을 유지하게 한다는 것은 스웨덴의 기업가들이 국내 투자를 할 만하다고 느끼도록 국민 생산에서 임금 대비 이윤이 차지하는 비율을 늘리는 것을 의미했다. 이러한 정책은 유럽 전역에서 실업률이 8-9퍼센트를 상회하던 시기에 완전 고용을 유지하는 대가로 받아들여졌다.

그에 따른 정책들은 이전까지는 상상도 할 수 없었던 수준까지 기업의 이익을 증가시켰다. 생산 투자로 흡수가 불가능할 정도로 엄청난 돈을 챙긴 스웨덴 투자자들은 곧 금융 투기로 눈을 돌렸고 이들은 부동산 가격과 예술 작품, 우표, 그밖의 투기적 재화의 가격들을 천정부지로 올려놓았다. 정부는 이상 급등을 저지하기 위해 남아도는 자금이 유럽으로 흘러들어갈 수 있도록 통화 관리 규제를 완화했다. 그 결과 엄청난 돈이 유럽으로 유입되었고 런던과 브뤼셀의 부동산 가격은 기록을 경신했다. 투기적인 거품 위에 또 거품이 생성되면서 투기로 얻어지는 즉각적인 수익은 스웨덴 내부의 생산 투자로부터 자금이 빠져나가는 원인이 되었다. 마침내 스웨덴 부동산의 거품이 터졌을 때 스웨덴 금융계는 회수가 불가능한 대출금으로 인해 180억 달러라는 어마어마한 손실을 남겼다. 정부는 그 세금 고지서를 은행의 손에서 빼앗아 스웨덴 납세자들의 손에 넘겼다.

이 시기에 스웨덴의 주요 기업가들은 과거에 사회민주당이 확립해 놓은 스웨덴 모델을 해체하는 데 적극적인 역할을 했다. 스웨덴사용자연합은 스웨덴 모델의 초석이 되었던 중앙에서 결정하는 방식의 임금 협의제를 거부하고 보수당 편에 섰다. 이들은 또한 기업 자유의 지론적 경제 이데올로기를 지지하는 전문가 집단에 자금을 제공하고, 사회민주당을 억압적이고 우둔하다고 공공연히 비난하면서 개인주의와 자유 시장 경제를 칭송하는 여론 형성에 전력을 기울였다. 이들의 행동은 정부 조직을 약화시키고 장기적인 정책을 펴나갈 수 있는 정부의 능력에 흠집을 냈다.

1983년 볼보의 길렌 하마르 회장은 피아트, 네슬레, 필립스, 올리베티, 르노, 지멘스를 포함하여 유럽의 선도적인 초국가적 기업들의 대표로 구성된 유럽기업가원탁회의를 창설한 뒤 경제의 실패로 생긴 빈 공간을 메우는 일에 나섰다. 이 원탁회의의 목적은 국가를 위한 장기적인 정책을 수립하고 그 정책을 국제적으로 홍보하는 하나의 압력 단체로서 역할을 해나가겠다는 것이었다.

1992년 말에 이르자 스웨덴 가구에서 상위 2퍼센트의 부유층이 스톡홀름 증권 거래소에서 매매된 주식 가치의 62퍼센트를 소유하고 있었고 스웨덴 부의 23퍼센트를 차지했다. 1978년에서 1988년까지 스웨덴의 평균 가정은 더 빈곤해진 반면, 최고 부유층 가정은 자산이 배로 늘었다. 사회민주당이 최초로 집권에 실패해 정권을 내놓던 당시 스웨덴의 실업률은 3퍼센트 미만이었다. 그런데 1992년에 실업률은 5퍼센트로 증가했고, 경기 조정형 재교육 프로그램과 공공 고용 계획에 7퍼센트의 근로자들이 등록한 상태였음에도 불구하고 실업률은 다시 7퍼센트로의 증가를 눈앞에 두고 있었다.

처음부터 스웨덴 모델은 자멸의 씨앗을 안고 있었다. 이 모델은 대부분의 중산층과는 그 이해관계가 완전히 동떨어져 있는 강력한 금융 엘리트를 배출했다. 그리고 그것은 스웨덴 국민에게 현재의 복지 상태에 안주하게 하고, 그보다 어린 세대에게는 민주주의라는 것이 시민들의 지속적인 경계와 정치적 행동주의를 통해 끊임없이 재창조될 필요가 있다는 인식을 불어넣는 데 실패했다. 그리고 이 모델은 목재, 철광석, 수력 발전과 같은 스웨덴 천연자원에 대한 지속 불가능한 소비를 경제 성장의 기반으로 삼고 있었다.

소수의 엘리트들이 더 많은 재력을 얻으면서 그 재력에 부응하는 생산적인 기여를 하지 않고도 사회적 자원에 대한 이들의 소유권 주장은 점점 커져갔다. 경제적 국경이 개방되면서 생산직에서 일하는 임금 노동자들의 일자리는 자본을 관리하는 자들에게 더욱 예속되었다. 국내 고용 유지에 필사적인 노력을 기울이던 정부가 금융 엘리트들의 요구에 굴복하면 할수록 그들의 손으로 들어가는 돈의 액수는 더 불어나고 자신들의 이해관계에 맞추어 공공 정책을 휘두를 수 있는 그들의 권력은 커져만 갔으며 사회 구조가 받는 스트레스는 점점 가중되었다. 우리가 앞서 이미 검토한 바 있는 미국의 경험과 유사한 일들이 일어나고 있는 것이다.

스웨덴의 경험이 우리에게 주는 기본적이면서도 중요한 교훈은 민주적 다원주의도 〈극단적인 불평등〉을 견디고 오래 살아남지는 못한다는 것이다.

정부, 시장, 시민 사회의 상호작용

—

공산주의는 국가의 헤게모니를 확립했다. 자본주의는 금융 시장과 기업의 헤게모니를 확립했다. 건강한 사회는 시민 사회, 정부, 시장이라는 서로 확연히 구별되지만 연결되어 있는 세 부문의 조화로운 상호작용을 토대로 건설된다. 세 부문 모두 인간이 창조한 것이며 특정한 개인이 세 가지 모두에 관여할 수도 있지만 전체적인 통합성은 그 힘의 합법적 근원과 역할을 확실하게 구분하는 것에 좌우된다.

  :: 시민 사회 부문

  민간 혹은 시민 사회 부문은 다른 부문들에 비해 덜 조직화되어 있다. 이것은 각각의 개인들에게 삶과 사회 공동체에 대한 내적, 정신적 연결성을 갖고 행동할 가장 창조적인 자유를 준다. 다른 부문들과 구별되는 눈에 띄는 역할이 있다면 그것은 시민 사회 부문이 건강한 사회의 일관성과 진정성의 기초가 되는 문화적 정체성의 의미와 상징들을 만들어 내고, 지키고, 새롭게 한다는 것이다. 건강하게 제 역할을 다하는 시민 사회는 사회의 양심이고, 그 사회의 문화적 활력과 쇄신의 원천이며, 정부와 경제 체제에 의한 권력 남용의 반작용이다.

:: 정부 부문

시민 사회, 즉 민간에서는 공익을 위해 강제력을 사용할 수 있는 권한을 정부에 마지못해 위임하고 있다. 그 권한에는 개인의 자산을 몰수하고 개인의 신체적 자유와 심지어 생명까지도 박탈할 수 있는 권한까지 포함된다. 이 권한을 행사함으로써 정부는 공공질서와 국가 안보를 유지하고 세금을 거두고, 형평의 원칙에 따라 그리고 다른 공공의 요구에도 부합하도록 사회적 자원을 재분배하는 매우 중요한 기능을 수행한다. 정부의 역할은 부를 창조하는 것이 아니라 그것을 〈재분배〉하는 것이다. 정부의 권력은 깨어 있는 시민 사회가 끊임없이 점검하고 감시해야 한다.

:: 경제 부문

경제 부문은 재화와 용역을 생산한다는 특징을 갖는다. 시장 경제는 소비자의 요구에 부응한다. 그러나 시장에는 사회의 보다 광범위한 우선순위를 수용할 능력이 없다. 시장에는 또한 비양심적인 사람들이 어린이에게 권총과 마약과 담배를 팔고 환경을 훼손하고 근로자들을 위험한 상황에 빠뜨리는 것을 막을 수 있는 기능이 없다. 시장은 또한 상품에 붙은 라벨의 정확성을 보장해 주지도 않는다. 그들은 공공도로를 유지하지도 않고 가난한 아이들을 위해 학교를 운영하지도 않으며 쓰레기 재활용을 공식적으로 명령하지도 않는다. 시장은 재화를 생산해서 벌어들인 수익과 독점력을 이용해서, 비용을 외부화해서, 공공의 자산을 마음대로 수용해서 혹은 필요하지도 않고 심지어 해롭기까지 한 물건들에 대한 가공의 수요를 창조함으로써 얻은 불로 소득을 구분하지 않는다. 이 각각의 예에서 보듯 민주적 절차에 의해 선출된 정부는 이 사회가 받아들일 만한 행동의 한계를 명확히 설정할 필요가 있다.

민주적 다원주의는 시장과, 정부, 시민 사회의 힘을 한데 융합해서 이 세 가지 부문이 종종 서로 경쟁하는 사회적 요구들 사이에서 역동적인 균형을 유지하게 하는 것이다. 여기서 사회적 요구들이란 꼭 필요한 질서와 형평, 재화와 용역의 효율적인 생산, 권력에 수반되는 책임, 인간의 자유에 대한 보호, 끊임없는 제도적 혁신에 대한 요구 등을 말한다. 이 3자간의 균형은 아무런 규제 없이 자유롭게 풀린 시장이 아니라 적절히 〈규제된 시장〉에서 발견된다. 그리고 그 균형은 또한 규칙의 틀 안에서 각국의 경제를 연결해 주는 무역 정책에서 발견된다. 그 규칙들이란 다름이 아니라 국내 경쟁을 유지하는 것, 그리고 지역 근로자를 고용하고, 지역의 기준을 지키고, 지방세를 납부하고, 민주적 지배의 굳건한 체제 안에서 제 기능을 수행하는 국내 기업들을 장려하는 것이다.

건강한 사회에서는 대개 민간 부문, 즉 시민 사회가 제1부문으로 여겨진다. 그 이유는 바로 이곳이 개인의 의사가 표현되고 시민의식이 꽃피며 민주적인 참여가 이루어지는 장이기 때문이다. 동시에 한 사회의 건강성은 세 가지 부문 모두가 얼마나 활력을 갖고 움직이느냐에 달려 있다. 정부 기관과 경제 기관이 없다면 사회는 무법천지가 되고 궁핍해질 것이다. 정부는 시민들이 모든 부문의 규칙들을 굳건히 세우고 이를 지켜나가기 위해 필요한 조직이다. 그러므로 우리는 정부를 제2부문으로 여기는 것이 마땅하다. 경제 부문의 역할은 사람들의 구매 행위와 직업 선택을 통해 나타나는, 그리고 그들이 정부 정책에 참여해서 민주적으로 결정한 규칙들과 우선순위에 나타나는, 사회의 요구를 충족시키는 데 기여하는 것이다. 그러므로 경제 부문은 시민 사회나 정부 부문에 비해 부수적인 제3부문으로 생각하는 것이 적절하다.

그래도 민주적 다원주의가 해결책

—

널리 알려진 신화와는 반대로, 자본주의 경제와 시장 경제는 서로 다른 목적에 따라 서로 다른 규칙에 의해 작동한다. 자본주의의 경제 체제는 다수를 배제하고 소수의 손 안에 생산 수단에 대한 통제권을 집중시키기 위해 고안된다. 자본주의 경제는 독점력의 집중, 금융 투기, 부재지주, 규제의 철폐, 공적 보조금, 비용의 외부화, 거대 기업들에 의한 중앙 집중적 경제 계획 등을 특징으로 한다.

이와 반대로 애덤 스미스가 마음속에 상상했던 그리고 시장 이론이 설명하는 바에 따르면, 시장 경제 체제는 사람들이 자기 자신과 가족의 만족스러운 삶을 위해 재화와 용역의 생산과 교환에 참여하는 과정을 수월하게 만들어 주기 위한 것이다. 진정한 시장 경제는 인간을 중심에 두는 기업, 정직한 돈, 지역에 뿌리를 내린 소유권, 그리고 효율적인 시장 기능의 조건을 유지할 목적으로 민주적으로 선택된 규칙의 틀을 그 특징으로 한다. 형평성과 비용의 내부화도 진정한 시장 경제의 모습에 포함된다.

주식을 공개한 유한 책임의 상장회사는 자본주의가 선택한 조직의 형태이다. 그것은 이러한 형식이 공공에 대한 책임성과 법적 책임은 최소한으로 하고 힘의 집중은 사실상 무한대로 허락하기 때문이다. 실제 주주들, 기업의 진짜 소유주들에게는 기업의 문제들에 대해 거의 아무런 역할도 없으며 그러므로 그들은 자신들의 투자액을 넘어서는 개인적 책임은 지지 않는다. 임원과 관리자들은 부주의나 과실 행위에 대한 재정적 책임을 그 기업이 소유한 엄청난 법적 자산과 기업이 가입해 놓은 보험으로 보호받는다. 만일 개인이 저질렀다면 어김없이 징역형이거나 심지어 사형에까지 처해질 수 있는 범죄 행위들이 기업에게는 고작 벌금형으로 그치며, 그 액수도 대개 기업의 자산 가치에 비하면 사소한 수준이며 기업이 법률 위반 행위로 거둬들이는 수익보다 훨씬 적은 금액일 것이다. 기업이 저지른 불법 행위에 대해 그 임원들을 고소하는 경우는 극히 드물다. 그러니 윌리엄 더거가 기업을 〈무책임의 조직화〉라고 일컫는 것도 무리가 아니다.

종국에는 모두 무덤으로 돌아갈 공평한 운명을 지닌 진짜 사람들과는 달리, 기업은 무제한 성장할 수 있고 점점 몸집이 커져가는 〈살아 있는 권력〉을 무한대로 재생산할 수 있다. 결국 그 권력은 일개 개인의 힘으로는 제어할 수 없는 수준으로 진화한다. 기업은 권력을 이용해 자기 고유의 문화를 창조하고, 자신의 이력을 이용해 기업 문화의 초점을 오로지 이윤 창출과 규모, 힘에 맞추면서 점점 자족적인 존재가 된다. 기업의 이익을 위해 봉사하는 자들은 풍부한 보상을 받고 자신들의 지위에서 나오는 상당한 개인적 권력을 누린다. 그러나 결국 그들은 기업의 뜻대로 그 기업에 봉사하는 고용인일 뿐이다.

어떠한 개인도 대기업이 자신의 이익을 위해 축적할 수 있는 정치적 자원을 당해낼 수 없다. 기업이 투표권을 가질 수는 없지만 자신들의 직원, 공급업체, 거래처, 고객, 그리고 대중들이 가진 수십만 표를 움직일 수 있는 능력을 생각하면, 그리고 정치 기부로 수백만 달러씩 내놓는 능력에 비하면 이는 단지 사소한 정도의 불편함일 뿐이다.

기업을 자기 의사대로 하게 놔두면 기업은 시장을 자기 식민지로 만들고 공공의 이익을 위해 시장이 작동되게 한다는 메커니즘을 쳐부순다. 주식을 공개해 한정된 책임만을 지는 기업은 자본주의가 선호하는 조직일지는 모르지만 시장을 위한 조직은 아니다. 오히려 그것은 공격적일 정도로 반反시장적이다. 왜냐하면 그것은 시장의 사회적 효율성에 꼭 필요한 조건들을 침식시키기 위해 지칠 줄 모르고 노력하기 때문이다.

그러므로 초기 미국 정착민들이 공공의 목적에 봉사하는 기업에게만 신중하게 설립 허가를 내주고, 기업 활동에 대해 확실한 규칙을 세우고, 기업이 한 행위에 대해 철저히 책임지게 하고, 어떠한 경우에도 정치 참여를 허락하지 않았던 것처럼, 시민들이 기업에 대해 경계의 시선을 거두지 않는 것은 더없이 적절한 행동이다.

기업의 소유주와 관리자들은 그들 역시 시민이므로 시민에게 주어지는 모든 권리를 갖고 있으며 공공의 목표와 정책을 수립하는 일에 참여할 수 있다. 그러나 기업은 사람이 아니다. 그들은 삶의 방식과 동떨어져 있고 인간 사회의 복잡한 비물질적 요구들을 보지 못하며, 진짜 사람들이 공공의 이익을 규정하고 기업 행위의 기준을 마련하는 정치적 과정에 기업은 어떤 역할도 갖지 않는다.

기업의 설립 허가는 권리가 아닌 특혜를 의미한다. 그 특혜는 그것에 수반되는 의무를 받아들인다는 조건으로 사람들의 의사에 따라 정부가 주는 것이다. 특혜와 의무를 규정하는 일은 기업이라는 가상적 인물이 아닌 진짜 사람들, 즉 선거권을 갖는 시민들에게 전적으로 달려 있다. 우리는 민주주의의 생존이 이러한 원칙을 얼마나 굳건히 지켜 나가느냐에 달려 있다는 사실을 힘겨운 경험을 통해 배우고 있다.

변화의 시기에 사회는 모든 시민들이 가진 각자의 창조적 잠재 능력을 총집결해 최고조로 끌어올릴 필요가 있다. 그리고 이것은 오직 민주적 다원주의를 통해서만 성취될 수 있다. 하지만 힘겨운 시기에는 민주적 다원주의가 가장 부적절하게 보이며 이때는 또 이념적 선동가의 단순한 호소가 제시하는 확실성에 가장 영향 받기 쉽다. 민주적 다원주의는 방향을 제시하는 대신, 사람들에게 전체의 이익을 함께 바라보면서 자신만의 방향을 찾을 것을 요구한다. 민주적 다원주의는 확실성 대신에 분명한 혼란이라고 말해도 좋을 정도의 〈다양성〉을 육성하는 것이다.

이것들은 민주적 다원주의가 갖는 약점이지만 그와 동시에 천재적인 면이기도 하다. 민주적 다원주의는 시민 개인이 가족, 지역 공동체, 국가의 맥락에서 복잡하고 역동적인 인간 사회가 직면한 셀 수 없이 많은 요구들을 다루는 데 자신이 할 수 있는 기여를 하도록 틀을 제공한다. 산만하고 혼란스런 사회적 학습 과정을 통해 수많은 혁신으로부터 얻은 교훈들은 점차 지역에서 국가에서, 그리고 최종적으로는 국제기관과 정책에서의 변화로 정제되어 나올 것이다.

18
경제는 지역으로, 의식은 세계로

우리는 현실에 대한 내적 이미지를 의도적으로 변화시킴으로써 세상을 변화시킬 수 있다. - 윌리스 하만

나는 세계가 단일성을 향해 나아가고 있으며, 더 많은 사람들이 서로를 더불어 살아가는 존재로 인식하기 시작했다고 믿는다. 우리는 인간에 대해 그리고 다른 모든 생명에 대해 새로운 생각과 새로운 가치를 가질 수 있다. - 케냐의 환경 운동가, 왕가리 마타이

정신이 온전한 사람이라면 누구라도, 절대 빈곤 속에서 살아가는 수십억의 소외된 자들과 요새 뒤쪽에서 부와 사치를 지키려는 극소수 엘리트로 양분된 세상을 원하지는 않을 것이다. 또한 사회적, 생태적 시스템이 붕괴하는 세상에서 바라보는 삶의 전망에 환호할 사람도 아무도 없다. 그럼에도 불구하고 우리는 고작 몇 백만의 사람들에게 상상을 초월하는 부의 축적을 허락하기 위해 인간의 문명과 심지어 인류의 생존까지도 지속적으로 위험에 몰아넣고 있다. 우리는 아

무도 가고 싶어 하지 않는 곳으로 대담하게 나아가고 있다.

지금 우리는 경제 세계화가 매우 값비싼 대가를 치르고 얻어진 것임을 확인하고 있다. 현대성이라는 미명하에 우리는 폭력, 극단적인 경쟁, 자살, 약물 중독, 탐욕, 환경 파괴 등의 병적인 행위들을 곳곳마다 번식시키는 〈기능 장애 사회〉를 창조하고 있다. 사회적 유대, 신뢰, 애정, 그리고 사회적으로 공유하는 숭고한 의미들에 대한 구성원들의 요구를 사회가 충족시키지 못할 때 이와 같은 결과가 나타나는 것은 필연이다. 빈곤의 심화, 환경 파괴, 사회 해체라는 삼중의 위기는 이러한 역기능의 발현이다.

역기능을 심화시키는 정책을 추진하는 집단적 광기는 불가피한 것이 아니다. 저항할 수 없는 역사의 힘이 우리를 장악하고 있고, 돌이킬 수 없는 인간의 불완전성에는 그저 적응하는 것 말고는 달리 방법이 없다는 것은 순전히 헛소리다. 경제의 세계화는 기업의 이해관계라는 렌즈를 통해 세상을 바라보는 자들의 의식적인 선택에 의해 추진되고 있다. 이에 대해 인간을 중심에 놓는 대안이 분명 존재하며, 인간의 이해관계라는 렌즈를 통해 세상을 바라보는 사람들은 그 대안을 선택할 권리와 힘, 두 가지 모두를 가지고 있다.

건강한 사회는, 사람들 사이에 서로 배려하는 관계를 형성하도록 도와주고 사람들이 서로 엉켜 살아가는 지구의 특정 지역에 우리가 연결되도록 도와주는 건강하고 역량 있는 지역 사회에 달려 있다. 그런 사회는 지역 차원에서 각 세대별로, 공동체별로 만들어 나가야 한다. 그러나 우리는 오히려 지역의 권한을 빼앗고 이러한 행위를 불가능하거나 최소한 어렵게 만드는 제도적, 문화적 맥락을 창조하고 있다.

이 심각한 역기능을 바로잡기 위해 우리는 문화적 빙의의 착각에서 벗어나 실패를 거듭하고 있는 주요 경제 및 금융 기관들에 내주었던 힘을 되찾고, 삶에 대한 책임감을 회복하며, 가족과 지역 공동체의 기본적인 구조를 다시 짬으로써 인간과 뭇 생명들이 설 자리를 만들어 나가야 한다.

기능 장애 사회가 낳은 또 하나의 집착
—

어떤 모델에 인간이라는 의사 결정자가 필요할 때마다(성별에 상관없이) 경제학자들은 상상 속에 존재하는, 단연코 비인간적인 경제 인간으로 그것을 대체한다. 그리고 경제적 인간은 모든 선택을 경제적 보상을 근거로 평가한다. 이처럼 경제학자들은 인간을 제거하고 그 다음으로 행위를 제거해 버렸다. 인간의 상호작용이 절망적일 정도로 너무나 복잡하고 측정하기도 어렵다는 사실을 발견한 경제학자들은 이제 인간의 행위보다는 시장의 행위를 관찰하기로 결정했다. 시장의 행위에는 가격과 돈의 흐름이 포함되고 이것은 관찰하고 측량하기가 용이하다.

과학은 객관적이어야 하고 가치 판단으로부터 자유로워야 하기 때문에, 경제학은 모든 가치들을 시장 가격에 드러나는 시장 가치로 축소하기로 결정했다. 이렇게 하여 자연이 공짜로 우리에게 제공하는 공기, 물, 그밖에 생명에 꼭 필요한 것들이 무가치한 것으로 취급되었고, 그러나 급기야 천연자원의 부족과 민영화로 인해 이 자연적 자원들까지도 시장성 있는 상품으로 간주되었다. 이와 대조적으로 금과 다이아몬드, 즉 삶을 지속하는 데에 거의 아무런 필요도 없는 것들의 가치는 높이 평가되었다. "경제학자들은 모든 것의 가격을 안다. 그러나 가치에 대해서는 아무것도 모른다." 어떤 냉소주의자가 했다는 이 말은 한 치도 틀린 데가 없다.

현대의 철학자 제이콥 니들맨은 자신의 책 『돈과 인생의 의미*Money and the Meaning of Life*』에서 이렇게 말한다.

"지금과 다른 시대, 다른 곳에서는 너나 할 것 없이 모두 다 돈을 최우선으로 갈망하지는 않았다. 그 대신 사람들은 구원, 미, 권력, 힘, 기쁨, 예절, 정당성, 음식, 모험, 정복, 안락함을 원했다. 그러나 지금 이곳에서는 누구나 다 오직 돈을 원한다."

왜 현대 사회는 아무런 내적 가치도 없이 단지 숫자에 불과한 돈의 추구로 자신을 정의하고 사회의 가치를 규정하려 하는가? 처음에는 그것이 우리 시대의 가장 이해할 수 없는 수수께끼의 하나인 것처럼 보이지만, 화폐화한 현대 사회에서의 생존은 결국 돈이 있느냐 없느냐의 여부에 달렸다는 깨달음이 서서히 찾아온다.

생존의 욕구를 충족시켜 주는 돈에 대한 의존성을 인정하고 광고에서 전하는 메시지에 끊임없이 노출된 결과, 우리는 진정한 것이 아닌 위조품만이 팔려고 내놓아진다는 단순한 진리를 망각하고 돈이 성취감과 정체성, 인정받는 느낌, 가치, 의미를 우리에게 제공한다고 너무나도 쉽게 믿어버린다. 하지만 진정한 진짜는 애정이 밑바탕이 된 관계에 우리를 온전히 내어주고, 좋은 친구가 되고 좋은 이웃이 되며, 도덕적 원칙에 따라 살아가고, 공동체의 삶에 기여하는 방식으로 우리의 능력을 활용하고 개발하는 것을 통해 얻어지는 것이다.

하지만 돈은 그냥 보통의 숫자가 아니다. 돈은 사람들이 다른 시간, 다른 장소에서도 늘 원했던 것을 얻기 위한 우리의 티켓이다. 돈은 그것을 얻는 과정에서 확장되는 삶의 에너지를 측정하는 수단이다. 돈은 내가 가진 가치가 무엇인가 하는 질문에 대한 대답이 되었고, 집단의 가치와 한 국가의 성취를 측정하는 수단이 되었다. 직업적인 자선 단체들은 심지어 돈을 우리의 동정심을 측량하는 수단으로 만들었다. 그들은 이렇게 외친다. "변화를 만들어 봅시다. 오늘 당장 여러분의 수표를 저희에게 보내주십시오." 우리는 자신을 돈으로 규정하면서 삶으로부터, 우리 자신의 정신적 본성으로부터 점점 더 소외되고 있다.

만족으로 이르는 길은 가족, 지역 공동체, 자연, 그리고 살아 숨 쉬는 우주와의 관계를 통해 최선을 다해 삶을 경험하는 것이라고 가르치는 대신, 기업이 지배하는 매체들은 거짓된 약속을 반복한다. 그들은 우리가 무엇을 갈망하든 시장이 그것을 즉각적으로 채워줄 거라고 말한다. 우리의 목적은 소비하는 것이다. 우리는 쇼핑하기 위해 태어났다. 시장의 감미로운 유혹에 홀린 우리는 돈을 얻기 위해 자신이 투입하는 삶의 에너지는 시종일관 평가절하하는 반면, 돈을 소비하면서 얻어질 것으로 기대되는 삶의 에너지는 과대평가한다. 우리가 가진 삶의 에너지를 돈에 내어줄수록, 우리는 돈과 돈으로 살 수 있는 물질에 대한 접근권을 장악하고 있는 기관들에 더욱더 많은 권한을 양도하게 된다. 그리고 이러한 권한의 양도는 돈의 피조물인 기업의 이해관계에는 큰 도움이 되지만, 자연과 정신의 피조물인 인간의 이해관계에는 거의 아무런 기여도 하지 않는다.

인간의 탐욕을 받아줄 지구의 능력이 한계에 다다르면서 우리 자신이 누구인가 하는 문제를 재검토하지 않을 수 없게 된 우리는 아름다운 진실을 마주하고 있는 자신을 본다. 그것은 바로 물질적 풍요의 추구는 물질적 결핍을 낳았지만, 삶의 추구는 우리에게 사회적, 정신적, 심지어 물질적 풍요에 대한 새로운 인식을 가져다줄 수 있다는 것이다.

살아가면서 사랑을 풍부하게 경험해본 사람들은 어지간해서는 강박적이고 배타적인 개인적 획득에서 위안을 얻지 않는다. 하지만 정서적 박탈감이 심한 사람들에게는 물질에 대한 극단적인 탐닉도 만족을 주지 못하며 물질 세계는 언제나 우리의 요구에 비해 부족할 뿐이다. 사랑에 굶주린 세계는 물질적 기아에 시달린다. 이와 대조적으로 사랑이 충만한 세계는 물질적 풍요를 누린다.

이것은 심오한 의미를 갖는다. 물질적 소비와 돈에 대한 끝없는 추구는 실은 사랑의 결핍으로 생겨난 삶의 빈자리를 채우기 위한 것이다. 이 공허감은 돈이 문화적 가치와 관계의 토대로 자리하면서 정신적인 유대감을 대체하게 된 기능 장애의 사회가 낳은 것이다. 그 결과 물질의 부족, 엄청난 불공평, 과부하가 걸린 환경 체계, 그리고 사회적으로 해체된 세상이 탄생한다. 우리가 돈 버는 일을 집단의 목표로 끌어안는 한, 그리고 다른 무엇보다 이 목적에 우선권을 부여하도록 기관들을 조직화하는 한, 우리 삶의 공허감은 점차 커져가고 인류의 위기는 더욱 심각해질 것이다. 그러나 이 문제에는 확실한 해결책이 있다. 돈 버는 일보다 사랑을 가르치고 북돋는 데 더 높은 가치를 부여하는 사회를 창조하는 것이다.

　이 말이 너무나 이상적으로 들릴지도 모른다. 그러나 이는 전적으로 우리가 하기에 달려 있다. 핵심은 의식의 전환이며 이것은 현실 세계의 물질적, 정신적 차원 사이의 통합적 연계를 기꺼이 받아들이는 과학적, 종교적 지식의 통합체가 등장하면서 이미 창조되고 있다. 코페르니쿠스적 대변혁이 우리 자신과 자연의 본질에 대한 그릇된 인식으로부터 우리를 해방시켜 과학, 산업의 시대로 안내했듯이, 정신과 물질의 통합에 근거한 생태 혁명이 생태 시대의 문을 열어줄 것이며 이 생태 시대는 우리가 미처 상상도 못했던 사회적, 정신적 발전의 기회를 우리에게 제공할지도 모른다. 그러나 이 목적을 이루기 위해서는 우선 기업이 지배하는 세계 경제와 돈에 우리가 양도했던 힘을 되찾아야만 한다.

경제는 지역으로, 의식은 세계로

—

우리 인간은 개개의 행동이 미래에 어떤 결과를 가져올지를 예측하고 그에 따라 자신의 행동을 변화시킬 수 있는 놀라운 능력을 가지고 있다. 우리에게는 또한 진화 과정에서 반복되는 패턴을 인식하고, 그 패턴으로부터 우리 자신의 진화적 잠재력을 극대화할 수 있는 통찰을 이끌어내는 능력이 있다. 최고의 진화적 잠재력을 지닌 시스템은 일관성 있는 통합 구조 내에서 〈풍부한 다양성〉을 북돋울 수 있는 시스템이다.

아놀드 토인비는 세계의 위대한 문명의 성장과 쇠퇴에 관한 장대한 연구를 통하여 이 같은 패턴을 발견했다. 쇠퇴의 길에 접어든 문명의 공통된 특징은 〈표준화와 획일성〉을 향해 나아가는 경향성이다. 이는 문명의 성장 단계에서 나타나는 〈차별화와 다양성〉의 경향과 확실한 대조를 이룬다. 다양성은 각각의 요소들이 끊임없이 상호 작용하는 복잡한 체제에서 발달 과정의 토대가 되지만, 획일성은 정체와 쇠퇴의 근본이라는 것은 거의 보편적인 진실인 듯하다.

표준화와 획일성은 문화적으로 통일된 세계에서 대량 생산과 마케팅에 맞춰진 대규모의 세계적 기업들이 지배하는 글로벌 경제의 거의 피할 수 없는 산물로 보인다. 기업의 세계화 과정은 단지 대량 빈곤, 환경의 황폐화, 사회 해체를 전파시킬 뿐 아니라 과거 그 어느 때보다 사회적, 문화적 쇄신이 필요한 시기에 그러한 쇄신을 이룰 수 있는 우리의 능력까지 약화시킨다.

이와 대조적으로 지역에 뿌리를 둔 자립적인 경제 단위들로 구성된 경제 체제는 사람들이 자신들만의 열망과 역사, 문화, 생태계와 일치하는 미래로 나아가는 길을 찾도록 해주는 정치, 경제, 문화적 공간을 창조한다. 지역 경제 단위들로 구성된 글로벌 시스템은 단일한 글로벌 경제로는 이룰 수 없는 것, 즉 원기 왕성한 지역 문화의 풍부한 다양성을 북돋우고 전체의 풍요를 위해 반드시 필요한 폭넓은 경험과 배움을 만들어 낸다.

경제의 세계화는 힘을 한 곳에 집중하고, 지역의 자원을 식민화하고, 지역에 대해 아무런 충성심도 없이 따로 떨어져 존재하는 세계적 기관들에 대한 지역의 의존도를 심화시킨다. 그리고 지역의 외부 의

〈그림 2〉 지역의 권한 약화

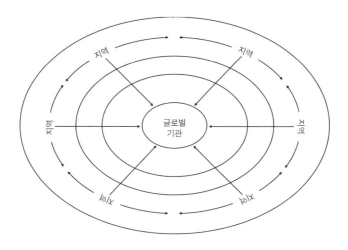

존도가 증가하면 증가할수록 지역이 자신의 경계 내에서 스스로의 문제들에 대해 만족스런 해결책을 찾을 수 있는 능력은 더 감소한다. 경제 세계화 지지자들은 흔히 세계화가 상호의존과 이해관계의 공유를 창조한다고 주장하지만 이는 완전히 허위다. 실제로는 글로벌 기업과 금융 시장에 대한 인간과 지역의 의존이 점점 더 심화될 뿐이다. 그리고 이 의존의 결과는 더 많은 권한을 중앙에 내어주면서 사람과 지역을 경제적 생존을 위한 자멸적인 경쟁 속으로 몰아넣는 것이다(그림 2 참조).

중앙의 힘은 상호 연결되어 있는 수많은 자원에서 나온다. 그것은
또한 돈을 만들어 내는 능력, 각 지역이 의존하고 있는 생산적 자산
에 대한 소유권, 그리고 지역 간의 관계를 중재하는 제도적 장치에
대한 통제권에서 비롯된다. 이 힘이 점점 더 국제 금융 시장과 세계
적 기업들에게로 넘어가고 있고 이것이 그들 자신을 이 지구의 실제
적인 지배 기관으로 자리매김해 놓았다. 경제가 세계화할수록 지역
의 의존도와 중앙 기관의 힘은 더욱 커진다.

지역과의 연계가 끊어진 세계화된 경제 체제는 대규모적인 것, 세
계적인 것, 경쟁적인 것, 자원 추출적인 것, 단기적인 것, 그리고 가
진 자들의 요구를 우선시하는 편향성을 지닌다. 이에 반해 우리 앞에
놓인 도전은 규모가 작은 것, 지역적인 것, 협동적인 것, 자원 보전적
인 것, 장기적인 것, 일부가 아닌 모두의 요구를 우선적으로 배려하
는, 즉 모든 사람들이 자연과 조화를 이루며 양질의 삶을 창조할 수
있도록 해주는 시스템을 창조하는 것이다. 우리의 목적은 각각의 지
역이 세계로부터 떨어져 나와 담을 쌓는 것이 아니라, 의무와 책임이
제 기능을 하는 지역을 만드는 것이다. 이곳에서 사람들은 원래 자신
들의 것이었던 온당한 권리를 되찾고 공동의 이해관계 속에서 스스
로 경제를 꾸려나갈 수 있다.

우리 시대의 근본적인 역설은 시장의 경쟁이라는 미명하에 사람들
을 갈라놓고 기업의 마음에 들기 위해 서로 경쟁하도록 강요하면서,
반면에 기업을 통합하는 체제를 창조한 것이다. 하지만 시장 경쟁의
진정한 정신 아래에서 기업들을 서로 분리시키고, 그들이 사람들의
마음에 들기 위해 서로 경쟁하게 하는 체제를 창조하는 것이 인간의

목적에 더 알맞다. 그러므로 기업은 스스로의 수익을 위해 서로 경쟁하도록 하라. 그리고 사람과 지역 공동체는 서로 협동해 가며 모두를 위한 양질의 삶을 창조하도록 하라.

생태의 시대에 사람들을 통합하는 것은 서로를 불안하게 만드는 세계적인 경쟁이 아니라, 우리가 하나뿐인 지구를 공유하고 있고 공동의 운명체라는 의식이다. 이 의식은 이미 싹트고 있고, 인류 역사를 놓고 볼 때 독특한 세 가지 요소를 지니고 있다. 첫째, 이 의식은 소수 엘리트 권력의 복도 바깥에서 일하며 살아가는 수백만의 보통 사람들을 포함하는 대중 운동의 지적 창조물이다. 둘째, 사실상 모든 국가, 문화, 언어권의 사람들을 불러 모으는 것이기에 여기에 동참하는 것은 진정한 의미에서 세계적이라 할 수 있다. 셋째, 지역적 집단이 세계적으로 연합하고, 다양한 생각들이 공유되며, 회의를 통해 그리고 인터넷을 통해 일치된 입장들이 만들어지면서 이 새로운 의식은 빠르게 진화하고 적응해 나가면서 점차 그 개념을 확대해 나가고 있다.

이 과정으로 인해 상호 이해와 공통의 이익, 그리고 사람들이 모여 사는 세계적 공동체의 적절한 토대라고 할 수 있는 상호 연민의 그물망이 점차 커져가고 있다. 이 연계의 힘과 생명력은 부유하고 호사스런 고립 속에 살아가는 스트라토스 거주자들과는 달리, 그 구성원들이 지역이라는 현실의 공동체에 뿌리를 내리고 있는 데서 나온다. 그들은 현재 확산되는 위기의 결과를 몸소 느끼고 있는 사람들이다. 이들의 경험은 실질적이며, 이들은 당연히 기업의 이해관계보다 인간의 이해관계 쪽으로 기울어 있다.

이러한 사회 운동에 참여하면서 자신들의 지역 공동체를 재건하고 이와 유사한 노력을 쏟고 있는 타인들에게 손을 내미는 사람들이 점점 많아지고 있다. 그들은 인류 공동의 이익을 위해서 합의되고 공유된 권력에 기초한 자발적인 과정을 통해 서로 협조적으로 행동할 필요성을 적극 인식하고 있다.

이 노력들이 〈경제는 지역으로, 의식은 세계로!〉라는 슬로건에 기초한 생태의 시대를 위해 새로운 인간 사회의 기초를 만들어 나가고 있다.

건강한 사회란

—

생태 혁명의 골조를 형성하는 견해들은 집단적인 인간 경험에서 나온 것이며 건강한 21세기 사회를 창조하는 데 지침이 되는 수많은 원칙들로 정제되어 나온다. 그 원칙들은 다음과 같다.

:: 지속 가능한 환경을 위한 원칙

건강한 사회는 환경적으로 지속 가능해야 한다. 이는 그 사회의 경제가 다음과 같은 세 가지 조건을 만족시켜야 함을 의미한다.

- 재생 가능한 자원의 이용은 생태계의 재생 능력을 초과하지 않는다.
- 재생 불가능한 자원의 소비나 폐기는 그 자원의 재생 가능한 대체물이 개발되고 이용할 수 있는 단계에 이르렀는지를 고려해서 조

절된다.

■ 오염 물질의 배출은 생태계의 자연적 자정 능력을 초과하지 않는다.

위의 수준을 넘어선 환경 자원의 이용이나 하수 처리는 당연히 지속 불가능하며 미래 세대가 이를 이용할 기회를 위태롭게 한다. 환경의 지속 가능성은 현재 세대의 개인적 소유권보다 미래 세대의 집단 소유권을 상위에 있는 것으로 규정한다.

:: 경제 정의의 원칙

건강한 사회는 현재와 미래의 구성원 모두가 건강하고 안전하고 생산적이며 만족스런 삶을 영위하는 데 기본적으로 필요한 조건들을 제공한다. 기여도가 큰 사람에게 추가적인 보상을 해주는 것은 문제 될 게 없지만, 전체 구성원의 기본 욕구가 충족되고 미래 세대의 선택권을 훼손하지 않아야 한다. 그렇더라도 경제력의 집중에는 엄격한 제한이 있어야 한다.

:: 생물학적, 문화적 다양성의 원칙

건강한 사회는 지구의 생물학적, 문화적 다양성을 북돋운다. 다양성은 진화적 잠재력의 토대이다. 생물학적, 문화적인 다양성을 장려하는 것은 진보 과정에 우리가 건설적으로 참여할 수 있는 밑바탕을 형성한다.

건강한 사회에서 주권은 국민에게 있다. 경제의 목적은 돈의 요구, 기업이나 정부의 요구를 충족시키기 위한 것이 아니라, 인간의 욕구를 충족시키기 위한 것이다. 국민 주권은 양도 불가능한 것이다. 사람들은 다음의 경우에 이 권리를 가장 적절히 행사할 수 있다.

■ 생산적 자산의 소유와 통제가 지역에 뿌리를 두고 있어서 중요한 결정들이 그 결과와 더불어 살아갈 사람들에 의해 이루어질 가능성이 높을 때.

■ 직접적인 참여 민주주의의 기회를 극대화할 수 있도록 가장 지역적이고 가장 작은 단위에 지배의 권한과 책임이 주어질 때.

■ 중앙의 시스템이 되도록이면 지역이 스스로 설정한 목표를 이룰 수 있도록 보조하고 지원하는 것으로 자신의 역할을 제한할 때.

:: 비용 책임의 원칙

건강한 사회는 자원 할당 결정의 총비용을 그 결정에 참여한 사람들에게 분배한다. 이는 자율적인 경제 시스템의 효율성을 위해 꼭 필요한 조건이다. 이 원칙은 개인, 단체, 정치적 관할 구역에 모두 적용된다. 어떤 독립체도 자신의 소비 비용을 자기 아닌 외부에 전가할 권리는 없다. 이 원칙의 목적은 각 지역들이 지속 가능한 자신의 환경 자산 안에서 살아가도록 장려하는 경제적 관계를 확립하기 위한 것이다. 글로벌 경제 체제는 비용은 외부화하고 이윤은 사유화하는 극단적인 모습을 보여주지만, 지역화가 잘 이루어진 경제 체제일수록 자기 비용의 내부화를 장려한다. 왜냐하면 비용의 외부화로 인해 영향을 받는 것도 지역이고 그 비용들을 내부화하도록 요구하는 권한 역시 지역에 있기 때문이다.

:: 공동 유산의 원칙

건강한 사회는 지구의 환경 자원과 축적된 지식은 인류가 공동으로 물려받은 자원이며 그 자원을 가장 이로운 방식으로 공유하는 것은 모든 이들의 권리임을 인식하고 있다. 누구도 그것을 당연하게 독점하거나 현재와 미래 세대의 폭넓은 이해관계에 어긋나는 방식으로 사용할 수는 없다. 사실 환경 자원을 소유한 자라면 그 누구라도 그것을 미래 세대로부터 위탁받아 관리하는 신탁 관리자로서 그들의 이익에 이바지하는 것이 올바른 책임이며, 특별한 지식을 가진 사람들은 그로 인해 혜택을 볼 수 있는 모든 사람들과 더불어 그 지식을 나누는 것이 올바른 책임이다.

건강한 사회의 기능은 개인, 기업, 정부의 소유권을 포함해 다른 모든 권리들보다 위에서 다룬 이러한 원칙들로 정의되는 권리와 의무에 우선권을 부여하느냐에 달려 있다. 기업 중심이 아닌 인간 중심, 삶 중심인 이들 원칙들은 사회적 역기능에 대해 기업 자유의지론이 내놓은 처방에 확실한 대안을 제시한다.

또한 건강한 사회는 모든 일에서 균형을 모색한다. 그들은 냉정하면서도 강한 정부와 기업들의 지배에 저항하는 한편, 지역에 대한 책임 의식이 있는 사업체와 정부 모두를 위한 역할을 인식하고 있다.

〈그림 3〉 겹겹이 포개진 경제 조직

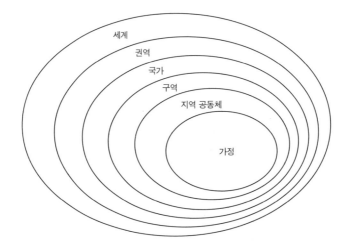

마찬가지로 그들은 정보와 기술을 자유롭게 공유하고 외부에 대한
의존과 지역의 고립을 피하면서 지역적 자립을 모색한다. 문제는 시
스템이다. 각 기업이나 정치 기구 내에서 일어나는 점진적인 변화는
적절한 해결책이 되지 못한다. 제도적 권력의 전체 시스템이 바뀌어
야 한다.

　21세기를 위한 적절한 조직 형태는 기초 경제 단위인 가정을 중심
으로 지역 공동체, 구역, 국가로 계속 포개어지는 다단계적 경제 체
제에 가깝다(그림 3 참조). 각각의 단계는 자기 책임의 원칙을 구현하면
서 통합적이고 자립적이며 자율적인 정치, 경제, 생태적 지역 공동체
로서 합리적으로 이행 가능한 역할을 모색한다. 기초 단위에서 시작
한 각 단계는 가장 적합하고 실현 가능한 생태적 자립, 특히 기본적

인 욕구 충족을 가능하게 하는 자립을 이루기 위해 노력한다.

건강한 사회를 위한 원칙들은 권한과 책임을 나눠주고, 인간을 위한 공간을 창조하고, 모든 면에서 다양성이 장려되는 삶을 북돋우며, 하나의 집단이 자신의 소비로 인한 사회적 환경적 비용을 타인들에게 전가할 기회를 제한하는 〈지역 경제의 글로벌 시스템〉으로 우리를 인도한다. 지역이 생존하려면 피할 수 없는 조건이라며 세계 시장에서의 경쟁을 강요하는 대신, 〈지역화한 글로벌 시스템localized global system〉은 지역의 수요를 충족하는 데 있어서의 자립을 장려한다. 그것은 또한 개인적 이익을 위해 지식을 독점하는 대신 지식과 정보의 공유를 장려하며, 균일화한 세계 소비문화 대신 문화의 다양성을 장려한다. 지역화한 글로벌 시스템은 돈을 잣대로 성공을 측정하는 대신, 건강한 사회적 기능으로 성공을 측정하도록 권장한다.

이것은 사고의 혁명이지, 총의 혁명이 아니다. 이것은 또한 모든 것을 포괄하며, 삶이 꽃처럼 피어날 수 있는 건강한 사회를 창조하고자 하는 모든 사람들의 참여를 부른다. 인간의 이해관계는 기업의 이해관계가 아니라, 모든 사람의 이해관계다.

19

빼앗긴
정치적, 경제적 영역을 재탈환하라

정치 공동체는 그 공동체의 경제적 삶에 상당한 통제력을 발휘하지 못한다면 건강할 수가 없다. – 허먼 댈리와 존 콥 주니어

그래서 나는 국가 간에 경제적으로 복잡하게 얽히고설킨 관계를 최대화하려는 사람보다는 그것을 최소화하려는 사람에게 더 공감한다. 사상, 지식, 예술, 환대, 여행, 이런 것들은 그 성격상 국제적이어야 하는 것들이다. 그러나 재화는 합리적으로나 편리함 면에서나 그것이 가능하기만 하다면 되도록 국내산이어야 하고, 무엇보다 금융은 기본적으로 국가적이어야 한다. – 존 메이나드 케인즈

서로 배려하는 지속 가능한 지역 공동체를 창조하고 자신의 자원, 경제, 생계 수단을 관리하는 인간의 권리보다 더 기본적인 권리는 없다. 이 권리들은 결국 그들이 어떤 문화를 받아들일 것인지, 아이들에게 어떤 가치를 가르칠 것인지, 그리고 누구와 교역할 것인지를 선택할 권리에 의해 결정된다. 그러나 세계화된 경제는 이 선택권을 부정하고, 적절한 것을 선택할 권한을 글로벌 기업들과 금융 기관에 넘겨 버렸다. 인간이 미래에 어떤 길로 나아갈 것인지를 결정할 권한을

사람이 쥘 것인지, 아니면 기업들이 쥘 것인지는 건강한 사회에서 가장 중추적인 문제이다.

생태 혁명을 중시하는 건강한 사회의 지침이 되는 원칙들은 기본적으로 비즈니스와 시장에 호의적이며, 지역 주민에게 고용 기회를 제공하고, 지역의 기간산업과 사회 복지를 유지할 수 있는 지방세를 납부하며, 지역의 사회적 환경적 기준을 준수하며, 지역 공동체에 참여하고, 지배적인 참여자가 없는 시장에서 유사한 사업체들과 공정하게 경쟁하는, 지역에 기반을 둔 비즈니스의 중요성을 인지하고 있다. 만약 지역의 사업체가 지역 주민에게 해줄 수 없는 일을 세계적 기업이 할 수 있다고 제안한다면 판단은 지역 주민에게 맡겨야 한다. 만약 민주주의와 인간의 가치, 경제 정의, 생계 수단을 보호하는 행위를 보호 무역주의라고 부른다면, 우리는 스스로 자랑스럽게 보호 무역주의자로 자처할 것이다.

이 장에서는 우리의 식민화된 정치, 경제 영역을 되찾고, 인간의 권리를 회복하기 위하여 지배 구조에 변화를 가져올 구체적인 방법을 모색해볼 것이다. 그 목적은 거대 기업들의 권력과 자유를 제한함으로써 민주주의와 인간, 그리고 지역 공동체의 권리와 자유를 회복하기 위한 것이다. 이는 단순한 개혁 이상의 것을 필요로 한다.

기업을 정치에서 배제시키기

—

정치적 권리는 사람들이 갖는 것이지 인위적인 법적 기구가 갖는 것이 아니다. 자연인과 똑같은 헌법적 권리를 요구하는 기업의 주장은 도덕적, 논리적 근거가 없는 법적 왜곡이다. 공공 정책을 수행하기 위한 수단으로써의 기업은 시민들이 정한 법규를 따라야 하며 그 법을 제정해서는 안 된다.

기업은 공적 요구를 충족시키기 위해 창조된 공적 기구이며, 따라서 설립 허가서나 법률에 특별히 명시된 특혜만을 갖는다. 그러므로 우리는 그러한 법적 원칙을 확립하기 위한 합법적이고 사법적인 행위에 최우선 순위를 두어야 한다. 기업에 허락된 이러한 특혜들은 대중이 투표나 입법 행위를 통해 언제든지 철폐 혹은 개정할 수 있어야 한다. 만일 어떤 기업이 설립 허가서에 명시된 특혜의 허용 한도를 넘어서는 행위를 끈질기게 모색하거나(이를테면 결함 있는 제품인 줄 알면서도 이를 판매하고자 하는 행위), 법에 명시된 의무를 이행하지 않는다면(유독성 폐기물 처리에 관한 법규를 지속적으로 위반하는 행위 등), 정부를 통해 그 기업의 설립 허가를 취소함으로서 기업을 해체하는 것이 시민의 책임이자 권리다. 어떤 공적 단체가 더 이상 공익에 이바지하지 않는다고 판단되면 그 조직을 폐하는 것이 시민의 권리인 것과 마찬가지다.

주주, 경영진, 고용인, 소비자 등은 모두 한 명의 시민으로서 자기 능력껏 기업의 이해관계에 찬성하거나 반대하는 정치 견해를 표현할 권리가 있다. 또한 그들은 자기 재산을 이용해 자신의 역량 안에서 자신이 지지하는 운동을 추진하는 비영리 조직을 형성하고 그 조직을 후원할 수도 있다. 그러나 기업에는 그러한 자연권이 없다. 기업은 인간의 정치 영역에 속하지 않기 때문이다.

정치 영역에서 기업을 제거하기 위한 첫 번째 단계는 기업이 로비,

공공 교육, 공적 자선 행위, 그리고 어떤 종류든 정치 조직과 관련해서 지출하는 비용에 대한 세금 감면을 폐지하는 것이다. 그 궁극적인 목표는 영리를 추구하는 기업이 일련의 정치 과정에 영향을 미치거나 혹은 정책적 논제나 공공의 이해관계에 대해 대중을 세뇌시키고자 하는 의도로 펼치는 모든 행위를 금지시키는 것이다. 뿐만 아니라 기업 간부들이 기업의 능력을 바탕으로 근로자, 공급업체, 소비자로부터 어떤 종류의 정치적 공헌이나 정치적 지지 노력을 이끌어내기 위해 펼치는 모든 행위들도 법으로 엄격히 금지되어야만 한다.

 기업이 자신의 정치적 로비를 위해 비영리 조직들을 자신에게 호의적인 시민운동에 적극 활용하는 현상이 점차 늘고 있다. 이러한 추세는 기업의 대중 교육 및 기부 행위와 과도한 정치 개입 사이의 구분이 얼마나 애매모호한지를 보여주는 것이다. 그러다 보니 기업의 진정한 공적 기부 행위와 예술에 대한 투자까지도 점차 의심의 눈길을 받게 되었다. 예를 들어 뉴욕 시가 공공장소에서의 흡연을 전면 금지하자고 제안했을 때, 필립 모리스 사는 자사가 후원하는 뉴욕의 수많은 예술 단체에 그 금지 조치에 대한 반대 의견을 표명해줄 것을 기대한다는 의사를 전달한 바 있다.

 상장회사가 자선 단체에 기부를 할 때도 자신들의 경제적 이해관계를 따지는 것은 어쩌면 불가피한 일일 것이다. 경제적 이해관계 외에 주주들에게 돌아갈 이익을 자선 목적에 할애하는 것을 정당화할 근거는 별로 없다. 만일 기업이 자신이 몸담고 있는 지역 공동체를 진정으로 배려한다면 그 지역에 고용이 보장된 괜찮은 일자리와 안전한 제품을 제공하고, 깨끗한 환경을 유지하고, 법규를 지키고, 세금을 정당하게 납부하게 하라. 그리고 기업의 관리자들과 주주, 근로자들은 자신들이 기업에서 받은 임금과 봉급, 수익금으로 자신이 선택하는 교육 단체나 자선 단체 활동에 기부를 하면 될 것이다.

마찬가지로 어떤 비영리 단체의 이사회 절반 이상이 자산 규모 10억 달러를 초과하는 기업의 임원으로 구성되었다면 이 단체는 기업의 이익을 위해 운영되는 조직이라고 볼 수 있으므로 세금 면제 대상이 될 자격이 없다고 보아야 한다. 기업의 이사회를 끌어안은 비영리 조직이 정부로부터 공적 자금을 지원받고, 공식적 의견을 발표하며, 공적 단체로 자처한다면 이들에게는 정체성을 분명히 할 것을 요구해야 한다.

기업의 정치 참여를 배제하는 것은 우리의 정치 영역을 되찾기 위해 필연적으로 거쳐야 하는 단계이다. 그러나 이것만으로는 충분치 않다. 《뉴욕 타임스》 칼럼니스트 러셀 베이커가 1994년의 미국 국회의원 선거를 미래에 대한 비전, 현안 문제, 능력의 경합이라기보다는, 상대 후보를 공격하는 네거티브 캠페인에 자신들의 적수보다 한 푼이라도 많은 돈을 쓰겠다는 〈입찰 경쟁〉 혹은 〈경매〉라고 한 것은 너무나도 정확한 표현이었다. 이러한 추세는 유권자들을 점차 민주주의에 대한 환멸 속으로 밀어넣고 큰손들의 이해관계에 지배되는 정부에 분노를 터뜨리게 하고 있다.

지금의 민주주의는 이미 합법적인 뇌물 수수 시스템으로 전락했다. 만약 민주주의의 생존을 원한다면 기업과 뇌물을 정치에서 몰아내기 위한 개혁이 필요하다. 텔레비전이나 인터넷을 자신의 정치적 적수에 대한 부정적인 메시지로 넘쳐나게 하는 데에 수백만 달러를 사용할 수 있는 능력은 이제 선거의 승리에 필요한 핵심 능력이 되었다. 선거의 승리에 드는 비용이 과다하고 오직 강력한 재정적 이해관계로부터 정치 자금의 조달이 이루어지는 한, 정책은 공공의 이익보다 재정적 이해관계에 편향적일 수밖에 없다. 임기 제한을 두거나 선거를 통해 현직을 끌어내리고 그 경쟁자를 대신 앉히는 정도로는 얻어낼 것이 거의 없다.

우리의 정치 영역을 되찾는 행위는 경제 영역을 되찾는 행위와 맞물려 진행되어야 한다.

빼앗긴 경제 영역 되찾아오기
—

자본주의와 공산주의는 모두 〈돈을 가진 자가 통치권을 갖는다.〉는 유명한 경구로 표현되는 엄연한 진실을 인정한다. 공산주의 이론은 생산 수단에 대한 노동자의 소유를 명시적으로 요구한다. 애덤 스미스는 이상적인 시장 경제가 소농과 소규모 장인들로 구성되며 그 소유주, 관리자, 노동자가 대개 동일인이라는 조건을 상정함으로써 암묵적이지만 노동자의 소유권을 당연한 것으로 인식했다. 그러나 공산주의나 자본주의나 똑같이 자신들의 이상을 실현하지는 못했다. 공산주의는 민중으로부터 유리된 냉담한 정부에 재산권을 귀속시키고 사람들에게는 정부가 그 권리를 책임 있게 행사하도록 만드는 수단을 전혀 부여하지 않았다. 자본주의는 심지어 소유주에게조차 어떠한 책임도 지지 않는 거대 기업과 금융 기관에 소유권을 집요하게 양도하고 있다.

이에 대해 중요한 구조적 대안이 있다. 전적으로 다 그렇지는 않더라도 주로 가족 기업이나 소규모 협동조합, 종업원 소유의 회사, 지방 자치 단체로 구성되는 시장 경제가 바로 그것이다. 이것은 화폐 경제가 갖는 시장의 힘과 사회적 경제가 갖는 지역 공동체의 힘을 결합시키는 것이기에 말레이시아의 소비자 운동가 비샨 싱은 이를 〈지역 공동체 기업 경제community enterprise economy〉라고 칭한다.

이와 같은 소유권 혁신의 공통 요소는 그것이 지역 공동체에 뿌리를 내리고 책임의식을 갖는 기관들을 통해 생산적 자산에 대한 지역의 통치권을 확립한다는 것이다. 이는 자본이 인내심을 갖고 한 곳에 머무르게 만드는 경향이 있으며 이러한 자본은 안정적이고 건강한 지역 공동체의 기본 조건이다. 이러한 일을 계획하고 앞장서는 것은 건강한 사회의 기초를 형성하는 데 매우 중요함에도 이제까지는 규모가 큰 것, 세계적인 것, 약탈적인 것을 편애하는 경제 정책과 기관들에 의해 심각한 불이익을 당해 왔다. 경제적 영역을 탈환하기 위해서 우리는 규모가 작고 지역에 책임을 느끼는 기업들에 유리하도록 정책과 기관을 변화시킬 필요가 있다. 그리고 이를 위해 금융 기관과 제도의 원래 기능을 회복하고 제품 생산의 사회적 환경적 비용을 생산자와 소비자가 감당하게 하고, 대규모 사업체에 대한 보조금을 중단하고, 시장을 현지화하며, 자본의 집중을 막고, 기업의 책임을 확실하게 하며, 시장의 경쟁을 회복해야 한다. 〈변모〉라는 단어는 신중하게 사용되어야 한다. 만약 이러한 조치들이 규모가 큰 것, 세계적인 것을 향해 나아가는 지금의 추세에 역행하는 것처럼 보인다면 정확히 우리의 의도대로 된 것이다. 경제적 영역을 재탈환하기 위해 우리가 현재 시행하고 있거나 앞으로 시행할 수 있는 정책들로는 다음과 같은 것들을 들 수 있을 것이다.

:: 금융 거래세

주식, 채권, 외환, 파생 금융 상품과 같은 금융 수단을 매입, 매각하는 행위에 대한 소액의 과세는 초단기적인 투기와 차익 거래의 의욕을 꺾고 금융 불로 수익의 중요 원천을 차단한다.

:: 단기 자본 이득에 대한 누진 부가세

매우 단기간에 얻어지는 자본 이득은 대개는 불로 소득의 형태를 띠며, 여기에는 노동으로 얻은 소득보다 더 무거운 세금을 물리는 것이 합당하다. 단기적으로 얻어진 순이익에 대해 정상적인 소득세보다 훨씬 많은 누진 부가세를 물리는 것은 여러 형태의 투기를 무익한 것으로 만들고, 금융 시장을 안정시키며, 장기적이고 생산적인 투자에 불이익을 주지 않으면서 투자 전망을 장기화한다. 소유 기간이 1주도 채 안 되는 자산을 매각할 경우 부가세는 최고 80퍼센트는 되어야 하고, 1주 이상 6개월 미만 소유한 자산에 대해서는 50퍼센트, 6개월 이상 3년 이하 소유한 자산에 대해서는 35퍼센트, 3년 이상 소유한 자산에 대해서는 10퍼센트 정도의 부가세가 적용될 수 있을 것이다.

:: 요구불 예금에 대한 100퍼센트의 지급 준비

1948년에 화폐 경제를 중시하는 보수적인 시카고 학파의 창시자 헨리 C. 사이먼은 돈을 만들어 내는 은행의 능력을 제한하고 정부의 기능을 복원하기 위해 요구불 예금에 대한 100퍼센트의 지급 준비를 주장한 바 있다. 그 이후로 많은 경제학자들이 비슷한 요구를 했다. 하지만 미국의 지급 준비율은 현재 평균 10퍼센트를 밑돈다. 금융 기관이 적응할 수 있도록 몇 년에 걸쳐 단계적으로 시행한다면 이는 결국 대출 피라미드를 위축시킬 것이고, 돈의 창조와 부의 창조 사이의 끊어진 연결 고리를 재건하는 데 도움이 될 것이다.

:: 파생 금융 상품의 엄격한 규제

다양한 형태의 파생 금융 상품은 기본적으로 이러한 상품들을 구성하고 판매하는 투자 기관에 수수료를 안겨주는 고위험의 도박 수단이라고 할 수 있다. 따라서 다른 도박과 마찬가지로, 파생 금융 상품을 만들고 판매하고 사들이는 행위는 엄격히 규제되어야 하며 중과세되어야 한다. 공공 신탁으로 관리되는 연금 기금과 여타의 기금들에 대해서는 파생 상품으로 분류되는 금융 수단에 대한 거래 행위는 물론 그런 거래에 몰두하는 회사에 대한 투자 또한 엄격히 금지되어야 마땅하다. 파생 금융 상품 거래에 참여하는 모든 공기업은 매 4분기마다 자사의 파생 금융 상품 거래 행위에 대한 자세한 보고와 더불어 이 거래로 인한 재무적 위험의 가능성을 보고해야 하며 파생 금융 상품에 투자되어 있는 자산의 비율을 밝혀야 한다.

:: 지역 은행에 대한 우대

과거 미국의 금융 시스템은 지역민들이 저축한 돈을 지역 사업체에 대출해 주고 담보 대출을 통해 그 지역의 주택 보급률을 높이는 일에 전념하는 지역 은행 혹은 통합 은행들로 이루어졌다. 하지만 금융 규제에 대한 일련의 변화로 이전의 지역 공동체 은행들은 뉴욕, 런던, 파리, 동경 등 금융 중심지에 본거지를 둔 거대한 머니 센터 은행에 점유되었고, 이 거대 은행들은 지역의 저축액을 글로벌 화폐 시스템에 연결시켰다. 만약 금융 시스템이 지역 경제에 도움이 되기를 원한다면 지역 공동체 은행이 복원되어야 하며, 이를 위해서는 우선 거대 은행들에게 자신들의 지점을 철수할 것을 요구해야 한다. 그리고 지역 투자법을 강화해 예금보험공사가 지급을 보장하는 모든 은행들이 투자 포트폴리오 중에 상당 부분을 지역 내에 투자하게 해야 한다. 예금주들의 돈을 세계 곳곳의 위험스런 투자처에 투기하려는 세계적인 거대한 머니 센터 은행에 대해서는 그 위험성의 정도에 따라 가중치를 붙여서 민영보험에 예금보험을 들게 해야 한다. 예금보험공사는 지역의 욕구를 충족시키고 지역의 법규를 준수하는 지역 은행들을 위해 남겨 두어야 한다.

:: 반독점법의 엄격한 강화

기업에 집중되는 힘을 분산시키기 위해서는 강력한 법적 조치가 단행되어야 한다. 또한 인수와 합병은 경쟁을 위축시키고 시장의 원칙과 공공의 이익에 반하는 것이라는 법적 추정이 요구된다. 회의적인 시각으로 인수 합병을 규제하려는 사람들에게 그렇지 않다는 것을 입증할 부담은 분명히 그런 제안을 하는 측에 귀속되어야 한다.

:: 근로자와 지역 공동체의 매수 선택권

대부분의 경우, 인간의 이해관계에 가장 부합하는 것은 지역에 뿌리를 둔 안정적인 자본이다. 이를 위해 공공 정책은 기업의 자산에 대해 근로자와 지역 공동체의 매수 선택권을 뒷받침해 주어야 한다. 예를 들어 주요 기업이 공장을 폐쇄하거나 매각 혹은 합병을 단행한다면 그 이전에 그 영향을 받는 근로자와 지역 공동체에는 우대 조건으로 그 기업의 자산을 매수할 수 있는 우선권이 법적으로 보장되어야 한다. 이 조건에는 근로자가 그 회사에 개인적으로 노동을 투자한 기간이 반영되어야 하고, 애초에 회사가 그 지역에서 사업을 할 수 있도록 지역 주민이 공공 설비에 집단적으로 투자한 부분도 반영되어야 한다. 대부분의 사업체에는 형식적인 주주 이외에도 수많은 투자자들이 존재하며 이러한 투자도 법적으로 인정받을 수 있어야 한다. 마찬가지로, 파산에 관한 법률은 기업에 대한 파산 절차가 끝난 후에 남은 자산에 대해 종업원과 지역 공동체가 소유에 대한 선택권을 행사할 수 있도록 구성되어야 하고 우대 조건도 명시되어야 한다. 한 회사가 반독점법에 따라 회사 비즈니스의 일부 부문을 해체하라는 요구를 받는 경우, 근로자들이나 지역 공동체 혹은 양측 모두에게 해체되는 단위를 매입할 수 있는 우선권이 주어져야 한다. 연금 기금에 관한 관리 규정은 근로자가 이 연금을 사용하여 회사 자산에 대한 의결권을 취득하는 것을 허용할 수도 있을 것이다. 대부분 경영진이 통제력을 갖는 우리사주신탁제도와 달리, 정부의 감독은 근로자와 지역 공동체가 매수권 행사에 있어 진정한 지배권을 가질 수 있도록 하는 데 맞춰져야 한다.

:: 과세의 이동

조세 정책의 원칙 가운데 가장 기본적인 것임에도 종종 위반되는 원칙은 사회적, 환경적 역기능을 초래하는 행위에 대해 반드시 과세를 해야 한다는 것이다. 세법은 사회를 이롭게 하는 행위, 이를테면 고용에 대한 세금을 줄이는 쪽으로 개정되어야 한다. 줄어든 과세 수입은 사회적 환경적 역기능을 유발하는 행위, 이를테면 자원의 추출, 포장, 환경 오염, 수입, 기업 로비, 광고 등에 대한 과세로 충당해야 한다. 그러한 과세는 유해한 제품의 사용을 억제하고 사회적, 환경적으로 책임 있는 행동을 하도록 장려하는 시스템을 만들어줄 것이다. 예를 들어 석탄, 석유, 가스, 원자핵 에너지를 원천으로 하는 탄소 배출에 대한 과세는 최종 소비자 가격을 상승시킬 것이고 태양열 난방, 풍력, 수력, 태양광 발전, 바이오매스 등의 태양 에너지원으로의 전환을 장려할 것이다. 차량을 이용한 통근에 추가 비용이 발생하면 대중교통에 대한 투자가 촉진되고 직장에서 가까운 곳으로의 거주지 이동이 장려될 것이다. 오염 물질 배출에 대한 과세는 오염에 대한 관리를 개선하는 효과를 낳을 것이다. 전인미답의 천연자원 채취에 부과되는 세금은 조금이라도 환경 오염을 덜 일으키고 원재료를 덜 소비하는 쪽으로 제품을 디자인하고 생산하도록 방향을 전환하게 할 것이며 자원 재활용에 크게 의존하게 할 것이다. 기존의 과다한 제품 포장 방식을 포기하는 데 드는 비용을 벌충해 주기에 충분한 세액 감면은 제조업자가 불필요한 포장을 자제하도록 유도할 것이다. 또한 수입에 대한 관세는 자립 경제를 뒷받침할 것이다.

:: 연 수익에 대한 배당

기업에는 법인세 대신에 주주들에게 매년 의무적으로 수익을 배당할 것을 요구해야 한다. 현재 뮤추얼 펀드의 수익에 대해서도 과세가 이루어지듯이 개별 주주의 수익률에 따라 주주의 소득에 대해서도 과세가 되어야 한다. 기업 수익에 대한 이중 과세, 즉 기업에 대한 과세와 주주에 대한 과세가 이중으로 행해지는 것은 주주에 대한 과세 시행의 유예와 기업에 과세되는 법인세가 기업 정책을 결정하는 데 수많은 왜곡을 초래함에 따라 당연히 폐지되어야 한다. 만약 이러한 정책이 보편적으로 시행될 수만 있다면, 기업들은 최저 과세율을 지닌 관할 구역을 찾아 자신의 수익을 세계 곳곳으로 이동시킬 필요를 느끼지 않을 것이다. 또 기업이 사회의 이익을 제한하는 특정한 행위를 할 때, 이를테면 석탄 연료의 사용, 자원의 추출, 투기적 금융 거래와 같은 행위에 대해서는 과세가 이루어져야 한다. 이러한 세금은 회피하기가 어려워질 것이다.

:: 기업 보조금

기업에 대한 개혁은 보조금에 의존하는 기업들을 지원 대상에서 제외시키는 데 최우선 순위를 두어야 한다. 기업에 대한 보조금은 자원 이용 허가권에서부터 방목 장려금, 수출 장려금, 세금 인하까지 다양하다. 이러한 보조금은 체계적으로 분류되어야 하고, 지역 소유의 지역 기반 사업을 육성하고 장려하는 데 꼭 필요한 보조금을 제외하고는 폐지되어야 한다.

:: 지적 소유권

정보는 우리가 갖고 있는 자원 중에서 고갈되지 않으면서 누구도 배제되지 않고 모두 자유롭게 공유할 수 있는 유일한 자원이다. 현재 존재하는 인간의 모든 발명은 필연적으로 수천 년의 역사와 셀 수 없이 많은 세대를 거치며 축적된 공동의 유산을 바탕으로 형성되었다. 이것은 어디까지나 인류 공동 소유의 정보다. 지적 소유권 보호를 정당화하는 유일한 목적은 정보의 독점적 보호가 아니라, 연구와 창조적 기여를 북돋아주기 위함이다. 지적 소유권에 관한 법률은 이 원칙을 확인하는 방향으로 개정되어야 한다. 이 권리들은 좁은 의미로 정의되고 해석되어야 하며, 영리를 위한 연구에 투자를 한 사람이 자신이 사용한 비용을 뽑아내고 합리적인 수익을 얻는 데 필요한 최소한의 기간 동안에만 주어져야 한다. 생물 형태나 유전 과정에 대한 특허, 새로운 발견에 대해 공공 자금이 지원된 경우, 그리고 연구의 과정이나 기술에 대해 특허권자에게 독점권이 주어져서 그가 연구 방식이나 제품의 등급을 실질적으로 통제하도록 허락하는 특허는 반드시 법으로 금지되어야 한다. 인류가 공동으로 물려받은 자원과 마찬가지로, 배타적인 개인적 이해관계와 지역 공동체의 이해관계 사이에 갈등이 생길 때는 지역 공동체의 이해관계에 우선순위를 두어야 한다.

:: 정부의 크기

비즈니스가 지역에 뿌리를 내리면서 정부의 지방화도 가능해질 것이다. 폴 호켄이 지적한 대로 기업의 무절제함을 통제하고 기업이 저질러놓은 일을 뒤처리할 큰 정부의 필요성을 야기하는 것은 거대 기업이다. 마찬가지로 정부를 비효율적으로 만드는 것 역시 대기업의 개입이다. 호켄은 다음과 같이 그 역학적 관계를 기술하고 있다.

비즈니스 업계는 생태계에 대한 관리인의 역할을 자임하고 있으며 그 임무 수행에 비참할 정도로 실패하고 있다. 결국 정부가 그 피해를 줄이기 위해 개입한다. 업계는 어떻게든 규제 입법을 고의로 방해하려 하고 확립된 규제들에 대해서는 재빨리 회피한다. 그러면 정부는 판돈을 더욱 키우게 되고, 결국 돈을 펑펑 낭비하면서도 경제 발전의 목을 조르는 머리 아홉 개 달린 관료주의 괴물이 된다. 이에 대해 비즈니스 업계는 정부의 〈시장 개입〉을 비난하고, 법적으로는 아니더라도 실질적 관리인이 되려는 의도로 정부의 입법과 규제 과정을 더욱 타락시킴으로써 자신들의 불만을 줄이려는 시도를 한다.

기업이 커질수록 비용을 외부화하는 그들의 권한도 커지고 기업이 저질러놓은 사회적, 환경적 혼란을 처리하고 공공의 이익을 보호하기 위한 큰 정부의 필요성 또한 높아진다. 따라서 우리가 거대 기업들을 인간적인 규모로 축소시킬수록 정부의 크기를 축소시킬 가능성도 커지는 것이다.

경제적 불평등을 완화하기 위한 수단들

—

경제력 분배에 따른 극심한 불공평을 해결하는 것 또한 경제 영역의 탈식민화에서 매우 중요하다. 현재 우리의 경험이 보여주듯이, 불공평한 세상에서 정의와 지속 가능성을 실현한다는 것은 사실상 불가능하다. 극심한 불공평은 경제적으로 힘 있는 사람이 약자의 환경 자원을 식민화하고 자신들의 환경 재산을 초과해서 소비하는 것을 가능하게 한다. 이러한 불공평은 흔히 경제적으로 힘이 약한 자들에게서는 생계의 기본 수단을 빼앗고, 힘 있는 자들은 자신들의 행위가 초래한 환경적인 피해로부터 분리시켜 준다. 소외된 빈곤층은 불공평으로 인한 불안정에 자녀를 많이 출산하는 것으로 대응한다. 아이의 출산은 그들이 마음대로 할 수 있는 일일 뿐 아니라 나중에 필요할 때 보살핌을 기대할 수 있는 유일한 원천이기 때문이다. 부유층은 소비를 늘리고 빈곤층은 아이를 더 많이 낳으면서 지구에 대해 인간이 짊어져야 하는 짐은 더욱 무거워지고 있다. 소득의 공평한 분배가 이루어지는 지속 가능하고 공정한 사회는 개인의 과소비를 제한하고 대가족을 통해 안전을 추구하려는 동기를 감소시킨다. 소득이 공평하게 분배되는 지속 가능하고 공정한 사회를 이루기 위한 수단으로는 다음과 같은 것들이 있다.

:: 보장 소득

보수주의와 진보주의 양 진영의 경제학자 모두에게서 오래전부터 각광받아 온 견해는 바로 소득의 보장을 진지하게 고려해 보아야 한다는 것이다. 이는 모든 개인에게 인간의 기본적인 욕구를 충족시키는 데 필요한 적절한 소득을 보장해 주자는 것이다. 아이들이 받는 액수는 성인보다 적겠지만 여기에는 개인의 다른 소득, 부의 정도, 직업, 성별, 결혼 여부는 전혀 영향을 미치지 않는다. 기존의 사회 보장 제도와 복지 프로그램들은 이 보장 소득으로 대체될 것이다. 근로 소득이 있다고 해서 보장 소득 지급액이 줄어들지는 않기 때문에 보장 소득이 근로 의욕을 꺾지는 않겠지만 고용주들이 고되고 험한 직종에 근로자를 끌어들이기 위해서는 더 많은 임금을 제시해야 할 것이다. 설사 일부가 전혀 일을 하지 않기로 결정한다 하더라도 노동력 잉여 사회에서 이것은 문제로 여겨지지 않을 것이다.

이러한 계획을 시행하는 데는 돈이 많이 들긴 하겠지만 대부분의 고소득 국가들에서는 군비와 기업에 대한 특혜를 삭감하고, 불로 소득과 사치품에 대한 세금을 올리고, 환경 오염과 자원 추출 등 지속 가능한 사회를 위해 우리가 막아야 하는 행위에 대한 사용 요금을 늘리는 것으로 이를 지원할 수 있다. 보편적으로 실시되는 적절한 공공 의료 보장 제도와 대학 교육 이상에서 실력에 따라 장학금을 주는 공적 장학 제도와 잘 결합하면 보장 소득은 평범한 소득으로 누릴 수 있는 개인적인 재정 안전성을 대폭 향상시킬 것이다. 그리고 이는 돈이 중심이 되지 않는 사회적 경제 내에서 무보수로 일하는 사람들에게 훨씬 폭넓은 기회를 제공할 것이다. 저소득 국가들에서는 토지 개혁을 비롯한 여타의 방안을 통해 생계를 위해 생산적 천연자원에 접근할 수 있는 권한을 공평하게 보장하는 것으로 보장 소득을 적절히 대체할 수 있을 것이다.

:: 소득과 소비에 대한 누진 과세

인간이 편안하고 만족스러우며 책임 있는 방식으로 기본적인 욕구를 충족시키는 데 필요한 소득에 대해서는 세금이 폐지되어야 한다. 또한 기초식품, 의류, 주거, 건강, 개인위생, 양질의 삶을 유지하는 데 필요한 교육, 취미 활동 혹은 여가 생활과 관련된 지출에 대한 세금 혹은 부가가치세도 없어져야 한다. 그러나 최저선의 보장 소득을 초과하는 소득액에 대해서는 정밀한 누진세가 부과되어야 하며 여기에 대해서는 최고 90퍼센트까지 과세가 가능하다. 백만 달러가 넘는 주택에 대해 최소 50퍼센트의 세금을 물리는 것과 아울러 상속 재산, 신탁 소득의 수혜자에게도 다른 개인 소득과 똑같이 과세되어야 한다. 가족이 경영하는 소규모 농장과 기업에 대해서는 적절한 예외 규정을 둘 수 있을 것이다.

사회적으로 해롭거나 혹은 환경을 파괴하거나 과도하게 소비하는, 꼭 필요하지 않은 소비재에 대해서는 상당한 비율의 특별 소비세(사치세)가 적용되어야만 한다. 가족이 운영하는 재단이나 비영리 재단에 대한 기부를 비롯한 개인적인 기부 행위는 전액 과세 대상에서 면제되어야 하며, 이는 소득이 높은 사람들에게 정부와 기업의 권력에 맞설 수 있는 경쟁력 있는 독립적 섹터(흔히 비영리 단체)에 대한 지원을 유도하는 장려책이 될 수 있다. 이러한 수단들이 우리로 하여금 사회적으로 유익한 일을 하도록 장려하면서 동시에 보다 공정하고 지속 가능한 사회를 향해 나아가게 할 것이다.

:: 임금의 형평성

어떤 조직이 효과적으로 실적과 성과를 거두려면 구성원 전체의 생산적 기여가 필요하다. 남보다 많은 책임을 지고 조직에 많은 기여를 하는 사람에게 더 많은 보상이 돌아가는 것은 지극히 합당한 일이다. 하지만 그 보상이 얼마나 많아야 할 것인가? 한 조직에서 가장 높은 보수와 가장 낮은 보수를 받는 사람의 급여 차이는 어느 정도 되는 것이 가장 적합한가? 두 배? 열 배? 백 배? 천 배? 미국 기업의 CEO와 근로자의 경우로 한정시켜 본다고 하더라도 그 비율이 천 배가 훌쩍 넘는 경우가 허다하다. 건강한 사회라면 경제적 인센티브와 경제 정의 사이에 합리적인 균형이 확립되어야 한다. 공공 정책을 통해서 그 비율이, 이를테면 15배를 초과하지 않는다거나 하는 식으로 적정선 이내로 제한되도록 노력할 수 있다. 만일 어떤 회사가 최저 임금의 근로자에게 1만 달러를 준다면 CEO에게는 15만 달러를 줄 수 있을 것이다. 그 회사가 최저 임금을 2만 달러로 인상한다면 CEO의 보수는 30만 달러가 될 것이다. 어떤 기업 혹은 조직에서 최고위직의 직무를 수행하는 것이 너무 힘들고 달갑잖아서 그 자리에 앉을 만한 자격이 있는 사람이 그 정도 보수를 받고는 아무도 오려고 하지 않는다면 어쩌면 그 직위에 대해 구조조정이 필요할 수도 있다. 회사의 덩치가 너무 커서 CEO의 직무를 수행한다는 것이 지나치게 큰 부담이 된다면 회사를 분할해서 관리하기에 조금 수월하게 만드는 것이 좋다. 사회는 자신의 직무를 효과적으로 수행하는 데 최소한 수백만 달러의 보상을 필요로 하는 사람들의 봉사 없이도 그럭저럭 잘 굴러가는 방법을 의외로 쉽게 배울 수 있다.

:: 일자리의 공정한 분배

보수가 주어지는 일자리를 얻을 기회는 1인당 근무 시간을 줄여서라도 가능한 한 공평하게 돌아갈 수 있어야 하며 성별, 인종, 그밖에 직무와 상관없는 고려 사항들과 무관하게 동등한 기회가 보장되어야한다.

이러한 조치들은 시간을 두고 천천히 시행되어야 하며 경험을 반영하여 조정될 수 있을 것이다. 여기 제시된 견해들은 규범적인 청사진을 제시하는 것이 아니라, 우리를 보다 건강한 사회로 인도할 정책들에는 어떤 종류가 있는지를 예를 들어 보여주기 위한 것이다. 지역과 환경이 각기 다른 만큼 접근 방식도 다를 수밖에 없으며 이러한 계획에 대한 재정 지원과 집행은 가능한 한 최소 단위의 지방 정부에서 맡아야 한다. 만일 공정한 토지 분배 시스템을 갖춘 농업 중심의 국가라면 보장 소득을 최저선에 맞추는 것이 적절할 것이다. 일하고자 하는 모든 사람들에게 풍부한 고용 기회를 제공하고 생계비가 낮은 안정된 평등 사회 역시 마찬가지다. 그러나 생계비가 높고 소득의 불평등이 심각하며 사람답게 사는 데 필요한 만큼의 소득을 제공하는 회사가 점점 귀해지는 나라라면 아마도 불균형을 바로잡기 위한 보장 소득제가 가장 필요하다고 할 것이다.

만약 우리가 스스로의 경제 영역을 인간의 이해관계에 맞추어 관리하고자 한다면, 우리에게는 이 목적에 부합하는 회계 수단이 필요할 것이다. 경제학자인 식스토 록사스는 국민소득을 측정하는 종래의 회계 처리 방식은 경제 활동의 편익과 비용이 지역 공동체의 입장

빼앗긴 정치적, 경제적 영역을 재탈환하라   401

이 아닌 기업의 입장에서 측정되기 때문에 이러한 필요성에 부합되지 않는다고 설명한다. 두 입장의 차이는 매우 근본적이다. 예를 들어 기업은 가능한 한 최저 수준의 임금에 최소한의 종업원을 고용하는 것이 이익이다. 반면 지역 공동체는 가능한 한 최고 수준의 임금에 지역민 전부가 완전 고용되는 것이 이득이 된다. 기업은 지역의 산림 혹은 광물 자원을 바닥낸 다음 다른 곳으로 이동하는 것이 이익인 반면, 지역 공동체는 황폐화되어 남겨진다.

현재 록사스와 그의 동료들은 가정과 지역 공동체, 그리고 생태계의 건강에 미치는 영향이라는 관점에서 경제의 편익과 비용을 평가하는, 지역 공동체에 입각한 회계 처리 방식을 개발하고 있다. 그들은 또한 지역의 경제 행위가 창출하는 가치에서 얼마만큼이 지역 공동체에 남으며 그 중 어느 정도가 외부로 유출되는지를 기록한다. 만약 지방의 산림이 완전히 벌채되어 목재와 이윤이 밖으로 유출되고 지역 공동체에는 황량한 풍경만 남게 된다면, 이는 종래의 경제 회계 방식에서 보고했던 것처럼 순이익으로 기록되는 것이 아니라 순손실로 나타난다.

비민주적이고 비밀스러운 IMF보다는 유엔 체제로

—

초국가적 기업들은 수십 년 동안 세계적 기관들과 국제적 합의를 이용해 민주적 과정을 교묘히 회피하고, 국가 경제의 문호 개방을 강요하고, 시장, 금융, 자원, 생산적 자산에 대한 지배권을 자신들에게 옮겨 놓았다. 정치적, 경제적 영역을 재탈환하기 위해서는 이와 같은 약탈적인 세계적 지배 시스템을 다음과 같은 시스템으로 대체해야 할 필요성에서부터 출발해야 한다.

- 국가와 지역 차원의 사람들과 기관에게 자신들의 경제적 자원을 스스로에게 이익이 되도록 제어하고 관리할 권한을 부여한다.
- 어떤 지역이든 스스로의 생산 비용이나 소비 비용을 타지로 외부화하는 것이 어려워져야 한다.
- 지역 간에 서로 협력해서 공동의 문제에 대한 해결책을 모색하도록 장려해야 한다.

건전한 시장의 원칙들을 적용하는 것이 이러한 목표들을 강력히 뒷받침할 수 있다. 앞서도 살펴보았듯이 시장이 공공의 이익에 맞게 기능하기 위해서는 시장의 효율적 배분 조건이 유지되는, 실행 가능한 규칙의 틀 안에서 시장이 작동되어야 한다. 그렇지 않으면 생산 투자는 약탈적 투기에 밀려나고, 비용을 내부화하는 회사들은 비용을 외부에 전가하는 기업들에 의해 밀려나며, 시장은 중앙 계획의 독점 기업에 지배받게 된다. 그러므로 세계적 기관들이 건전한 시장의 규칙을 실행에 옮기려는 국가와 지방 정부의 노력을 지지하는 것이 중요하다. 정상적인 경우라면 그러한 규칙들은 지역의 자원을 이용해 그 지역민들의 요구를 충족시키는 지역 기반의 기업가를 우대하고, 경제적 약탈자들이 지역의 시장과 자원을 식민화하려는 시도를 막아줄 것이다. 동시에 한 국가의 국민은 경제 통합에 적극적인 다른 나라들과 어느 정도까지 통합할 것인지에 대한 결정권을 가져야 한다. 어느 수준에서 통합이 이루어지든 간에 개별 국가들이 세계의 시스템에 대해 준수해야 하는 주된 의무는 수출과 수입이 세계의 나머지 나라들과 얼추 균형을 이루도록 하는 것이다.

현재 경제, 사회, 환경 문제에 관한 국제적 지배 구조는 유엔 체제와 브레턴우즈 체제로 양분된다. 유엔은 제반 업무를 관장하는 사무국을 비롯해서 세계보건기구WHO, 세계노동기구ILO, 식량농업기구FAO 등의 전문 기구들과, 유엔개발계획UNDP, 유엔인구기금UNFPA, 유엔아동기금UNICEF, 유엔여성개발기금UNFEM 등 개발 지원을 위한 다양한 기관들로 이루어져 있고, 브레턴우즈 체제는 세계은행, 국제통화기금IMF, 세계무역기구로 구성되어 있다. 브레턴우즈 기관들은 경제 정책 분야를 지배하지만 그럼에도 자신들의 정책으로 인한 사회적, 환경적 영향에 대한 책무는 인정하지 않는다. 예산 부족에 시달리는 유엔은 경제 정책에 대해 사실상 영향력이 없지만 브레턴우즈의 세 기관들이 휩쓸고 지나간 길에 남겨놓은, 잘못된 정책들로 인한 사회적, 환경적 혼란을 처리하는 임무를 떠맡고 있다.

유엔의 창설자들은 브레턴우즈 기관들에 대한 감독을 포함해서 국제 경제, 사회, 문화, 교육, 건강, 그리고 이와 관련된 제반 문제들을 조정하는 역할을 유엔경제사회이사회ECOSOC에서 수행하게 될 거라고 기대했다. 세계은행과 국제통화기금, 세계무역기구는 공식적으로는 유엔에서 지정한 전문 기구이지만 유엔의 다른 기구들에 비해 그 힘이 훨씬 더 막강해졌고, 그들의 활동을 감독하기 위한 유엔의 모든 노력을 거부해 왔다.

하나의 세상이 안고 있는 국제 문제들에 대한 지배권을 서로 경쟁하는 두 개의 기구에서 나눠 갖는다면 이것이 제대로 운용될 턱이 없다. 궁극적으로 우리는 브레턴우즈 체제냐, 유엔 체제냐를 선택해야 한다. 유엔 체제는 간신히 보잘것없는 영향력을 이어왔지만—부분적으로는 자금 부족과 관리 소홀, 그리고 브레턴우즈 기관들의 경제 정책에 영향력을 행사할 만한 능력 부족에 기인한다—아직까지는 보다 폭넓은 위임을 받고 있고, 브레턴우즈 체제에 비해 더 개방적이고 민주적이며, 일반적으로 국가의 주권을 존중하고 인간과 사회, 환경의 우선순위에 진지한 관심을 기울이고 있다. 이에 비해 좀 더 비민주적이고 비밀주의를 고수하는 브레턴우즈 체제는 보다 전문적인 능력과 강제력을 갖고 있지만 대체로 좁은 경제적 관점으로 세계를 바라보고, 국가의 민주적 절차와 주권을 함부로 다루고, 국가 간의 경쟁을 부추기고, 인간과 지구의 이해관계보다 기업과 금융의 이해관계를 항상 우위에 놓는다.

혹자들은 브레턴우즈 체제가 일을 해내는 능력을 들어 혹시 선택을 한다면 그쪽에 무게를 두어야 한다고 주장할지 모른다. 그러나 만일 그들이 가장 능률적으로 수행하는 일들이 파괴적인 일들이고, 그들이 사용하는 강압적 방식이 그 결과를 감당해야 하는 사람들의 의지와 이해관계를 일관되게 무시하고 있다면 그것은 형편없는 선택으로 보인다. 지금까지 효율성 면에선 다소 떨어지긴 했지만, 유엔은 브레턴우즈 체제에 비해 개방적이고 민주적인 결정 과정을 갖고 있고, 어떤 결정을 할 때 그 결정으로 영향을 받는 사람들의 의사에 귀를 기울인 것이 인간과 지구의 이해관계와 보조를 같이 하는 보다 합의적인 의제로 표현되어 왔다. 우리의 기본적 목적이 민주주의를 강화하고 기업의 이익보다 사회적, 환경적 목표에 우선권을 부여하는 것이라면 유엔에 대한 위임을 재확인하고, 유엔이 주어진 임무를 수행할 수 있도록 자금을 대고, 브레턴우즈 체제를 해체하는 것이 더 합리적인 선택이다.

경제적 권한을 재확인받는다면 유엔은 회원국들과 협력해 경제에 대한 통제력을 되찾고, 이에 필요한 규제 제도를 확립하고, 경제를 국내 우선으로 나아가게 할 것이다. 국제 경제 문제에 관한 기존의 유엔 전문 기구들의 권한과 역량을 강화함과 아울러, 세 가지의 새로운 국제기구가 제안되고 있는데 이들은 각각 자신들이 대체하게 될 브레턴우즈 체제의 역할과는 거의 반대되는 역할을 할 것이다.

:: 유엔국제파산재판소UN International Insolvency Court

세계은행이 저소득 국가들을 국제 부채의 더 깊은 수렁으로 끌고 들어감으로써 세계 경제의 약탈자들로 하여금 그 국가의 경제와 자원을 볼모로 잡게 했다면, 유엔국제파산재판소의 주된 책무는 그 국가들을 부채의 부담에서 벗어나도록 돕는 것이다. 자신들의 채무가 위험스런 수준에 이르러서 국민의 인간다운 삶을 손상시키지 않고서는 상환이 불가능한 상태에 처한 채무국 정부는 파산재판소에 안건을 제출함으로써 자발적으로 파산 절차를 시작할 수 있을 것이다. 예비 평가가 끝나면 채무국은 재판소에서 이 건에 대한 조사와 결정 과정이 완료될 때까지 상환 유예 조치를 받게 된다. 그동안에 채무국은 또한 새로운 채무를 지지 않는다는 약속을 하게 될 것이다.

평가 과정에서는 그 국가의 채무가 얼마나 되는지, 그리고 필수적인 사회 복지를 포함해서 정부의 기능을 수행하는 능력을 손상시키지 않으면서 어느 정도의 부채를 상환할 수 있는지를 판단하게 될 것이다. 재판소에서는 해당 국가의 채무 포트폴리오를 검토해서 그 중에서 합법적인 계약에 의하지 않은 〈더러운 부채〉가 얼마나 되며(세계은행과 국제통화기금이 제공한 대다수의 차관이 여기에 속한다.), 공공에 이익이 되지 않는 목적에 사용된 부분은 얼마인지를 구분할 것이다. 설계상의 오류 혹은 감독 소홀로 인해 예상했던 것만큼 도움이 되지 않았던 세계은행의 프로젝트들이 모두 여기에 해당된다. 파산재판소는 국제적인 법 절차에 의거해 그러한 더러운 채무에 한해 상환 거부를 허용할 것이다. 세계은행과 국제통화기금 대출금에 대한 채무국의 상환 거부는 이 기관들이 회원국들에게 부채에 해당하는 만큼의 담보를 요구하지 않을 수 없게 하고 이것이 그 두 기관의 용도 폐기에 정치적 밑받침이 될 것이다.

협상에 의한 채무 면제 계획은 남은 부채의 상환 스케줄을 재조정해 주고 부채를 덜어주거나 면제함으로써 채무국 정부가 필수적인 사회 복지를 비롯해 필요한 기능들을 계속해서 수행할 수 있게 해준다. 그러한 채무 면제 계획은 이상적으로는 이전에 북반구의 채권국들이 적절한 보상도 없이 추출했던 부를 고려해, 채무국이 안고 있는 암묵적 부채(당장 통계에 잡히지는 않지만 결국에는 국가가 감당해야 할 잠재적 부채. 예를 들면 적자 상태의 국민연금 등이 이에 해당한다.)까지 부채 규모 산정에 포함시키게 될 것이다. 채무 면제 계획에는 그 채무국이 국제 부채에서 벗어나게 하고 향후 국제 수지의 균형을 유지하도록 하기 위한 자세한 일정이 포함될 것이다.

:: 유엔국제금융기구UN International Finance Organization

지금까지 국제통화기금은 돈과 재화가 국경을 넘어 자유롭게 오갈 수 있도록 규제를 철폐할 것을 국가들에게 강요하면서 그로 인해 발생하는 무역 불균형과 국제 부채, 자원 착취, 재정 불안은 감수할 것을 종용해 왔다. 반면에 유엔국제금융기구는 유엔 회원국들과 협력하여 국제 금융 관계의 균형과 안정을 이루고 이를 유지하게 할 것이며, 국제 금융과 국가의 금융을 국제 부채 및 부채를 기반으로 한 돈의 왜곡으로부터 벗어나게 하고, 국내의 생산적 투자를 촉진하고, 생산적 자산에 대한 국내 소유를 장려하며, 각 국가와 지역들이 모두를 위해 공평하고 생산적이며 지속 가능한 생계를 창조할 수 있도록 국제적인 차원의 후원을 할 것이다. 돈을 대출해 주는 능력 혹은 강제력이 부족하기에 유엔국제금융기구의 역할은 각국의 국제 수지 계정에 대해 데이터베이스를 구성하고 관리하면서 문제 상황에 대해 신호를 보내주고, 무역 당사국들 간의 불균형을 시정하기 위한 협상을 가능하게 하는 것으로 제한될 것이다. 그들은 요청을 받아 자문을 해 주는 서비스를 제공할 것이다. 그밖에도 이 기구의 역할 중에는 역외 은행들과 조세 피난처를 이용한 돈세탁과 세금 회피를 막기 위한 각국 정부의 공동 대처를 지지하는 국제적 합의를 이끌어내고 그 시행을 용이하게 하는 것도 포함될 것이다.

세계무역기구는 국가와 지방 정부가 공익적인 차원에서 초국가적 기업들과 무역 및 금융에 규제를 가하는 것을 금지하고 있지만, 유엔 기업책무성기구는 정부에서 세계적 기업과 금융 기관의 공적 책무성 을 확보하기 위해 규제 제도를 확립하는 것을 지지할 것이다. 이러한 목적을 위해 유엔기업책무성기구는 정보와 자문을 제공하고 이와 관 련한 국제적 합의를 가능하게 기업으로의 힘의 집중을 깨뜨리기 위 한 각국 정부의 행동을 조직화할 것이다. 이 기구는 또한 불공정한 경쟁을 차단하고, 규칙 위반을 반복하거나 범죄적 행동으로 거듭 유 죄 판결을 받은 기업들에 대해 허가를 취소하고, 한 국가에서 어떤 기업의 자회사로 인해 피해를 입은 사람들이 다른 나라에 있는 모기 업을 상대로 소송을 제기하는 것을 가능하게 하고, 기업에 대한 보조 금을 없애고, 정치적 과정에 영향력을 행사하려는 기업들의 시도를 금지할 것이다. 사람들의 권리를 희생시켜 가며 기업의 권리를 보장 해 주는 국제적 합의를 되돌리는 과정을 용이하게 하기 위해 이 기구 는 국가와 지역 공동체의 권리를 보장하는 국제적 합의를 이끌어내 기 위한 협상에 힘쓸 것이다. 국가와 지역 공동체가 그와 같은 노력 을 하는 이유는 다른 나라들과 호혜적이고 균형 잡힌 교역 관계를 유 지하고, 세계적 기업들을 포함해 모든 비즈니스에 대해 관할 구역 내 에서 작동되는 규칙과 기준을 마련하며, 유전 물질과 생물 형태, 연 구 과정, 그리고 토착 지식(특정한 문화, 지역, 계층에서 전통적으로 유지해 오 던 지식과 경험)에 대한 독점을 금지하고, 타당한 조건으로 다른 나라들 의 유익한 정보와 기술에 접근하기 위해서이다.

:: 전문 기구들

무역과 관련한 노동과 건강, 음식, 환경적 기준에 대한 책임은 적절한 권한과 전문성을 가진 유엔의 전문 기구들, 이를테면 국제노동기구, 세계보건기구, 식량농업기구, 유엔환경계획 등에 있다. 예를 들어 유엔환경계획은 환경 배출에 대해, 환경 자원과 유독성 폐기물의 불균형한 교역에 대해, 혹은 환경의 부담을 한 국가에서 다른 국가로 이동시키는 행위에 주의를 기울일 것을 요구하는 환경 정보 시스템을 개발하는 데 앞장설 수도 있다. 기술력과 권한을 적절히 강화함으로써 유엔환경계획은 통계와 회계의 적절한 기법을 개발하거나 사용하고, 국제 기준과 감시에 대한 국제적인 합의를 용이하게 하고, 지역 공동체와 국가의 환경 비용을 내부화하는 것과 관련한 분쟁을 조정할 수 있다. 감시 기능은 가능한 한 분권화되어야 하며 각각의 지역 공동체, 고장, 국가, 지역권에서 독자적으로 감시 기능을 유지해야 한다. 환경의 부담을 경계 너머로 외부화하는 것과 관련해서 발생한 분쟁이 당사국들 간의 직접적인 협상으로 해결될 수 없다면 국제사법재판소를 비롯한 적절한 사법 기구에 중재를 의뢰해야 할 것이다.

국제 경제 문제에 대해 위에 제시된 기능들을 효과적이고 확실하게 수행하기 위해서는 유엔이 기업의 영향으로부터 자유로울 수 있어야 하며 이것은 또한 매우 중요하다.

인류의 미래에 영향을 끼치는 결정들이 소수의 강력한 기업 엘리트들에 의해 좌우되고 있다. 이들은 한정된 특수 이익 단체의 의제를 주창하기 위하여 민주주의 제도를 교묘히 피하거나 타락시킨다. 그

의제가 다른 사람들에게 어떤 결과를 가져올지는 고려되지 않는다. 이 장에서 개략적으로 살펴본 개혁은 모두 공동의 목적에 기여하는 것이다. 그것은 바로 정치적, 경제적 의사 결정의 결과를 감당해야 하는 다수에 대한 민주적 책무를 되찾는 것이다.

기업의 세계화를 위한 기관들이 세계의 경제 자원들에 대한 지배권을 단단히 틀어쥐고 민주주의 제도의 타락을 더욱 심화시키는 그 과도함이 명확히 두드러지게 되면서 우리에게 다음과 같은 중요한 질문을 하게 만든다.

"인간을 정의하는 가치는 돈인가, 삶인가? 우리의 집단적 미래가 나아갈 길을 결정하는 것은 사람들인가 아니면 기업인가? 기업 세계화에 의한 환경 파괴가 돌이킬 수 없는 지경에 이르기 전에 기관들의 민주적 책임을 회복하는 데 필요한 개혁을 이룰 충분한 정신적 자각과 정치적 의지가 우리에게 있는가?"

기업이 지배하는 세계가 점점 과도함을 향해 치닫고 있는 가운데서도 희망의 빛은 보인다. 그 과도함이 노골적이고 오만할수록 세계 시민들의 정치적, 정신적 각성이 더 앞당겨질 것이기 때문이다.

제6부

문화적 최면에서
깨어나기,
문화적으로
저항하기

20

최면에서 깨어나,
문화적으로 저항하라

그리고 우리는 여기 몽고메리에서 정의가 물처럼 흐르고 공정함이 힘찬
냇물처럼 흐를 때까지 싸울 것입니다. – 마틴 루터 킹 주니어

우리 세계 시민들은 공정하고 지속 가능하며 모두가 함께 참여하는 사회
를 추구하면서 다양한 사회 운동을 하나로 묶어주는, 국가를 초월한 시민
사회의 힘을 총동원할 것이다. 그렇게 함으로써 우리는 인간 진보의 의미
와 성격을 새롭게 정의하고, 더 이상 우리의 요구에 응답하지 않는 기관
들을 완전히 탈바꿈시킴으로써 우리 자신을 위한 기관과 절차들을 만들어
나갈 것이다. – 유엔환경개발회의 포럼

1999년 11월 30일 시애틀에서 생활 민주주의를 위한 세계 운동이 세
상에 자신의 존재를 알렸다. 그 깊은 역사적 뿌리는 적어도 1773년
12월 16일로 거슬러 올라가야 한다. 그때 한 무리의 애국적 시민들이
용감하게도 보스턴 항구에 정박 중인 영국 선박에 올라가 막강 동인
도회사에 의한 독점 무역에 반대하고 "대표 없이 과세 없다No taxation
without representation."(영국이 의회 대표도 없는 식민지에 과도한 세금을 징수하
는 것에 대한 반발의 의미를 담고 있다.)고 외치며 차를 몽땅 바닷물에 던져

버렸다. 보스턴 차 사건으로 유명해진 이 〈비폭력 불복종〉의 대담한 행동은 영국의 식민 통치로부터 북아메리카의 열세 개 정착지를 해방시키고 미합중국을 탄생시킨 미국 독립 혁명에 길을 열어주었다.

그 이전에 있었던 또 다른 역사적 사건으로는 기업의 횡포로부터 노동자들의 삶과 권리를 지켜내기 위한 노동운동의 그 기나긴 투쟁을 들 수 있다. 또한 영국 동인도회사가 인도 땅에 첫 무역 거점을 세웠던 1600년부터 수세기에 걸쳐 이어진 영국의 식민 통치를 종식시키기 위해 마하트마 간디가 이끌었던 인도 독립 운동도 여기에 포함된다.

또한 필리핀 마르코스 체제의 타도와 소비에트 체제의 붕괴, 남아프리카공화국의 인종 차별 정책의 철폐 등에 결정적인 역할을 했던 민주화 운동이 세계 민주주의 운동의 토대가 되었다. 시민의 평등권, 환경, 평화, 여성과 동성애자의 인권을 위한 운동이 모두 현재 벌어지고 있는 상황을 위해 길을 열어주는 역할을 한 셈이다. 위에 열거한 민주화 운동의 각각의 전례들은 그 조직 과정이 상당히 분권화되어 있었고 비폭력적인 수단을 통해 정의를 추구했다.

원형 경기장 안에 던져진 자들의 저항
—

세계의 경제 불평등을 종식시키는 것은 기업의 지배를 종식시키는 것과 불가분의 관계라는 것을 이제는 많은 사람들이 인식하게 되었다. 그리고 세계의 경제 불평등을 제거하고자 하는 희망이 1991년 소비에트 연방 해체 이전까지의 20세기를 정의하는 데 중요한 역할을 하는 공산주의와 사회주의를 탄생시켰다. 그러나 공산주의도, 사회주의도 경제적 힘이 기업에 집중되는 것을 종식시키려는 시도를 하지 않았으며 오히려 그 힘을 국유화하여 국가 통치의 수단으로 만들었다. 두 가지 모두 유물론을 받들었고 삶의 가치보다 경제의 가치를 중히 여겼다.

이와 대조적으로 생활 민주주의 운동의 주요한 주장은 기업을 해체하고 배제하는 것이다. 시애틀의 저항 운동은 커다란 빙산에서 그 끄트머리가 살짝 드러난 것에 불과했다. 5만여 명의 시위자들이 시애틀 도로를 점거한 바로 그날, 오로지 국제적인 교역 업무만을 취급하는 항만 노동조합 회원들 9천여 명이 연대하여 미국 서부 해안의 모든 항구를 일시적으로 폐쇄했다. 미국 내 다른 도시의 동시다발적인 시위뿐 아니라 프랑스 전역에서도 대략 7만 5천여 시민이 시위에 참여했으며 영국, 인도, 캐나다, 오스트레일리아, 필리핀, 네덜란드, 스위스 등에서도 수만여 명의 시민들이 저항 운동에 동참했다.

시애틀에서 그리고 여타의 도시들에서 대규모로 진행된 시민 반대 운동은 77그룹(유엔 내 개발도상국들의 연합체)에 속하는 수많은 남반구 국가에서 온 세계무역기구 공식 대표단에게 힘이 되었고, 기업의 의제에 대해 지지를 얻어내려는 미국의 압제적 노력에 맞설 용기를 주었다. 이러한 저항은 수백만 세계 시민들에게 강력한 메시지를 전달했고 세계무역기구의 주도권을 적잖이 흔들어 놓았다. 기업의 힘에 좌우되는 정치 및 경제 기관들이 이제 더 이상 천하무적은 아닌 것으로 보였다.

시애틀 사태 이후 파워 엘리트들은 민주주의를 회피하고 기업의 의제를 진전시키기 위한 거래를 하는 장소가 세계 어디든 간에, 그들은 수만 명의 항의 시위자들에게 둘러싸여 바리케이드 뒤에서 모임을 가져야만 했다.

2000년 4월 16일, 1만 5천 명의 시위자들이 워싱턴 D. C.의 거리를 점거하고 세계은행과 IMF의 해체, 제3세계 부채 탕감을 요구했다. 공식 회의를 무산시키려는 노력은 대대적으로 동원된 경찰에 의해 좌절되었지만 실제로 얻은 소득은 그보다 훨씬 컸다. 시위자들의 접근을 막고 회의가 안전하게 진행되도록 하기 위해 경찰은 시내 주요 부분에 대한 통행과 접근을 모두 차단했고, 효율성을 위해 세계은행과 IMF뿐만 아니라 대부분의 미 정부 청사도 하루 동안 모든 업무를 중단했다. 이제 도시는 경찰이 막아 서 있는 텅 빈 거리와, 온갖 색색의 휘장과 깃발 그리고 시위자들의 생동감 넘치는 거리로 정확히 양분되었다. 그 광경은 살아 있는 민주주의와 생명 없는 경찰국가에 대해 오래도록 잊히지 않을 강력한 시각적 이미지를 제공했다.

IMF와 세계은행의 대변인들은 시위자의 모습을 특권에 길들여진 응석받이 아이들로 그리려고 시도했다. 그들은 IMF와 세계은행이 세계의 가난한 사람들에게 베풀고 있는 혜택을 알지도 못하면서 시위자들이 무지해서 그런 행동을 한다는 식으로 매도했다. 그러나 무지와 특권은 오히려 IMF와 세계은행을 옹호하는 사람들에게 해당되는 말이었다. 그들은 전 세계 수백만의 가난한 사람들이 지난 몇 년간 거리로 나와 IMF와 세계은행의 계획과 정책이 자신들의 생계와 삶을 파괴하는 데 대해 항의해 왔다는 사실을 인식하지 못하는 것 같았다. 영국의 시민 단체인 세계개발운동World Development Movement은 1999년 12월부터 2000년 9월까지 사이에 세계의 개발도상국에서 IMF와 그 정책에 반대하는 시민운동이 일어났던 50개 사례들을 보고했다. 아르헨티나, 볼리비아, 브라질, 콜롬비아, 코스타리카, 에콰도르, 온두라스, 케냐, 말라위, 나이지리아, 파라과이, 남아프리카공화국, 잠비아 등지에서 시위에 참가한 사람들의 수를 합치면 수백만이 넘었다. 결국, 당시 쿠바에서 정상회담을 갖고 있던 G-77의 대변인이 시위자들과 그들이 내세운 명분을 지지한다는 성명을 발표하면서 서로에 대한 비난전에서 워싱턴 D. C.의 시위자들이 승리를 거두었다.

2000년 9월 26–28일까지 프라하에서 열린 IMF와 세계은행의 이사회는 첫날엔 정상적으로 진행되었다. 그러나 회의를 마치고 호텔로 돌아갈 시간이 되었을 때 대표자들은 호텔까지 가는 길이 경찰과 시위자들에 의해 꽉 막혀 있는 광경을 보게 되었다. 이튿날 회의 장소에 모습을 드러낸 대표자들은 몇 안 되었다. 그들은 첫날에 모든 일정을 일찌감치 다 끝냈다면서 셋째 날과 마지막 날의 일정을 일방적으로 취소해 버렸다. 2001년 1월에 세계무역기구는 2001년 가을 회의를 카타르에서 개최하기로 했다고 발표했다. 카타르는 먼 동아시아에 외떨어진 작은 군주국으로, 인권을 탄압하고 시민운동을 엄격히 금하는 것으로 알려져 있었다.

이 세계적인 운동의 성격에 대해서는 잘못 생각할 여지가 없고, 생존을 위해 죽을 때까지 이웃끼리 서로 경쟁하게 만드는 체제에 대한 반감으로 국적에 관계없이 속속 합류하는 사람들 사이에 형성되고 있는 연대의식 역시 너무나 확실한 것이었다. 이 상황은 영화 「글래디에이터」를 떠올리게 만든다. 로마제국의 포로들은 죽이느냐 아니면 죽느냐의 선택권밖에는 없는 원형 경기장에 던져졌다. 그들이 하나로 뭉쳐 황제를 거역하면 모두 살 길이 열릴 수도 있음을 검투사가 깨닫기 전까지는 말이다.

권위에 대한 도전에 직면한 기업들과 세계 주요 경제 및 금융 기관들은 지금까지 역사상 권위적 지도자들이 보여주었던 전형적인 방식으로 대중 저항 운동에 대응한다. 그들은 경찰력을 동원해 시위자들을 거칠게 다루었고 자신들이 장악한 언론을 이용해 이들을, 잘못된 정보에 선동되어 합법적이고 민주적인 절차를 붕괴시키려고 돌멩이나 던지는 반사회적이고 고립주의적인 파괴자들, 그들이 하는 얘기엔 귀를 기울이거나 존중할 가치도 없는 사람들로 그려놓았다. 그러므로 경찰력이나 군대를 동원해서 이들을 때리든 가스총 혹은 총기를 사용해서라도 점잖고 교양 있는 시민들을 위해 평화와 질서를 보호해야 한다는 식이었다.

고의로 파괴를 일삼거나 사회 부적응자가 소수 섞여 있을 수도 있겠지만, 대다수의 시위 참여자들은 절대 폭력주의자들이 아니었고 많은 정보로 무장한 사람들이었다. 그들이 거리로 나온 이유는 오직 정치 체제의 부패와 언론 장악으로 인해 다른 선택권이 없었기 때문이었다. 게다가 거리에 나온 시위자들 한 명 한 명의 뒤에는 그들에게 공감을 보내면서 마음이나마 그 자리에 와 있는 수백만 명의 지지자들이 있었다. 그렇게 시위가 이어질 때마다 수백 번의 토론회와 세미나가 열리고 스터디 그룹이 결성되었으며, 그들은 사안에 대한 지식과 정보를 공유하며 변화를 이끌어내기 위해 필요한 행동을 모색했다. 기업이 장악한 언론에서 저항 운동의 핵심을 일부러 전달하지 않거나 놓치고 있다면 독립적인 뉴스 매체, 잡지, 이메일, 인터넷 사이트 등 수백 가지 수단이 그 대안이 되어주었다.

결국 기업 지배층의 허위 정보 캠페인과 경찰의 무자비한 진압 작전은 오히려 운동을 강화시키는 데 이바지했을 뿐이었다. 기업 소유의 매체들은 더 나아가 믿을 만한 정보의 원천으로서의 자신들의 신뢰성만 손상시켰다. 텔레비전 화면에는 다스베이더(「스타워즈」에 나오는 등장인물로 검은 철모와 망토를 두른 악의 화신) 같은 복장의 경찰들이 언론집회의 권리를 비폭력적인 방법으로 표현하고 있는 시위 군중을 진압봉으로 때리고 최루가스와 총기까지 사용하는 모습들이 비춰졌고, 이는 자신들이 폭압적인 경찰국가에 살고 있다는 인식을 대중들에게 심어주었다. 그리고 그런 이미지는 대중의 분노를 일깨웠고 저항의 의지를 더욱 굳건하게 했으며 시위에 새로 가담하는 사람들이 점점 늘어나는 효과를 가져왔다.

사람들은 전 세계에서 일어나고 있는 심오한 정치 변화의 증거를 보았다. 종교, 경제적 계층, 성적 취향, 국적 등이 다르고 관심사도 제각각인 다양한 인종의 사람들을 하나로 묶어주었던 것을 돌이켜보라. 거기에는 종교인, 노동조합원, 청년, 환경 운동가, 게이와 레즈비언, 분노한 사람들, 평화 및 인권 운동가, 소농인, 유기농 식품 옹호자, 소기업인, 독립 매체 담당자 등 다양한 종류의 사람들이 섞여 있었다. 10대 청소년들이 80이 넘은 노인 세대와 함께 발을 맞춰 걸었다.

그리고 그들 하나하나는 자신의 관심 분야가 무엇이든 간에 기업이 지배하는 이 시대에 그것이 위험에 처해 있음을 깨달았다. 그들이 공통으로 적개심을 느끼고 싸움을 벌인 대상은 무역 자체가 아니라, 무역에 관한 규칙을 이용해 사람과 지구를 희생시키고 그 대가로 기업의 권리와 힘을 강화하는 것이었다. 불협화음 같은 목소리들의 밑에는 만일 그들이 모두에게 통하는 진정 민주적인 세계를 건설하기 위한 공동의 목적에 동참하지 않는다면 자신들이 언젠가는 누구에게도 통하지 않는 세상에 살게 될 거라는 깨달음에서 비롯된, 민주주의와 삶에 대한 책무가 자리 잡고 있었다.

제도 권력 바깥 사람들의 힘

—

혁신적 변화의 상승세가 비단 거리에만 국한된 것은 아니었다. 미국 전역에 걸쳐 시민 사회 그룹들은 기업의 권한을 제한하고 상습적으로 범죄를 저지르는 기업에 대해서는 설립 허가를 취소하는 문제에서 지방 정부와 협력하여 주도적인 역할을 했다. 거의 상징적인 행동들이 주가 되었지만 그것이 시작이었고 그들은 공공 교육과 인식 향상에 중요한 역할을 했다.

소비자를 오도하는 광고가 건강에 미치는 영향을 담배 회사들이 책임지게 하려는 소송은 한때는 그저 상징적이거나 헛된 일로 보였지만 1998년에는 담배 회사들이 흡연으로 인한 의료비 보상으로 주 정부에 2천4백6십억 달러를 내놓기로 합의하기에 이르렀다. 2000년 7월 14일 플로리다 주 마이애미 데이드 카운티의 지방 법원은 담배 회사에게 플로리다의 50만 흡연자들에게 1천4백4십억 8천만 달러라는 징벌적 손해 배상금을 지급하라고 판결함으로써 역사상 최대 규모의 타격을 입혔다.

농업 관련 몇몇 종자 기업들이 미국과 여러 나라의 농부들에게 유전자가 조작된 종자로 바꾸라고 조용히 설득하고 있다는 사실은 시민 단체에서 유전자 조작 식품이 건강이나 환경적으로 어떤 위험성을 안고 있는지를 부각시키기 전까지는 거의 주목하는 사람이 없었다. 유전자 조작 식품과 농산물에 대한 유럽의 뒤이은 수입 금지 조치는 미국의 식품 농업 부문에 적지 않은 충격을 안겨주었다. 맥도널드와 프리토레이, 거버 사는 자사의 제품에서 유전자 조작 식품을 배제하거나 줄이는 데 재빨리 동의했다.

이러한 승리들이 부분적이고 일시적인 것이긴 하지만 이는 막대한 경제력과 언론 권력, 로비 능력을 가진 세계적 기업들이라 할지라도 더 이상 참지 않겠다고 결심한 사람들 앞에서는 절대 천하무적이 아니라는 것을 보여주었다. 시민 단체에서 거둔 각각의 승리들은 조금이라도 피해를 늦추는 데 기여했고, 지금 위험에 처한 것들을 대중이 인식하게 만들었으며, 가진 것이라고는 진실과 결단, 그리고 공공의 이익을 생각하는 마음밖에는 없는 평범한 사람들의 힘으로도 세상을 바꿀 수 있음을 보여주었다.

정치, 경제 엘리트들이 부패한 체제의 이권을 챙기느라 경쟁하는 동안, 제도적 권력의 통로 바깥에서 일을 하면서 삶을 영위해 나가는 시민들은 인류가 직면한 가장 어려운 문제들을 떠맡은 채 자신들의 개인적 삶에서, 그리고 지역 사회와 국가적으로 중요한 사안에서 성공적인 대안들을 명백히 보여주고 있다.

환경적 정의를 추구하는 그룹들은 도시와 농촌 공동체가 자연과 균형을 이루도록 그리고 그 지역의 이용 가능한 서비스와 자원에 모든 인종과 모든 문화 공동체가 자유롭게 접근할 수 있도록 공동체를 재건하는 일에 주도적인 역할을 하고 있다. 시민들은 척박해진 땅의 건강한 활력을 복원하고, 지역 경제를 재건하고, 생물학적인 방법으로 하수와 쓰레기를 처리하고, 공동체 내에서 혹은 국가 간에 평화를 수호하는 중재자로서의 역할을 하고, 가족 농장을 살리기 위해 노력하고, 지구 온난화에 맞서 에너지를 절약하는 기술을 개발하거나 이를 장려하는 일을 하고 있다.

이 밖에도 모두에게 통하는 건강하고 생태적으로 건전한 공동체를 창조하는 과정을 지역에서 민주적으로 관리할 수 있다는 가능성을 보여주는 생활 민주주의 운동의 사례들은 얼마든지 있다. 이것들은 또한 저항 운동의 동력이 되는 문화 의식이 깨어나고 있음을 보여주는 것이기도 하다.

나는 문화적으로 어디에 속하는가

—

예전의 정치학을 이해하는 데는 경제가 핵심이었다면, 현대의 새로운 정치를 이해하는 데는 문화가 핵심이다. 『문화 창조자들*Cultural Creatives*』이라는 저서를 출간한, 가치 연구가 폴 레이와 여성주의 작가인 셰리 앤더슨은 광범위한 조사를 통해 얻은 자료를 바탕으로 미국의 성인들을 문화적으로 세 가지 범주로 나누면서 현재 미국에서 일어나고 있는 깊은 문화적 자각을 설명하고 있다.

:: 모더니스트Modernist

미국 성인의 48퍼센트가 이에 해당한다. 모더니스트는 미국에서 가장 큰 비중을 차지하는 문화 집단이다. 그들은 상업화되고 도시화하고 공업화된 세계를 우리가 지향해야 할 올바른 삶의 길이라고 여긴다. 그들은 물질적 번영에 초점을 맞추고 자신의 자녀 세대는 자신들보다 물질적으로 더 잘살기를 바란다. 이러한 목적을 위해 그들은 돈과 재산을 획득하려는 욕망을 중시한다. 또한 성공을 추구하는 과정에서 분수에 맞지 않는 소비를 하고, 이상주의나 가치를 소중히 여기는 사람들을 냉소적으로 바라본다. 그들에게 책임 있게 산다는 것은 자신과 가족을 보살피는 것을 의미한다. 그들은 가장 막강한 정치 기관이나 기업의 지도층이고 기업 세계화의 기수들이다.

모더니스트들은 스스로를, 물질적 번영에 회의를 갖거나 반대하는 전통주의자, 뉴 에이저New ager, 종교적 신비주의자들에 맞서서 합리주의와 기술의 진보, 번영, 개인적 자유를 지키는 수호자라고 여긴다. 이들은 세계적 기업들과 금융 시장이 그렇지 않았으면 놀고 있을 지구의 자원들을 모두에게 득이 되는 쓸모 있는 제품으로 전환해 주는, 부의 창조를 위한 강력한 엔진으로 바라본다. 설사 이 기관들이 가끔은 정말로 해롭다고 해도 그건 더 큰 공동의 선을 실현하는 과정에서 치러야 하는 대가라는 것이 이들의 생각이다. 모더니스트의 수는 늘거나 줄지 않고 비교적 안정적이다.

:: 전통주의자Traditionals

이들은 모더니즘의 물질주의적 가치를 거부하고 보다 전통적인 가치와 성 역할로 돌아갈 것을 주장한다. 이들은 지역 공동체와 가족, 남을 돕는 것, 자원봉사 활동, 서로를 배려하는 관계를 만들고 이를 유지하는 것, 전통적 가치에 기초한 사회의 창조에 신뢰를 보낸다. 이들은 종교적 보수주의의 경향을 띠고 흔히 종교 집회를 통해 안정적인 인간관계를 구축한다. 이들은 근본주의적 경향이 있으며 종교적, 인종적, 민족적으로 희생양을 만드는 경향이 있다. 제2차 세계대전 무렵에는 미국 성인 인구의 50퍼센트가량이 전통주의자였으나 그 후로는 25퍼센트까지 감소했으며 절대적인 수효와 비중 모두에서 계속 감소하는 추세이다.

:: 문화 창조자Cultural Creatives

1960년대에는 미국 성인 중에 차지하는 비중이 5퍼센트 미만이었던 문화 창조자가 현재는 26퍼센트에 달하며 수적으로나 비중으로나 모두 늘어나는 추세에 있다. 변화에 대한 수용성 면에서는 모더니스트와 같지만 이들은 물질적 쾌락주의와 기업 미디어의 냉소주의, 그리고 소비자/기업 문화의 탐욕과 개인주의를 배격한다. 이들은 인간관계, 자원봉사 활동, 사회에 대한 기여 면에서는 전통주의자와 맥을 같이하지만 전통주의자들의 생존주의, 성차별, 배타주의 경향과 인간이 자연을 지배할 권리가 있다는 믿음에는 반대한다.

대체로 인간의 가능성을 긍정적으로 보는 문화 창조자들은 모더니스트와 전통주의자들을 초월하여 모두에게 통하는, 삶을 긍정하는 포괄적 사회 창조의 가능성을 꿈꾼다. 그들은 현대의 사회적, 환경적 행동주의의 최전선에 서 있다. 실제로 문화 창조자들은 각자 특정 단체에 소속되어 사회와 환경의 변화를 위해 일하고 있다. 그들은 생활 민주주의 운동을 탄생시킨 창의적 제안과 활동에서 리더십을 발휘하며 세계무역기구 반대 운동에서 핵심을 형성했다.

다양한 국제적 조사들은 레이와 앤더슨이 미국에서 확인한 문화적 전환이 단지 미국에만 국한되는 것이 아님을 보여주고 있다. 정부, 기업, 종교 등의 계층적 조직들이 자신감을 잃어가고 개인의 내적 감각이 더욱 신뢰받는 것은 세계적 추세다. 또 하나의 경향은 경제적 이득에 대한 관심은 줄어들고 대신에 의미 있는 일, 삶의 목적에 대한 욕망이 증가하고 있다는 것이다.

레이와 앤더슨이 설명한 문화적 분류는 기업 세계화의 힘과 세계적 시민 사회의 힘의 갈등이 갖는 문화적 기초에 초점을 맞춘다. 모더니스트들은 기업 세계화를 설계하고 이를 지지하는 사람들이다. 그들은 미국의 정치 중심지의 윤곽을 분명하게 드러낸다. 미국의 공화당과 민주당 모두 이들의 표를 얻기 위해 경쟁한다. 문화 창조자들은 생활 민주주의 운동과 미국 녹색당의 원동력이자 주역이다.

대다수의 전통주의자들은 기업 세계화와 생활 민주주의 두 가지 모두에 대해 적잖은 의심을 품고 있다. 그들은 기업 세계화와 모더니즘의 공통분모인 물질주의적 가치관이나 쾌락주의를 거부한다는 점에서는 문화 창조자들과 입장이 같지만, 문화 창조자들이 열렬히 옹호하는 사회적, 환경적으로 진보적인 가치들에 대해서는 대부분 찬성하지 않는다. 호전적 애국자인 그들은 기업 세계화가 수반하는 국가 주권의 상실에 불안을 느낀다. 동시에 그들은 미국의 경제력과 군사력이 세계로 뻗어나가는 것을 자랑스러워한다. 그들은 또한 이 지구는 우리 인간들에게 자신의 목적을 위해 사용하도록 신이 준 것이며, 상업적 성공은 하나님이 보시기에 개인이 올바르게 살았음을 보여주는 증거라고 믿는다.

문화적 최면에서 깨어나기
—

교육자인 파커 파머는 문화적 자각이라는 감성적 경로가 정치적, 제도적 변혁이라는 이성적 경로로 전환되는 과정을 간단한 지도로 보여주고 있다. 그 과정은 지배적 문화의 검토되지 않은 가정과 가치들이 우리의 인식과 행동을 형성하는 것에 대한 개인적인 깨우침으로 시작된다. 그것은 마치 문화적 최면으로부터 깨어나는 것과도 같다. 일단 최면이 깨어지면 개인은 의식의 자각을 통해 알게 된, 보다 많이 검토되거나 진정한 가치들과 옛 문화의 가치에 바탕을 둔 가족, 직장, 공동체의 삶과 현실 사이의 연결 고리가 끊어지는 고통스러운 경험을 하게 된다.

결국 개인은 더 이상 분리된 채로 살지 않겠다고 결심하게 된다. 그는 진짜가 아닌 문화 속에서 진짜 가치에 의지해 살아가려는 데서 오는 소외감은 오직 같은 마음을 가진 사람들과 마음을 합쳐 조화로운 공동체를 형성하는 것을 통해서만 깨어질 수 있음을 발견한다. 저음에는 작고 고립된 것처럼 보여도 개인들이 삶의 공동체에 대해 동질감을 느끼는 범위가 점점 확대되면서 이들 공동체는 결국 더 큰 틀로 결합된다. 이렇게 해서 한 걸음 한 걸음 단계적으로 진짜 문화 공간이 창조되고 확장된다. 연대가 커질수록 그들은 점차 사회의 정치, 경제 제도의 논리와 보상 체계를 변화시킬 힘을 얻는다.

레이와 앤더슨은 미국의 문화 창조자가 역동적으로 성장하면서 시민 평등권 운동으로 이어지기까지의 과정을 추적하고 이와 비슷한 분석 결과를 제시한다. 그들은 시민 평등권 운동 이전에는 흑인이든 백인이든 간에 인종 간의 관계를 규정하는 지배적인 문화의 코드를 정상적인 자연의 질서로 받아들이는 경향이 있었다고 지적한다. 시민 평등권 운동은 이 문화 코드가 특정한 이해관계에만 도움이 되는 신념 체계일 뿐이며 자연의 질서와는 아무 상관도 없다는 것을 모든 인종의 사람들이 인식할 수 있게 했다. 자연의 질서와 인종 문제에 관한 검토되지 않은 신념 체계의 차이를 인식하면서 이와 유사하게 남성과 여성, 인간과 환경, 이성애자와 동성애자, 인간과 기업, 그리고 인간과 경제를 문화 코드가 어떻게 인위적으로 규정하고 있는지를 보다 쉽게 알 수 있게 되었다. 문화적 최면이 잇따라 하나둘씩 깨지면 개인은 지역 공동체의 삶과 지구와의 일관된 관계 속에서 각성된 의식으로 보다 자유롭게 살 수 있다.

20세기 후반 인류의 정치적 역사는 크게 보아서 두 극단적 이데올로기, 즉 공산주의와 자본주의 사이의 권력 투쟁으로 정의되었다. 그중 하나는 개인을 제외하고 공동체를 강조했고, 다른 하나는 공동체를 제외하고 개인을 강조했다. 두 가지 모두 문화적 모더니즘의 물질주의적 가치를 무비판적으로 받아들였으며, 각각의 경제의 물질적 산출량으로 자신들의 성공을 측정했다. 그리고 그 부분에서는 자본주의가 필연적인 압승을 거두었다. 공산주의는 애도하는 사람도 없이 숨을 거두었다. 적수를 무찌른 자본주의는 삶과, 형평성, 민주주의에 대한 공격의 수위를 높여갔다.

21세기에 새롭게 생겨나고 있는 갈등은 이데올로기와 계층보다는 문화를 중심으로 형성되고 있다. 자본주의의 새로운 도전자인 생활 민주주의 운동은 몇 안 되는 사람들의 총소비가 얼마나 증가했느냐로 발전과 성장을 측정하기보다 모든 이들의 〈삶의 질〉로 그것을 측정한다. 생활 민주주의 운동은 국가 권력을 장악하려고 하기보다 오히려 그것을 축소시키고 민주화하는 데 힘쓴다. 그것은 시장을 제거하려는 것이 아니라 시장을 복원하려 한다. 그것의 동력이 되는 것은 돈에 대한 사랑이 아니라, 〈삶에 대한 사랑〉이다. 그 힘의 원천은 새로운 문화 의식의 각성이다. 그 특징이 되는 목표는 시민 사회의 건설이다.

21

돈에 대한 사랑이 아닌,
삶에 대한 사랑으로

이 순간 살아 있음이 그토록 아름다운 것은 우리가 삶 자체의 신성함에 새롭게 눈을 뜨고 있기 때문이다. 흙에서, 공기에서, 물에서, 다른 종, 다른 생명들에게서, 그리고 우리의 몸에서 사람들은 그렇잖아도 이미 고통이 넘쳐나고 지구 자체도 맹공격을 당하고 있는 상황에서 서로 맞붙어 겨뤄야 한다는 것에 진절머리를 낸다. – 조애나 메이시

활동가들이 중요한 문화적 맥락의 틀을 다시 짤 때, 그들은 마치 임금님은 벌거숭이라고 외치는 어린 아이와도 같다. 그들은 신념 체계를 있는 그대로 드러낸다. 그것은 자연의 질서도, 현실도 아니다. 그 신념 체계의 정체가 드러나면 현재의 상태에 대해 한 번도 의심해본 적 없고, 그것을 그냥 신이 주신 것으로, 완전히 정당한 것으로 받아들였던 사람들이 스스로 자신들의 질문을 던지기 시작한다. – 폴 레이와 셰리 앤더슨

몇 달 동안 기대감으로 설레면서 시애틀에서 계획된 토론회와 세미나에 참석해 발언을 하기 위한 준비에 몰두해 놓고 결국 세기의 저항에 동참하지 못하고 기회를 놓친 것은 내 인생에서 가장 실망스러운 일 중 하나였다. 코피가 계속 멈추지 않는 바람에 비행기 여행을 할 수가 없었던 나는 시애틀에서 전개되는 이야기들을 5천 킬로미터나 떨어진 곳에서 텔레비전으로 지켜보는 수밖에 없었다.

텔레비전 카메라는 폭력에 초점을 맞췄지만, 민주주의와 삶에 대

한 세계무역기구의 공격에 맞서서 비폭력적인 방법으로 저항하고자 그곳에 모인 사람들의 믿을 수 없을 만큼 충만한 삶의 에너지가 심지어 대륙만큼의 거리에 떨어져 있는 내게도 느껴졌다. 시애틀 저항의 의미는 다른 무엇보다 바로 이런 것이었다. 그것은 우리의 개인적인 삶의 에너지가 믿기지 않을 정도의 다양성을 보여주는 수만 명의 사람들의 삶의 에너지와 결합되어 모두를 위해 작동되는 세계를 창조하기 위해 서로에 대한 사랑과 존경으로 함께 행동하면서 느끼는 깊은 의미와 유대감이었다. 그것은 수백만 명의 의식에 깊은 울림을 주는 중요한 깨달음의 순간이었다.

깨어나는 의식
—

2000년 여름에 내가 이사회 의장으로 있는 〈긍정적 미래를 위한 네트워크Positive Futures Network〉는 또 다른 그룹의 사회 운동 지도자들과 함께 여느 때와 마찬가지로 서로 관계를 쌓아나가면서 우리의 다양한 관심과 열정을 전체를 위한 운동으로 통합하는 데 도움이 되는 공통의 언어를 찾아보았다. 그들은 일찌감치 사회 운동과 제도, 사회적 변화에 대한 추상적인 토론에서 우리가 전혀 예상하지 못했던 내용들을 들려주었다. 작가이자 교육자인 아프리카계 미국인 벨비 룩스는 이런 말을 했다.

"제가 아프리카계 미국인들 사회에서 그들과 나누었던 열정적인 대화의 많은 부분은 지구를 살리자는 얘기가 아니라, 우리 아이들을 살려야 한다는 얘기입니다."

그 후에 시애틀 도시 빈민가의 목사인 로버트 제프리는 총기 사고로 죽은 아이들의 장례 예배를 주관하는 것이 신물이 나고 이제 분노하기도 지쳤다고 말했다.

저의 분노는 제가 매일같이 지나가야 하는 하수구에 대한 절망감에서부터 점점 커지고 있습니다. 우리가 사는 이 세상은 당신이 개인적으로 알고 지내는 사람들이 약에 의지해 희망 없이 살아가고, 당신의 고등학교 친구들은 이미 죽었거나 감옥에 있는 그런 세상입니다. 10대 아이들이 길바닥에 얼굴을 대고 큰 대자로 엎드려 있는 광경을 매일같이 보게 되는 세상, 아이들에게 약물을 팔아먹고, 일자리가 절실히 필요한 사람들을 위해 고용을 창출하는 지역 기반의 사업가에게는 대출을 거부하고 기업 범죄자들의 돈은 세탁해 주는 은행을 당신은 좋다고 이용하는 그런 세상입니다.

이 솔직한 나눔의 시간은 모두에게 통하는 세상을 만들기 위한 우리의 공동 노력에 깊이를 더해주는, 서로에 대한 새로운 차원의 믿음과 이해를 창조했다. 우리는 그 시간을 통해 공동체의 의미와 생명의 일체감에 대한 깨달음을 얻었다.

그러한 경험들은 우리에게 사회 운동 확대의 기초가 되는 의식의 심화와 각성의 기회를 부여하며, 그 경험들 하나하나가 작가이자 불교학자인 조애나 메이시가 〈대전환great turning〉이라고 부르는 목표를 향해 사회적 에너지의 흐름을 쌓아나가고 이를 집중시키게 한다. 메이시는 대전환을 세 가지 차원으로 본다. 첫째는 세계무역기구 반대 운동처럼 직접적인 행동을 통해 파괴의 속도를 늦추는 저항이고, 둘째는 새로운 사회적, 경제적 구조를 창조하는 것이며, 셋째는 정신적 각성이다. 메이시는 이렇게 설명한다.

> 대전환은 새로운 제휴, 새로운 생산과 분배의 방식만으로는 충분하지 않다. 우리가 누구이며, 어떤 사람이 되고자 하는지, 우리가 서로 그리고 살아 있는 지구와 어떻게 관계 맺을 것인지에 대한 확고한 가치 속에 깊이 뿌리 내리지 못하면 이들은 쉽게 위축되고 결국 사라질 것이다. 그것이 바로, 실제로 지금 빠른 속도로 진행되고 있는 의식의 전환이다. 대전환의 세 번째 차원인 이것은 본질적으로는 정신의 혁명이며 매우 새로우면서 동시에 매우 오래된 인식과 가치들의 깨어남, 조상들의 지혜의 강으로 돌아가는 것이다.

> 그러한 각성과 더불어 모든 존재에 대한 사랑이 깊어지고, 삶에 대한 사랑 속에서 기뻐하고 서로 북돋우는 사회를 창조할 가능성이 커진다.

문화적 영역 재탈환하기
—

베트남 전쟁 기간에 나는 플로리다의 에글린 공군 기지에서 공군 특수 부대의 교관으로 11개월간 근무했다. 공식적으로는 베트남전에서 승리하기 위해 미군은 베트남 국민들의 마음을 얻을 필요가 있었다. 이 목적을 위해 베트남으로 파견되는 미 공군 관계자들에 대한 훈련에는 전단지를 어떻게 포장해서 군 수송기 뒤쪽에서 어떻게 꺼내 어떻게 공중에서 적절히 살포할 것인지도 포함되었다. 그 전단지에는 미국이 얼마나 베트남 사람들에게 마음을 쓰고 있으며, 그들에게 자유와 민주주의를 가져다주기 위해 얼마나 고심하고 있는지가 담겨 있었다. 하지만 미국의 폭탄과 네이팜탄이 그 전단지보다 많은 것을 말해 주었다. 세계 최강의 군대는 베트남 사람들의 마음을 얻는 데 실패했고, 자신들의 자유를 위해 싸우는 농민군에게 전쟁에서도 패하고 말았다.

마찬가지로 현대의 기업 세계화와 생활 민주주의 운동 사이에서 벌어지는 경쟁 역시 종래의 계산 방식으로는 걸맞은 것이 아니다. 기업 세계화는 돈과 총을 가지고 있다. 하지만 각성된 민중에게 부당한 권력을 휘두르려는 시도는 거의 예외 없이 자멸로 끝난다. 세계적 자본주의 기관들이 자신들이 가진 돈과 언론 권력과 경찰력을 공격적으로 휘둘러 삶과 민주주의를 위한 투쟁을 억압할수록 그들의 권력이 환상에 근거하고 있다는 것이 더 빨리 드러난다. 그럴수록 민중의 각성은 촉진되고, 그들의 몰락은 더욱 앞당겨질 것이다. 다음은 우리가 문화적으로 실행할 수 있는 전략의 일부이다.

:: 신화 깨뜨리기

자본주의는 문화적 신화의 토대 위에 그 정당성을 쌓아올린다. 그 신화의 정체를 폭로하라. 그러면 그 정당성이 무너진다. 신화를 깨뜨리는 것은 그러므로 간단하면서도 매우 강력한 문화적 전략이 된다. 그것을 위해 필요한 것은 다만 모든 이들이 가슴속에 갖고 있는 지혜로움에 호소하는 진실을 말하는 것이다. 그것을 말하기 위해서는 특별한 전문가도 필요 없고 현란한 수사학도 필요 없다. 그것은 너무나 자명한 진실이기 때문이다. 이를테면 다음과 같은 것들이다.

- 삶이 돈보다 소중하다.
- 삶은 모든 진정한 부의 원천이다.
- 돈을 벌기 위해 삶을 파괴하는 것은 사회 병리 현상이다.
- 시장 경제는 자본주의와 사회주의의 확실한 대안이다.
- 민주주의는 기업 지배의 확실한 대안이다.
- 진정한 번영은 모든 이들이 적절하고 만족스러운 생계 수단을 갖는 것을 의미한다.
- 대부분의 사람들은 본래 협조적이고 인간적이다.
- 자연권은 본래 생명이 있는 존재에게만 있다.
- 자신의 삶을 형성하는 결정에 참여하는 것은 모든 사람들의 권리다.
- 정치적 민주주의는 경제적 민주주의와 떼려야 뗄 수 없는 관계다.
- 인간의 제도는 우리가 그것에 내어준 권리만을 가진다.
- 법은 사람에 의해 만들어지고 사람에 의해 바뀔 수 있다.

진실을 나눔으로써 우리는 서로를 발견하고 서로와 연결되며, 조화로운 공동체를 건설하고 문화적 영역을 재탈환할 수 있다.

광고를 만드는 사람들은 자신들의 로고와 브랜드명에 대해 긍정적인 연상을 형성해 그것을 우리의 의미와 정체성의 상징으로 받아들일 것을 종용한다. 예를 들어, 나이키 사는 당신이 나이키 로고가 새겨진 신발을 신으면 마치 가뿐히 공중을 날아 결정적인 득점을 올리는 것 같은 기분을 느끼기를 바란다. 기업 미디어는 우리가 자본주의라는 단어에서 민주주의, 시장의 자유, 모두를 위한 풍성한 물질적 번영을 떠올리기를 바란다. 문화 비틀기 혹은 광고 깨뜨리기는 로고와 브랜드명, 광고의 슬로건을 패러디해서 사람들을 새롭게 각성시키고 광고 행위자의 메시지가 갖는 힘을 역이용하는 것이다. 예를 들어, 나이키 로고와 인도네시아의 노동력 착취 공장의 이미지를 결합시켜서 나이키 로고만 보아도 그것이 떠오르게 하는 식이다. 말보로 카우보이가 말을 타고 가면서 대화를 나누는 장면에는 이런 말풍선을 넣을 수 있을 것이다. "밥, 나는 폐를 떼어내지 않을 수 없었네." 로고의 가치를 떨어뜨리는 행위는 무엇이든 그 회사의 가치를 뿌리부터 위협하는 것이다. 로고가 곧 기업의 자산이기 때문이다.

:: 올바른 용어 확립하기

공적 담론의 언어를 결정하는 것은 효과적인 문화 전략의 또 다른 핵심이다. 기업 세계화의 기수들은 이 대목에서 늘 승리를 거두어 왔다. 예를 들어 그들이 자신들을 자유 무역 수호자로 정의하고 자유와 무역이라는 두 단어에 대해 긍정적 연상을 형성하는 데 성공함으로써 그 반대자들에겐 즉각 반무역주의적이고 반자유주의적인 극단주의자라는 부정적인 인식이 덧씌워진다. 또한 그들은 대부분의 사람들이 중요하게 생각하지 않는 무역에 초점을 맞춤으로써 정작 중요한 문제, 즉 〈기업의 지배〉에 대해서는 대중의 관심이 비켜가게 만든다. 항의자들은 자신들이 선호하는 것은 자유 무역이 아니라 〈공정한 무역〉이라고 맞선다.

저항 운동은 용어의 세계화와 관련해서도 전략적인 실수를 범했다. 대부분의 사람들에게 세계화는 자원과 기술을 더 많이 나누게 됨에 따라 세계적인 차원의 교류와 소통 그리고 사람들 사이의 독립성이 향상되고 물질적 번영이 널리 퍼져 나가는 것을 의미한다. 하버드 경제학자이자 노벨 경제학상 수상자인 아르마티아 센은 이렇게 말했다.

세계화에 반대하는 사람들은 그것을 새로운 어리석음으로 볼지 모르지만 그것은 그다지 새롭지도 않을뿐더러 일반적으로 어리석지도 않다. 그것은 대체로 말해서 지금까지 천 년 동안 세계를 형성해 왔던 여행, 무역, 이주, 지식의 전파를 포함해서 상호작용의 과정이 강화되는 것이다. 세계화의 정반대편에는 고집스런 분리주의와 철두철미한 자급자족이 자리한다.

기업 세계화의 신봉자들이 세계화는 유익할뿐더러 피할 수 없는 것이라고 말하면 대부분의 사람들은 고개를 끄덕이며 "당연히 그건 그렇죠."라고 말한다. 그러나 반대론자들이 자기는 세계화에 반대한다고 말하면, 세계화란 민주주의와 사람들, 지구를 희생시킨 대가로 이루어지는 세계적인 기업의 지배를 완곡하게 표현한 것일 뿐임을 알지 못하는 셴 같은 사람들에게는 그저 외국인 혐오증을 가진 별 볼 일 없는 정신 질환자의 말처럼 들린다. 그로 인한 소통의 실패 또는 오해는 기업의 미디어 담당자들에겐 쾌재를 부를 일이다.

사실 생활 민주주의 운동 참여자들 대부분은 여행, 무역, 이주, 지식의 전파를 통해 사람들 간의 상호작용이 많아지는 것을 기뻐한다. 국제적인 차원에서 오래도록 이어지는 깊은 우정과 동맹, 그리고 인류와 지구 전체에 대한 책임의식을 바탕으로 형성된 생활 민주주의 운동은 아마도 진정한 의미에서 가장 국제적인 운동이었음에 틀림없을 것이다. 이제 많은 사람들이 기업의 세계화에 대한 반대 의사를 보다 분명하게 표현한다. 운동을 위한 다음 단계는 모두를 위해 작동되는 세계의 긍정적인 비전을 담은 이름을 선택하는 것이다.

우리 앞에 놓인 과제를 향하여

—

한도 끝도 없는 사치가 허용되는 물질적 천국에 대한 약속에 홀려서 우리는 유한한 행성인 지구에서 생명체로 생존하기 위한 지상 명령과, 우리가 장차 나아갈 길을 계획하는 돈의 기관들에게 주어진 지상 명령 사이의 불협화음을 너무나 오랫동안 짐짓 무시해 왔다. 국왕을 섬기는 식민 제국을 건설하기 위해 창조된 세계적 기업들은 공정하고 지속 가능하며 서로를 배려하는 시민 사회에 주어진 과제와는 어울리지 않는다. 시민 사회는 충만함과 상호 협력적인 동반자 관계, 그리고 삶의 온전함을 북돋운다. 기업 세계화의 신봉자들, 그리고 그들이 섬기는 기업 제국은 기술 혁신의 측면에서는 최첨단에 서 있을지 모르지만 사회적으로나 환경적으로 그들은 제국주의의 식민 지배, 엘리트의 특권, 그리고 국가가 용인한 약탈자라는 지나간 시대의 유물일 뿐이다.

삶과 민주주의는 생태 혁명과 그것을 현실화하는 시민운동을 정의하는 가치들이다. 기업의 지배를 민주주의에 비견할 수 없듯이, 단기적으로 돈의 가치를 추구하는 것을 사람과 지구의 건강한 삶에 견줄 수는 없을 것이다. 우리 앞에 놓인 과제는 돈을 사랑하는 기업이 지배하는 세상을, 삶을 사랑하는 사람이 지배하는 세상으로 바꾸는 것이다. 이러한 개념은 급진적이지도 않고 그리 색다른 것도 아니다. 참여 민주주의, 삶을 긍정하는 문화 운동, 그리고 인간적인 척도로 책임 있게 관리되는 지역 소유의 기업들로 이루어진 시장 경제가 모두 합쳐진 사회를 꿈꿔 보라.

시민의 평등권과 환경, 평화, 여성의 권리, 동성애자의 인권을 찾기 위한 운동이 우리의 집단적 의식과 가치를 불과 40년 사이에 얼마나 근본적으로 변화시켰는지를 생각해 보라. 비록 아직 해야 할 일이 많지만 그 각각의 운동들이 세계적 자본주의 사회의 물질주의가 지배하는 문화를 정신적인 것에 뿌리를 내린 시민 사회의 동반자적 문화로 대체하는 데 기여했다.

경험은 강력한 사회 변화를 위한 저변의 힘이 수십 년 심지어 수백 년에 걸쳐 조용히 보이지 않게 쌓인다는 것을, 그러다가 수백만 사람들의 불가능할 것 같아 보였던 꿈이 새로운 사회의 현실이 되는 극적인 순간이 다가온다는 것을 우리에게 가르쳐준다. 우리는 소비에트 연방의 붕괴에서, 그리고 인종 분리 정책이 폐지되고 넬슨 만델라가 평화적으로 대통령에 당선된 남아프리카공화국에서 그것을 보았다. 남아공의 이례적 상황은 그 일이 일어나기 3년 전에는 전혀 예상할 수도 없었다. 필요와 가능성이 합쳐진 상태에서 문명화된 시민 사회의 건설을 향해 조금씩 힘이 축적되고 있다.

우리 인류는 삶의 온전함에 이바지하는 새로운 차원의 이해와 역할을 향해 발걸음을 내딛을 것인지, 아니면 우리 자신이 지구에서 소멸되는 위험을 감수할 것인지 두 가지 선택을 앞에 놓고 있다. 우리에겐 지식과 기술이 있다. 그리고 평화와 정의, 모두를 위한 번영을 이루기 위해서 인간의 정치적, 경제적, 문화적 제도를 다시 생각하고 이것을 집단의 창조적 행위로 재창조해야 한다는 긴급한 요구도 있다. 우리 앞에 놓인 의무와 기회의 강력한 결합은 지금까지의 역사에서 가장 창조적인 도전을 우리에게 던져주고 있다. 그것은 철학자들과 종교적 예언자들, 셀 수 없이 많은 사람들이 천 년을 꿈꿔온 진정한 시민 사회를 창조할 유례없는 기회가 될 것이다.

인류와 인류가 만든 기관의 엄청난 갈등, 즉 삶의 문화와 돈의 문화 사이의 갈등은 아직 해결되지 않았다. 그리고 그 결과가 미리 정해진 것도 아니다. 하지만 우리는 정신적인 통찰력을 과학적 지식과 혼합하여 우리의 존재에 그리고 우리 앞에 놓인 도전에 더 심오한 의미와 목적을 주는 웅대한 이야기에서 희망과 영감을 얻을 수 있을지도 모른다.

집착이 되어 버린
경제 성장 프레임에서 벗어나기

인간 의식의 영역에 세계적인 변혁이 일어나지 않는다면 아무것도 더 나
아지지 않을 것이다. 그리고 세계가 향하고 있는 파국은 그것이 생태적인
것이든 사회적인 것이든 인구 통계학적인 것이든 혹은 보편적인 문명의
붕괴든 간에 피할 수 없을 것이다. - 바츨라프 하벨

나는 우리 모두가 도시, 생태 지역, 대륙, 그리고 이 지구라는 유기체 내의
살아 있는 세포라는 사실을 자각한다면 더욱 생산적으로 될 수 있지 않을
까 생각한다. 만약 우리가 하는 일이 이 유기체가 스스로의 생명의 완전성
을 실현하도록 돕는 것임을 깨닫는다면 우리 자신은 스트레스도 덜 받고
보다 건강해지고 보다 온전한 인간이 될 수 있지 않을까? - 몬타나 주 미줄
라 시의 시장 대니얼 케미스

인간이 당면한 위기의 정치적, 정신적 뿌리는 매우 깊다. 정신적 의
미나 정체성으로부터 유리된 경제적 삶은 인생을 그저 가장 높은 가
격을 제시하는 사람에게 팔리는 상품으로 취급한다. 반면에 시민 사
회는 진정성이 담긴 의미와 목적의 토대에 기초한다.

  인간들이 막강한 기술과 기관들을 점점 더 삶을 파괴하는, 궁극적
으로는 자신들을 파괴하는 식으로 사용하게 된 것을 보면 그 창조의
과정 어딘가에서 뭔가가 잘못되어도 대단히 잘못되었다. 1900년에서

2000년 사이, 그러니까 불과 100년 만에 인간은 수십억 년에 걸쳐 창조해 놓은 삶의 자본을 많이도 파괴해 버렸다.

일부에서는 탐욕과 폭력을 맹목적으로 추구하게 되어 있는 인간의 유전자적 결함이 이 비극의 원인이라고 말한다. 하지만 초기 인간의 문명은 평화로웠고 협조적이었다. 그리고 인간 역사상 가장 파괴적인 시기에조차 대부분의 사람들은 서로를 배려하고 용서하며 살아갔다.

또 다른 사람들은 위기의 근원을 인간이 과학 혁명이라고 부르는 것에서 생겨난 물질주의적 이데올로기의 결과라고 보았다. 과학 혁명과 그에 이은 산업과 기술의 시대는 여러 면으로 인간 성취 역사에서 가장 자랑스러운 시기였다. 그것은 인류의 상당 부분을 기아와 미신, 공포, 억압적인 종교적 교리로부터 해방시켰다. 그것은 힘든 육체노동과 기아, 그리고 사람들 사이의 지리적 장벽을 제거해 주는 갖가지 수단을 비롯해서, 급속히 증가하는 인류를 먹여 살리고 건강을 향상시키고 수명을 늘리는 수단과 같은 가장 인상적인 기술적 업적을 안겨주었다. 그것은 또한 세계적인 지배와 협력의 구조를 만들었다. 그리고 민주주의와 인권을 보편적 이상으로 확립시켰다.

그러나 그것은 또한 오직 물질만을 실제로 존재하는 현실로 여기는 신념 체계를 확립해 놓았고, 우주는 창조의 순간부터 움직이기 시작해 팽팽하게 감겼던 태엽의 긴장이 사라질 때까지 존속하는 거대한 시계 장치로 보아야 한다고 가르쳤다. 그들은 또한 삶이란 복잡한 물질에서 우발적으로 얻어진 결과물이며, 의식이란 착각에 불과하다고 가르쳤다.

이러한 신념은 좁은 의미에서의 자신의 이익 추구를 장려하고, 사회와 자연의 건강성에 대한 인간의 책무는 면제해 주는 모더니즘이라고 알려진 문화 체계의 토대가 되었다.

인간들이 자본주의라고 부르는 경제 체제보다 더 자연과 사회에 대한 책무를 거부하는 것은 일찍이 없었다. 자본주의자들은 시장이라는 이름의 신을 숭배했다. 그들은 시장이 보이지 않는 손을 가지고 있어서 탐욕스럽고 인정머리 없는 행동들을 인간이라는 종에 도움이 되는 결과로 기적적으로 바꿔놓는다고 믿었다. 자본주의를 정의하는 특징 중에 하나가 소비자 문화였다. 자본주의는 지금 광고하는 제품을 소비하는 것이 공허하고 외로운 삶에 사랑과 의미를 가져다줄 거라는 메시지로 매스 미디어를 흠뻑 적시면서 소비문화를 일구었다. 점차 인간의 창조적 에너지는 기업이라는 강력한 기관을 형성하는 쪽으로 집중되었고 그것은 경제 성장이라는 과정을 통해 끝도 없이 증가하는 소비에 모든 것을 쏟아부었다. 성장은 급기야 집착이 되어 기업들이 인간의 삶을 장악하고 지구의 생명 유지 장치와 이 사회의 구조, 수십억 인류의 생명을 파괴해 왔다는 사실을 아무도 눈치 채지 못하게 해놓았다.

우리의 이야기, 우리의 선택
—

새로운 세기가 시작되면서 문화에 변화가 찾아오고 있다는 증거들이 여기저기서 포착되었다. 전 세계 수백만의 사람들이 마치 최면에서 깨어나듯 아름다움과 기쁨, 삶의 의미에 대해 눈을 뜨고 있다. 그들 중 대다수가 소비에 의문을 품기 시작했다. 그리고 또 다른 이들은 수십만 명씩 거리로 몰려나와 민주주의 회복과 기업 지배의 종식, 그리고 모든 인간과 생명의 욕구들을 존중해줄 것을 요구했다.

이 이야기는 우리들의 이야기이다. 선택도 우리의 선택이다. 우리 인간은 지금도 다른 종들에 비해 훨씬 월등한 능력을 향해 나아가는 지적, 사회적, 기술적 진화 과정에 있다. 우주의 가장 놀랍고 신비한 비밀 중 하나는 인간의 발달 단계가 한계에 이르면 현 단계에서 우리에게 익숙해져 있는 삶의 수단이나 긴급한 책무가 그 익숙함으로부터 떨어져 나가서 미지의 세계로 불확실한 걸음을 떼어놓는다는 것이다. 우리는 지금 그러한 발걸음을 내딛으려는 찰나에 있다.

전반적으로 우리의 의식을 묵살하고 일축했던 과학적 패러다임은 물리적 세계의 비밀을 정복하는 데, 그리고 기술적인 능력을 쌓아올리는 데 우리가 가진 삶의 에너지를 집중시켰다. 인간이 가진 기술적 능력은 이제 사회적, 지적, 정신적 성장을 추진하는 데 전념하는 건강한 사회를 형성할 엄청난 기회를 열어놓았다. 그러나 우리는 이 기술력을 수없이 끔찍한 방법으로 오용해 왔으며, 그 힘을 현명하게 사용할 수 있는 성숙함을 아직 갖추지 못하고 있다. 어쨌거나 인간이 그동안 이룩한 기술적 진보는 우리에게 이 세상에서 굶주림과 결핍을 몰아낼 능력을 주고, 모든 사람들이 대부분의 삶의 에너지를 그날 그날의 생존을 위한 투쟁보다는 보다 만족스러운 활동에 쏟을 자유를 주며 우리가 자연과 조화를 이룰 수 있도록 해준다.

우리가 몸담고 있는 이 시대에 인간이 거둔 성공과 실패는 우리 자신에 대해 그리고 우주에 대해 우리가 갖고 있는 이미지가 왜곡된 것에 기인한다. 코페르니쿠스적 대변혁은 과학과 종교를 분리시켰고, 우리로 하여금 물질계의 비밀을 완전히 정복하는 것에 관심을 집중하게 만들었다. 이것이 엄청난 기술적 성취를 위한 길을 열어주었다. 하지만 우리 인류는 보다 심오한 정신적 실재로부터 집단적으로 소외되는 값비싼 대가를 치렀다. 이제 우리의 미래는 우리 존재의 물질적, 정신적 국면 사이의 통합적 관계를 인식하고 우리 자신을 온전한 인간으로, 온전한 공동체로, 온전한 사회로 재창조하도록 허락하는 상호 진화적 관점을 향해 나아갈 수 있느냐에 달려 있다.

우리는 지금, 역사상 가장 심오하면서도 가장 흥분되는 경로 변화에 착수했다. 이 도전은 인간이 가진 모든 창조력을 완전히 일깨울 것을 요구한다. 이 어려운 시기에 우리는 스스로가 창조하기를 희망하는 건강한 사회의 근본적인 토대를 이루는 다양성에 상호 배려와 인내심을 가져야만 한다. 모든 개인들에게 창조적으로 기여할 것을 요구하는 이 집단적 과제에 전념하면서 우리 개개인은 그 어느 때라도 용기 있는 리더이자 동시에 겸허한 추종자로서의 역할을 모두 수행할 준비가 되어 있어야만 한다.

어떤 청사진도 없는 창조 행위에 참여하고 있는 우리는, 현재 펼쳐지고 있는 과정으로부터 배워나가는 학생이며 이 과정은 우리에게 비판적인 시각으로 바라볼 것을, 그리고 각각의 의견 속에 숨어 있는 진실의 핵심과 각각의 마음속에 숨어 있는 선의 불꽃에 마음을 열 것을 요구한다.

옮긴이 김경숙

서울에서 태어나 이화여대 영문과를 졸업하고 현재 전문 번역가로 활동 중이다. 『화성에서 온 남자 금성에서 온 여자』, 『화에 대하여』, 『서드 에이지, 마흔 이후 30년』, 『미친 뇌가 나를 움직인다』 등을 우리말로 옮겼다.

경제가
성장하면
우리는 정말로
행복해질까

1판 1쇄 찍음 2014년 4월 15일
1판 1쇄 펴냄 2014년 4월 20일

지은이 데이비드 C. 코튼
옮긴이 김경숙
펴낸이 권선희

펴낸곳 사이
출판등록 제313-2004-00205호
주소 121-819 서울시 마포구 동교동 198-24 재서빌딩 501호
전화 02-3143-3770
팩스 02-3143-3774

ⓒ 사이, 2014, Printed in Seoul, Korea.

ISBN: 978-89-93178-24-1 03330

값 18,900원